JN098304

第Ⅱ部　新しいチャイナリスクの諸相

第Ⅲ部　取り残される旧態部分

序章　中国の台頭と「ネオ・チャイナリスク」の浮上

それはすべての時代のなかで、最良の時代であり、最悪の時代でもあった。

英知の時代であるとともに、愚鈍の時代でもあった。

信念の時代であり、不信の時代でもあった。

それは光の季節であり、暗闇の季節でもあった。

希望の春であり、絶望の冬でもあった。

我々の前にすべてがあり、我々の前には何も無かった。

我々はみんな直接天国に至りつつあり、我々はみんな直接別な道に至りつつあった。

（中略）

早い話が、その時代は現在とはとてもよく似ており、その時代の最もうるさい権威の何人かは、良かれ悪しかれ、その時代は最上級の形容詞によってのみ、受け取られるべきだと主張した。

チャールズ・ディケンズ『二都物語』

◆発展と進歩が伝統を追い越す

そもそも中国社会[1]は、他の諸外国と比べて想像以上に複雑な多面体である。中国人だろうが外国人だろうが、この広大で13億6000万もの人間が暮らしている中国という国の全体像を捉えるのは決して容易なことではない。しかも昨今、現代中国社会の変化のスピードは諸外国に比べて予想以上に速い。公式統計では、1980年から2020年までの40年間、中国の一人あたりGDPは35倍も拡大したといわれている。あるいは、都市の景観にしても、数年ぶりに中国を訪れると、まるで別の国になっているようにみえ、その変貌ぶりはたった数年の間に起こったこととは到底思えない。

それ以上に、中国社会と中国人の内面の変化はもっと激しい。この変化を「発展」と捉えることも可能だが、大多数の中国人はその発展についていけるはずがない。スピードがあまりにも速すぎるうえ、その急激な変化によってこれまで暮らしていた中国社会の中にあった伝統的な価値観が次々と失われていっているからだ。極論すれば、中国ではこれまで長く続いた定型的なルールなどは今日蔑(ないがし)ろにされ、「発展」あるいは「進歩」こそが現代中国社会の最優先課題となってしまっているのだ。

たとえば、都市再開発の過程で、住民の合意形成がなくても、「社会主義」の大義名分と強権を振りかざし、強制的に立ち退きをさせてしまう。この経済発展第一主義こそが、中国社会に予想以上に強いストレスをもたらしているのだ。日本語にもある言い回しだが、「結果さえよければすべてよし」という考え方が当たり前の時代になっている。

中国では日本と比較して大きく異なることのひとつとして「実利主義」[2]（realism）を重んずる点が挙げられる。今から約40年前に「改革・開放」を始めたときに、鄧小平は人民に、みんなで努力して「小康レベルの生活」（そこそこの暮らし向き）ができるようになろうと呼びかけた。目下の習近平政権は2020年までに貧困を完全に撲滅し、すべての人民が「小康レベルの生活」に達成するようにすると公約した。

むろん、この公約は現実的には達成できるはずがない。２０１９年の中国の一人あたりＧＤＰはすでに1万ドルを超えたが、同時に貧富の格差を表すジニ係数は０・４６５に達しているといわれている（同年12月末現在：詳細な説明は第2章でも行う）。理論的に、ジニ係数は０・３以下であれば格差は小さく、社会が安定するといわれている。逆に０・３を超えれば社会は不安定になり、０・４を超えると社会は混乱するといわれている。これまでの40年間、中国経済は高く成長しているが、同時に社会不安も深刻化している。近年、国家財政予算の中で治安維持に充てる予算額は軍事予算よりも多いといわれている[3]。

２０２０年5月28日全人代（国会に相当）が閉幕したときに開かれた記者会見で、李克強首相は記者からの質問に「中国では、依然として6億人はひと月１０００元（約１６０００円[4]）未満の生活を強いられている」と述べた。この統計の出典について李首相は言及しなかったが、のちにそれは北京師範大学の研究グループの試算であることが判明した。国務院の首相が公式の場で引用する統計が国家統計局の公式統計ではなく、大学の研究成果を引用すること自体、そもそも異例なことである。何よりも6億人（人口の約44％）が一人あたり1日５００円未満の生活を強いられているというのは、ジニ係数をもとに考えれば、そのうち、少なくとも2～3億人は依然として貧困状態にあるとみて間違いないだろう。世界銀行が定めた貧困ラインの基準で、1日の生活費は１・９ドル以下である。中国の貧困ラインの基準は、１日の生活費（純収入）は6・3元と1ドル未満である。中国政府が公表している貧困人口は２０１７年３０４６万人といわれているが、国際標準に照らし合わせれば、それよりも遥かに多いと思われる。したがって、中国の貧困人口について2～3億人と推計しても、決して過大評価というわけではない。

結論をいえば、習政権が掲げた公約は、2020年の年末にそれを達成したと宣言されたが、実際は、未実現の目標だったことになる。それは経済発展が遅れたからではなく、所得格差を平準化できなかったからである。北京大学が2015年に発表した「中国民生発展報告2015」によると、中国の上位1％の富裕層は国全体の富の3分の1を支配しているといわれている。逆に、下位25％の低所得層は国全体の富の1％しか所有していない[5]。この状況は現在に至るまで大きく変化していない。否、さらに悪化していると推察される。

つまり、貧困問題は経済が発展するかしないかの問題ではなく、所得分配の不公平性を是正できるかどうかの問題であるということだ。中国政府は社会主義体制を維持するとしていながらも、富の分配は共産党幹部と国有企業経営者と資本家に傾いている。このことは所得格差が拡大する一番の原因といえる。

習政権が貧困撲滅を政策目標として掲げているということは、人口的に多い貧困層を味方につけたい狙いがあるように思われる。その戦法はかつて毛沢東が蔣介石軍に勝つために用いた「農村包囲都市」（農村による都市に対する包囲）の戦術に由来するものとみえる。問題は、格差を縮小するための有効な政策と制度改革を十分に講じていないことである。所得分配を平準化する最も有効な方法は富裕層に対する課税を強化して、貧困層と低所得層の生活保障などに充てていくことである。しかし、共産党の独裁政権にとって政策を農民などの貧困層に傾けるインセンティブと合理性が現実的にない。日本では、国会議員は所得と資産を全部公表しなければならないことになっている。それに対して、中国では、一部の知識人は共産党幹部の所得と資産の公表を求めているが、政治指導者たちは所得と資産の公表を拒否している。それゆえ、税務署は富裕層に対する所得と資産調査を行うことができない。このことは所得の平準化が阻まれる背景になっている。

◆実利は原則に勝る

上で述べたように、中国社会は研究対象としてみた場合、きわめて難解なものである。日本人にとっては特にそうであろう。日本の社会づくりはかなり硬直的な側面も見受けられるが、基本的には原則とルールに基づいて行われている。原則とルールがいったん決まれば、たとえ不合理な側面があっても、それが変更されるまで、すべての社会構成員は絶対にそれに従わなければならない。それに対して、中国社会を支える最も重要な理論的背景は、さきに述べた実利主義である。たとえ決まった原則とルールがあっても、実利主義に抵触し、不合理と認められれば、いつでもどこでもそれが破られる可能性がある。この点は、日本人のみならず、ほとんどの外国人にとって、この切り替えのタイミングが最もわかりにくいところだろう。これこそ従来の伝統的なチャイナリスクである。

新型コロナウイルスの感染が拡大していたとき、スーパーマーケットへの入店について人数制限が行われた。日本では、行列に割り込む人は、まずいない。それに対して中国では、どうしても一部の者は行列に割り込もうとする。中国社会で最もルールを守らないのは権力を握っている共産党の幹部であるため、普通の庶民はそれをみて、どうして自分だけがルールを守らないといけないのかと考えてしまうのだ。

　基本的に中国社会は特権階級が支配する社会である。外国要人が中国を訪問していつも感動するのは、自国では絶対に味わえない特権を中国で味わうことができるからである。たとえば、国家元首でもないのに、飛行機で中国に到着した瞬間、いきなりＶＩＰ通路を通って、税関検査を受けずに待機している専用車に乗り込み、パトカーに先導され、宿泊する迎賓館やホテルまで直行することができる。しかも、道中の交通信号はなぜか絶対に赤にならない。すべて青になる。

　しかし、忘れてはならないのは、あらゆる特権は庶民の権利と自由を侵害した結果の上に成り立っているということである。結局のところ、格差の問題は特権階級を優遇した結果なのだ。

◆「語れる真実」を語る

　日本における中国に関する世論は、これまでの複雑な歴史に起因する国民感情に大きく左右されている。すなわち、これまで以上にわかりにくくなった中国の実像に対して、日本人が日本人特有の「色眼鏡」的な見方をもって眺めると、さらに複雑で奇妙な中国像をつくり出してしまうのだ。ときには、感情的になることも多々ある。特に、それを助長しているのは一部のマスコミの偏った報道なのではないか。

　かつて日本人が抱いていた中国人の印象といえば、よく「大人（たいじん）」と表現されていた。中国では、「大人」とは君子の如く懐が広くて人に対して謙虚な態度を取り、教養があって、自分の意見と異なる人の意見に対しても、常に寛容的な人のことである。ハイエクは『隷属への道』の中で、「寛容」

(tolerance) を高き理想として掲げていた。[6] 今の中国社会に「大人」が果たして何人いるのだろうか。

ここで筆者の経験と感想を一つ述べておきたい。それは、中国外交部報道官の記者会見についてである。

筆者は自国にいる間は、政府の高官や報道官の発言は、中国人ならごく自然なトーンでの語り口だと感じ、特に気にせず聞き流してきた。しかし現在、長く本国を離れ、他国のメディアを通じて母国発の会見を見続けることで、中国広報官の言動や立ち居振る舞いが、かなり他国の人たちからみて、上から目線からの言説になっていることにはじめて気づかされた。政府の見解の代弁者報道官という立場・役割の難しさは十分理解できる。しかし、ときとして、いくら国のスタンスや面子を保つためとはいえ、その横柄な態度や強気な言葉遣いから、いかなることがあっても絶対に非を認めず、正しいのは常に自分たちだという傲慢さを醸し出す姿勢が目につく。この偉そうな態度が海外に発信されてしまうと、往々にして国際社会における中国と中国人のイメージを逆に悪くしてしまう結果を生むのである。

米国の言語学者ノーム・チョムスキー（マサチューセッツ工科大学教授）は言語学研究以外に、近年では大半の時間を政府批判に費やしている。チョムスキーが絶えず問いかけているのは知識人としての責任であり、「知識人の責任は、真実を語り、嘘を暴くことにある」と述べている。[8] この言葉は言うに簡単だが、実行するには難しい。特に、独裁政治とその社会の深部に迫ることは、かなりの危険を伴う作業となる。

以前、北京大学の賀衛方教授（憲法学者）は来日の際、筆者に「知識人として真実を語ることができなければ、沈黙することを選択することが少なくともできる。いけないのは権力に迎合して嘘をつくことである」と述べたことがある。

本書の執筆にあたって、筆者が首尾一貫して守るべき原則は「語れる真実」を語ることであると肝に銘じている。筆者ひとりの力では祖国中国を変えることなどできないし、そのつもりもない。ここでは、日本語を読むすべてのみなさんに筆者の祖国・中国の現状に関して語れる真実を語りたいだけである。

世の中に未来学という学問があるようだが、拙著で述べているのは、中国の過去と現在のみである。中国の未来については筆者に予言する能力はない。

1963年、中国の南京で生まれた筆者は中国で教育を受けたあと、1988年に留学のために来日した。日本で勉強したのは近代経済学だった。大学院ではその手法を政策分析に応用し、研究対象を自分の母国・中国に定めて分析を続け今日に至る。

この過程で、筆者が母国で受けたすべての教育のなかで一番欠如していたのは、過去に関すること、すなわち歴史であることに気づいた。早稲田大学の劉傑教授（歴史学）の著書『中国人の歴史観』というすばらしい著作を読んだ。しかし、いくつかのサーベイから得た結論は、「中国で受けた歴史教育は歴史といえるほどのものではなく、共産党広報の基本原則に基づいて作られたプロパガンダでしかない。それには史実がほとんど語られていない。史実を語らない歴史は世の中に存在しない。もっといえば、偽りの歴史観でしかない」ということだった。ナポレオン曰く「歴史は合意に基づく作り話である」。

結局のところ、日頃の研究活動を振り返ると、筆者が近年、最も多くの時間を費やしたのは中国の近現代史の本を読むことであった。その感想の一つとして、歴史を知るには最低でもセカンドオピニオンを求めて、複眼的に史実を考察する必要があることを学んだ。本書はまず中国の過去に焦点を当て、過去から出発して話を現在に進めたい。

そして、本書のもう一つの軸は中国の現在である。以前、あるテレビの番組に出演したときに、筆者は中国の公式メディア、たとえば人民日報、環球時報、中央電視台（ＣＣＴＶ）などをいっさい見ないと述べた。なぜ見ないかというと、これらのメディアの報道は真実でない内容が多いからである。

筆者がエコノミストの道を歩み始めたのは27年前だった。当時、中国の経済統計はほとんど整備されていなかった。ＧＤＰなどのマクロ経済統計でも、日本で入手する「人民日報」（海外版）の経済面に掲載される経済情報に含まれる経済統計を収集して、lotus123に欠かさず手動で入力して表計算していた。それに対して、今、たくさんのデータベースサービスが世の中に存在する。国連や世界銀行など数多（あまた）の国際機関のデータベースのほとんどは無料でダウンロードできる。米国と英国などのシンクタンクの研究レポートのほとんども無料で閲覧できる。すなわち、中国以外で入手できる中国情報は圧倒的に研究に役に立つ。なぜならば、それらの資料のほうが真実に近いからである。

ここで重要なのは、こうした情報の真偽を見分ける力である。では、どのようにその真偽を見分けるのだろうか。一言でいえば、「常識」をもって判断するということである。歴史家によれば、史実を改竄することはできるが、その論理性（ロジック）を改竄することは簡単ではない(9)。たとえば日中の間でいつも問題となっている「南京事変」（南京大虐殺）の真偽について、犠牲者の人数に関しては両者は折り合わない。その人数を多くあるいは少なく主張することはできるが、侵略の事実は否定できないはずである。したがって、ここでいう常識は歴史に内在する論理性のことである。社会科学を研究する者にとって、最も重要なのはこの「常識観」である。

この常識観についてもう一つの具体例を挙げて説明させていただきたい。1958年から62年にかけて、中国で大飢饉が起きた。政府の公式見解によれば、これは三年間に及ぶ自然災害によるものであるといわれている。しかし、中国気象台の当時の記録をみるかぎり、当時、記録的な自然災害（大洪水や旱魃）はほとんど起きていなかった。その本当の原因は毛沢東が呼びかけた「大躍進」運動だった。したがって、大飢饉は天災ではなく、人災だったのである。ちなみに、新華社通信元記者で大飢饉の歴史に関する研究の第一人者・楊継縄によれば、この大飢饉の犠牲者は7000万人にのぼるといわれている。[10] この事例からもわかるように、中国で起きたさまざまなことについて、「常識」をもって判断することは何よりも重要である。

◆「中国」というリスク

さて、改革・開放以来40年あまりを経て、巨龍と化した中国は、習近平政権へと移行したあたりから、世界に向けてその存在と実力をはっきりと主張し始めた。GDPで日本を抜き世界第二の地位を得たという自信から、鄧小平時代の「韜光養海（とうこうようかい）、有所作為（実力のないうちはじっと目立たぬように控えめにふるまい、ひたすら力を蓄えることに努める）」をもう卒業し、東西冷戦時代のソビエト連邦に代わって冷戦後の新しい覇権時代の「雄」に躍り出たことを猛アピールしている。

具体的には往年のシルクロード交易の復活を目論んだ「一帯一路」構想、アジア開発銀行に対して「アジアインフラ投資銀行（AIIB）」を提唱（国際金融秩序への挑戦）、援助している他の途上国に対して、人民元建ての決済を導入するよう迫る（借金を返済できなければ見返りとして港湾の使用権などを要求）、南シナ海の領有権を主張し、「九段線[11]（U字線、牛舌線とも）」を設定するなど、国際社会内で反発を招いている。特に、ベトナムなどいくつかの国は国境設定をめぐって一時一触即発の状態になるなど、直接的な影響を被っている。実は、このような強硬路線によって中国自身が追い込まれていることを認識しておきたい。

従来、「中国との関係において危険を伴う状況」のことは、俗に「チャイナリスク」と呼ばれていた。その定義は「中国が国内にさまざまな問題・課題・未達成な部分を抱え、それが主に中国国内に進出してビジネスを行う外国企業にとって大きな足枷＝リスクとなること」、つまり「主に外国企業の視点から、中国の内国問題を捉えたもの」を指していた。具体的には

（1）**イデオロギーの相違**（社会主義、共産党一党体制）……国有企業主体、資本主義的なルールが時として通用しない、後ろ盾として国家があり、大プロジェクトは国家がかりで推し進める、など

（2）**企業活動のオペレーション・リスク**（生産ライン、流通・販売ネットワーク、雇用・労働・賃金など）……従業員たちとの意思疎通が、考え方の相違などにより困難なケースが生じる、など

（3）**経済環境**（株式市場、為替市場、投資環境、法制、企業形態のちがい、不良債権問題など）

……ある日突然工場の操業がストップしてしまう、ある日突然法律が変わってしまう、など

（4）**セキュリティー・リスク**（情報の管理操作、情報略取、安全性の未保障など）……情報の非対称性が激しい、外国人ビジュネスマンやジャーナリストがある日突然明確な理由が示されずに逮捕拘留され裁判にかけられる、など

（5）**社会・政治関連リスク**（軍備、世界進出、環境衛生、階級と格差、人口減少、領土・少数民族問題など）……上述のような事柄

が主なポイントである。そして、これらのリスクは最終的には

（6）**習近平政権のサステナビリティ（持続可能性）のリスク**

に収斂する。図らずも今回、新型コロナウィルス危機をきっかけに、習政権の統治力が問われるはめになった。これが中国社会の直面する最大のリスクといえる。

◆リスクのフェーズが変わった——「ネオ・チャイナリスク」への進展

さらに今日、この「チャイナリスク」という語が持つフェーズが大きく変わりつつある。「外国企業の視点で中国国内問題を見る」という観点から、「世界が中国の国際的な活動などをどう危険視しているのか」という意味合いも含めた幅広い捉え方が加わってきているのだ。筆者はこの新しい捉え方に対応して、今後世界の中でさらに重要度を増し、かつ危険度も強まる中国の新局面を①ネイティブな視点から、②エコノミストの視点から、経済学だけでなく、政治学、歴史学など複眼的視点を

持って考察していきたい。

もちろんその背景には依然として中国国内問題が横たわっているので、すべての問題がリセットされるわけではないが、本書では従来型の「チャイナリスク」との相違を意識して、「ネオ（新）・チャイナリスク」、と呼ぶことにし、各章で個別テーマごとに分析を加えることにする。具体的には（a）一党体制からカリスマ型の独裁へ、（b）社会主義市場経済＝国家資本主義（国営企業の活動が国家によってコントロールされていること、隠れゾンビ企業が林立していること）、（c）高齢化・人口オーナス社会への転換、（d）軍拡、領土拡張路線と一帯一路、（e）先端産業の発展に伴う社会の二極化、（f）人民元の為替リスク、（g）キャッシュレス社会の進行と不良債権問題、（h）資源・エネルギー問題、（i）国際覇権の問題などだ。

紙幅の関係上、ここに列挙した諸リスクの本書内における分析には濃淡が生じたり、必ずしも詳しく言及できていないもの（たとえば、人民元の為替リスクなど）もあるが、ここでは問題提起として挙げておく。

◆歴史は繰り返されている

この序章を終える前に、読者のみなさんにとって、今の中国を理解するために四十余年前に中国で起きたある出来事を紹介しておきたい。

1970年代末、毛沢東が死去したあと、中国で経済の自由化と思想の自由化を求める動きが盛んに出ていた。その代表的な出来事のひとつとして1977年、作家の白樺が文革（文化大革命、1

966－76年）時代の暗黒を描く『苦恋』という小説を発表した。毛時代においては、このような小説を執筆するだけで投獄され処刑される可能性があった。のちにこの小説をもとに「太陽と人」という映画が製作された。

この小説と映画の主人公のモデルとなったのは、実在の中国人画家・黄永玉の人生だった。黄は貧しい家の出であり、若いとき、香港と台湾を放浪していたが、1949年、中華人民共和国が成立したあと、祖国に貢献する夢をみて中国（大陸）に戻った。最初の数年間の生活は幸せだったが、1957年からの反右派闘争の中で黄が右派となり打倒され、文革のとき東北の農村に下放され、さらに迫害を受けた。この実話を踏まえて、映画の中で、主人公の娘は海外の華僑と結婚して、海外へ移住する。家を出発するときに、主人公は娘に対して「1949年、私は国を愛して、帰ってきたのに、お前はどうして国を去るのか」と怒った。それを聞いて、娘は父親に対して「あなたはたしかにこの国を愛したが、この国はあなたを愛したことがあるのか」と返した。娘の答えに対して、主人公（父親）は返す言葉がなかった。

この映画のエンディングは、迫害から逃れようと、葦が密集する沼地に隠れて生活していた画家は、このとき毛沢東がすでに死去し、文革が終わったことを知らなかった。大雪の日に画家は最後の力を振り絞って雪原に這い出て、全身で巨大なクエスチョンマークを描いて息絶えた。作家と監督が投げかけた疑問は、なぜこの国がこうなったのかということだったのだろう。

この映画は共産党中央宣伝部の審査を受けたとき、このエンディング部分の削除を求められたが、監督の彭寧はそれを頑なに拒否した。結局この映画は一般公開されなかった。また、この監督は二度と映画を作ることがなかった。その小説を執筆した作家・白樺も共産党内で批判され厳しい処分を受けた。

なぜここでこの出来事について詳しく述べたかといえば、今の中国は、この40年前と同じような状況になっているからである。1978年に始動した「改革・開放」政策は中国の政治と社会を自由化せず、経済だけある程度自由化した。結果的にわずか40年足らずで、経済は著しい成長を成し遂げたが、ここに来て、経済成長が減速し不安定化している。その原因は人々の自由と基本的人権を保障する民主主義と法治の制度インフラが整備されていないからである。

【序章・注】

(1) 特に断りのない限り、本書では「中華人民共和国」を「中国」と略記する。
(2) 本文の中で、文脈によって「実用主義」、「合理主義」と記すことがある。
(3) 中国国内の「21世紀経済報道」が2019年3月10日に報じたところによると、2019年の軍事費予算は1兆1900億元であるのに対して「公共安全支出予算」(治安維持費)は1兆3879億元であるといわれ、軍事予算を上回っている。同予算が2013年7691億元だったことから、わずか5年間でほぼ2倍に拡大したという計算になる。
(4) 本書では、特に断りのないかぎり、人民元の為替レートは2021年1月現在の1元=16円とする。
(5) 中国の総人口13億6000万人の25%は3億4000万人という計算になる。
(6) ハイエク、F・A『隷属への道』(10ページ、西山千明訳、春秋社、2003年〔第9刷〕)。
(7) 日本では、アメリカ合衆国のことを「米国」と表記しているが、中国ではアメリカは「美国」と表記される。美しい国という意味である。ヨーロッパ人たちにとってアメリカは「新」大陸であるが、中国人にとって、アメリカは夢を実現するところ。サンフランシスコが中国語で「旧金山」と訳されているように、夢たっぷりの地名である。美国も夢の国といえる。ただ、本書ではあえて米国と記すことにする。最近では事あるごとに中国に対してあれこれ難題を突きつけてくる国のことを、いまだ「美」国と表記せざるを得ないのは、皮肉なことである。

（8）Chomsky, N (2002) *American Power and the New Mandarins,* The New Press（和訳：『知識人の責任』27ページ、清水知子・浅見克彦・野々村文宏訳、青弓社、2006年）。

（9）プリンストン大学の中国人歴史家・馮勝平の言葉。

（10）楊継縄『墓碑』香港天地図書、2008年。

（11）もともと蔣介石国民党時代、南シナ海を囲むのは九段線よりも面積がさらに広い十一段線だった。毛沢東時代、ベトナムの社会主義革命を支援するために、中越関係は良好だった。そのとき、ホー・チ・ミンは北京を訪問し、毛にベトナムに近いいくつかの島を借用したいと申し入れた。それに対して、毛は「われわれは兄弟であり、借りるといわないで、あなたにプレゼントする」と気持ちよく答えた。このことは、毛沢東時代、領土領海を拡張しようとする戦略がほとんどなかったことの証左といえる。近年、中国は領海を拡張しようとして、ベトナムと対立している。

第 I 部

「チャイナリスク」の再定義

第1章　変化する「チャイナリスク」の意味

中国は社会主義国家であり、発展途上国でもある。中国は第三世界に属し、中国政府と中国人民は（中略）国民経済を発展させ、植民地主義に反対し、帝国主義・覇権主義と戦い、これは、われわれが果たさなければならない国際主義の義務である。中国は今も将来も超大国にはならない。超大国とは他国を侵略、干渉、コントロール、転覆、略奪、世界覇権を狙う帝国主義国家のことである。（中略）もし、ある日、中国が超大国に変わり、世界で覇権国家になろうとするとすれば、もしいたるところで他国を侵略し、他国を搾取するとすれば、世界の人民は中国に社会帝国主義の帽子を被せ、それを暴き、それに反対してほしい。しかも、（世界の人民は）中国人民と一緒にそれを打倒してほしい。

鄧小平（1974年4月10日、国連特別会議での談話）

1　看過された「新たなる脅威の台頭」

2015年、米国ハーバード大学ケネディスクールで、ある小さなセミナーが開かれた。そこでシンガポール国立大学のインド系教授K・マーブバニ氏は、What happens when China becomes number one?（中国は世界一になったとき、世界はどうなるのか）と題する講演を行った。

２０１８年、北京で開かれたあるフォーラムで、清華大学の胡鞍鋼教授はプレゼンテーションのなかで「わが国は科学技術においてすでに米国を全面的に凌駕している」と意気込み、中国はすでに世界一になったと豪語した。

この二人の研究者の発言は単独で偶然に起きた事柄ではなく、今日世界で広がっている中国に対する警戒論と、中国国内で蔓延している「China's rise（中国の台頭）の夢」がぶつかり合って、目下の不安定な国際情勢が醸成された、と認識されたい。

２０１５年当時、多くの米国人は、中国の台頭が米国を脅かすほどの脅威になるとはみていなかった。それに対して、問題として提起したのがマーブバニ教授だった。実に興味深い出来事といえる。２０２０年、新型コロナウイルスが蔓延するなか、中印国境で中国人民解放軍とインド軍が小競り合いになり、双方とも数十人の兵士が犠牲になったといわれている。約一年遅れて、中国政府は中国兵士が4人死亡したと発表したが、実際の死亡者数はもっと多いとみられている。２０１５年当時、このインド系教授はそれを予見していたのだろうか。

２０１８年、米中貿易戦争がすでに勃発したなか、北京ナンバーワンのビッグマウス[1]と呼ばれる清華大学の胡教授の発言は中国の政治指導者をミスリードしただけでなく、図らずも世界主要国に中国の台頭を警戒するよう目覚めさせた立役者となった。むろん、中国の科学技術の実力は客観的に評価する必要があるが、それが米国を全面的に凌駕しているかどうかは、改めて検証が必要である。このタイミングでの問題提起は重要な意味を持つ。

ここで、問題となるのは「中国が世界一になるかどうか」ではなく、「台頭してきた中国は既存の国際ルールに従うかどうか」にある。それはグローバル社会の地殻変動、すなわち、ネオ・チャイナリスクを意味するものである。

科学者によると、われわれが住むこの地球は気候変動によって不安定期に入っているといわれている。気候変動の原因は人類の活動による環境破壊なのか、単なる自然現象なのか、科学的な検証はまだ十分に行われていない。人類の活動による生態環境の破壊はその一因であることは間違いない。世界主要国は脱炭素を目指して新しい目標を掲げているが、それを単なるビジネスチャンスとして捉えるとすれば、温暖化を食い止めることはできない。地球温暖化と二酸化炭素の排出との因果関係のほかに、人類の活動を全般的に検証しなければならない。

一方、同様にグローバル社会も不安定期に突入している。その原因の一つは、世界最大の新興国・中国の台頭にあるといわれている。中国経済の発展がなければ、世界経済は発展できないというのは明らかに大げさすぎるのだが、中国社会が安定しなければ、国際社会も安定しないというのはほぼ確かな事実であろう。かつて冷戦下において、米ソ対立は国際社会を二分しながらも、ある意味での均衡状態をつくり出した。キューバ危機[2]をはじめ、米ソは幾度ものリスクを回避してきた。米ソは互いに相手を滅ぼそうとすると、自らも滅亡してしまうリスクを常に孕んでいたため、その均衡状態が長い間崩れなかった。

1990年代初頭、ソビエト連邦は崩壊し、冷戦が終焉した。米国をはじめとする民主主義陣営にとって仮想の敵がいなくなった。それよりも、旧ソ連と東欧諸国の再共産主義化を回避するために、民主主義陣営によって旧共産圏に対して金融、貿易、直接投資、自由な市場経済の構築など全方位的な支援が行われた。その主軸は民主主義体制を構築し定着させることだった。

それに対して、中国は民主主義への制度移行を拒否し、社会主義の道を堅持しながら、経済の自由化だけ、しかも部分的に進めた[3]。旧ソ連と東欧諸国で行われた国営企業民営化を中心とする「ショック療法」とは対照的に、中国で進められた「改革・開放」政策は国営企業を民営化せず、民営企業による市場参入を漸進的に認める漸進主義（gradualism）の改革が行われた。漸進主義の改革は実体経済へのダメージが小さいことが、そのメリットといわれていた。

民主主義陣営、とりわけ米国が中国のレジームチェンジ[4]を急がなかったのは、経済が自由化に伴って成長し、国民生活が豊かになれば、中間所得層を中心に民主化を求める機運が高まると期待されたからである。これはのちに米国で中国の制度移行を促すエンゲージメント政策として考案される背景となった。要するに、中国はソ連と東欧諸国と異なって、革命による体制崩壊ではなく、時間の経過とともに制度移行が徐々に進むと考えられていたのである。

しかし、民主主義陣営の論客のほとんどは中国のことを見誤っていた。一人あたりＧＤＰの拡大（経済成長）と民主主義への制度移行の進展とが恣意的に関連づけされ、それに対する期待的観測が、中国社会で起きる実際の変化を見誤らせたのだった。図１‐１に示したのは中国の一人あたりＧＤＰの推移である。１９８０年から２０２０年までの40年間、中国の一人あたりＧＤＰは35培も拡大した計算になっている。

近年、グローバル社会の不安定性は、経済的に台頭してきた中国が既存のグローバル社会のルール

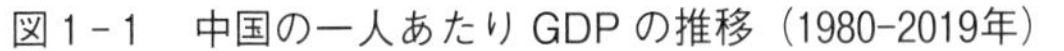
図1－1　中国の一人あたりGDPの推移（1980-2019年）

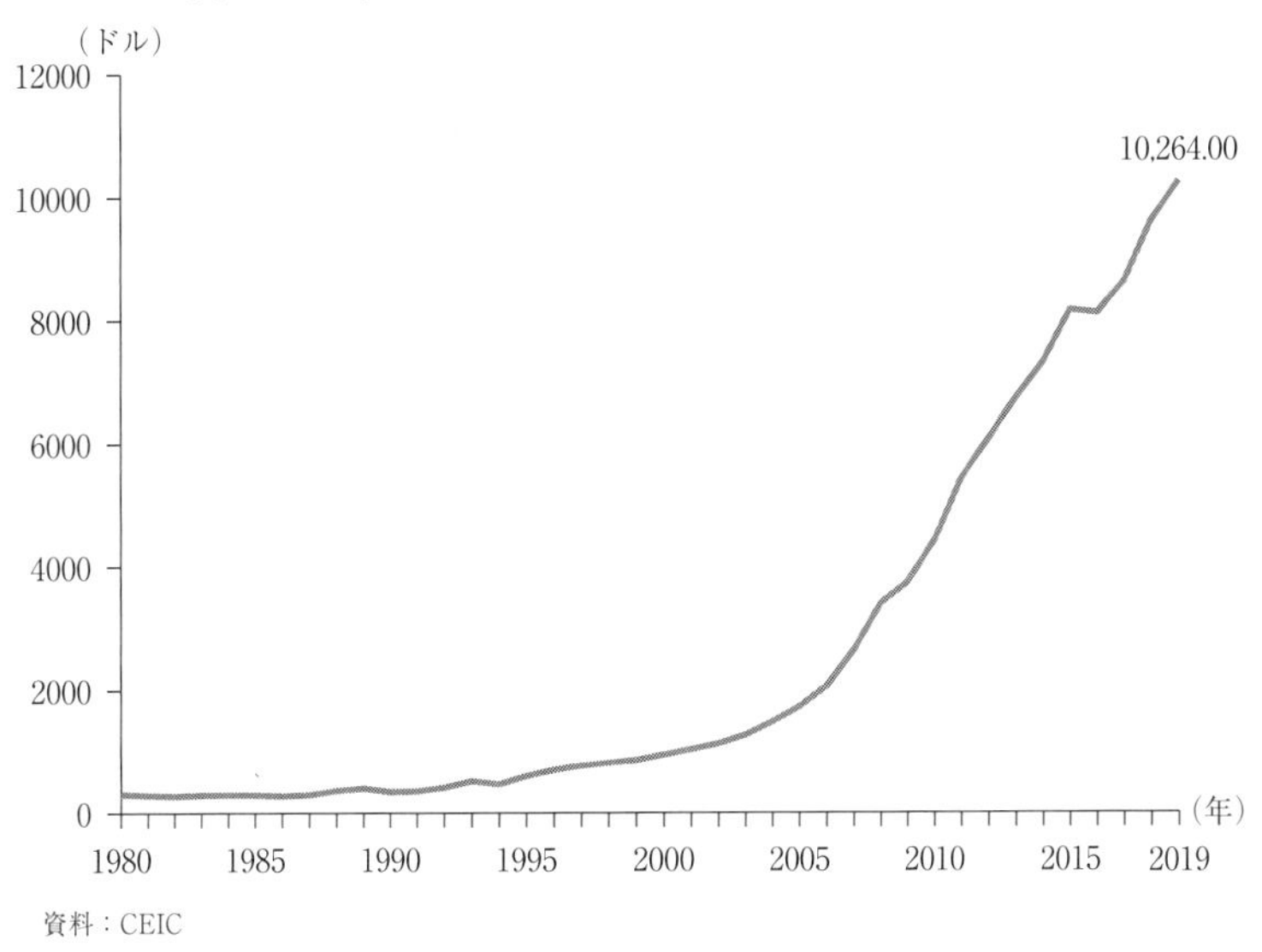

資料：CEIC

に従わないことに部分的に起因するものである。中国政府は専制政治と経済の自由化を両立させることができたと豪語している。この点は政治学者と経済学者の多くが予想できなかったことだった。近代経済学は市場メカニズムによる資源配分こそ経済の効率化を実現できると想定しているが、それに対して専制政治では、市場メカニズムによる効率的な資源配分が阻害されてしまうと考えられている。ここで問題として提起されるのは、中国の経済発展がいかにして実現されたのかである。

なお、一般的な意味で用いられる「チャイナリスク」という言葉には、大きく二種類のリスクが含まれる。一つは中国経済がこのまま成長していった場合、中国の台頭、すなわち中国的ヘゲモニーがもたらす国際社会の不安定性である。もう一つは中国社会と中国経済がすでにグローバル社会に組み入れられているため、中国経済の成長が大きく減速した場合のリスクである。極論すれば、中国経済が成長してもしなくても、グローバル社会にとっては深刻なリスクとなる。そのリスクをいかに管理するかは国際社会にとって深刻な悩みとなろう。

2 いまだ問われない「独裁」と「文革」の責任

歴史的に専制政治のリスクは、その独裁政権における指導者の独裁がもたらす不安定性に由来するものであることが、繰り返し実証されている。スターリン、毛沢東、ポル・ポトらはいずれも、自国民を大量虐殺した独裁者であり残忍な暴君だった。今日のロシアでは、スターリンを祭り上げる人は一部の極左分子以外、ほとんどいない。カンボジアでも、ポル・ポトは虐殺者以外の何者でもない。それに対して、中国では依然として毛沢東が祭り上げられており、中国国内で毛批判は今日においてもタブーである。これこそ中国社会に残されている禍根である。中国のリベラル歴史学者たちは毛時代（1949－76年）を中国歴史上最も暗黒な時代と指摘している。

知識人の責任が真実を語り、嘘を暴くことであるとすれば、中国で知識人の批判精神を封じ込めたのは、毛が引き起こした「反右派闘争」（1957年）がきっかけだった。実は毛の指令を忠実に実行した主力選手の一人は、意外にも鄧小平だった。エズラ・ヴォーゲル教授はその著書『現代中国の父　鄧小平[5]』の中で鄧小平の生涯を詳しく記したが、鄧が知識人を弾圧する急先鋒だったことについてはほとんど言及していない。これは同書の致命的な欠陥といわざるを得ない。

ちなみに、反右派闘争とは、共産党に少しでも批判的な知識人を右派分子として辺鄙な農山村へ追放し、肉体労働を強いる「精神改造運動」だった。既存の記録では、少なくとも55万人以上の知識人は右派分子と認定された。「改革・開放」以降、胡耀邦総書記（当時）は右派分子として迫害された知識人の名誉回復を主導したが、鄧小平は右派分子の知識人の名誉回復に一貫して慎重な態度を崩さなかった。名誉回復が遅れた知識人の多くが、鄧によって追放された大物たちだったからである[6]。

毛時代の中国社会の暗黒さは反右派闘争にとどまらない。1966年から76年まで、10年間も続く文化大革命（文革）が引き起こされた。文革の本質は共産党中枢の権力闘争だった。「大躍進」政策の失敗の責任をとるかたちで国家主席の座を退いた毛は、建前で劉少奇を国家主席として自分の後継者に指名したが、本心では権力を劉に掌握されるのを恐れ、いつか機会をみつけて劉を打倒しなければ、と目論んでいた。法的手続きを講じて劉を打倒しようとすると、そのための証拠を示さなければならない。証拠などないため、毛は中学生や高校生などの若者を動員して、文革を引き起こし、劉を追放した。劉は1969年11月12日、移送監禁先の河南省で死去した。

文革で毛は目的を達成したが、紅衛兵たちの暴挙はとどまることなく、さらに暴走していった。若者たちは毛を擁護する大義名分で知識人を手当たり次第に迫害した。そのうえでいたるところで文化財を破壊した。当時のスローガンに「革命無罪、造反有理」というのが最も有名だった（コラム①を参照）。

自らの権力を強化するために文革を引き起こし、中国全土を長年にわたって大混乱に陥れたにもかかわらず、「改革・開放」以降、毛の罪が問われていないことは大きな禍根を残した。40年前に鄧は

コラム① 紅衛兵による「孔子廟」の破壊

1966年11月、紅衛兵の5人のリーダーの一人・譚厚蘭は北京から200人の紅衛兵を率いて山東省曲阜の孔子の故郷に行き、孔子廟を破壊した。記録によると、紅衛兵たちの破壊活動は29日間も続き、期間中、古い図書が2700冊あまり、絵画と書が900枚あまり焼かれたといわれている。そのうえ、石碑1000枚あまりが破壊された。紅衛兵によって孔子76代目の孫の遺体が掘り起こされた。これは革命ではなく暴挙である。ちなみに、この破壊活動の首謀者の譚は1978年に逮捕され、82年罪を認めたが、癌を患っていたため不起訴処分となった。そして同年、死去した。

「毛主席は過ちを犯したが、功績が主である」と総括した。さらに、習近平政権は文革を「歴史的な困難な探索」とポジティブに評価している。すなわち、文革は悲惨な結果をもたらしたが、その初心と狙いは革命というポジティブなものだったということのようだ。

かねてから中国のリベラル知識人たちは文革の再来について警鐘を鳴らしている。文革は「歴史的な探索」ではなく、犯罪である。毛時代のレガシー（遺産）を清算しなければ、中国は民主化する可能性がほとんどない。なぜならば、独裁者・毛に対する崇拝と民主主義制度とは水と油の関係にあるからである。

本章では、チャイナリスクの再定義を試みるが、その出発点として、やはり中国の歴史から出発しつつ、現行の制度に含まれているリスクを明らかにしていかなければならない。本質的にいえば、チャイナリスクには「経済が発展する前のリスク」という側面、「経済が発展したあとのリスク」とがあり、その二つの相乗効果によって国際社会に大きなショックを与えるものである。特に、著しい経済発展を成し遂げた中国は、グローバル社会とそのルールを大きく変更しようとしている。それを拒む国際社会と中国との対立が国際社会を深刻な不安に陥れることになる。米中対立はその一つの典型例といえる。

以下、新しいチャイナリスクを再認識するための定義を明らかにしていくことにする。

3　中国共産党にとっての「チャイナリスク」

共産党専制政治の正統性

習政権は間違いなく建国100年の2049年の中国社会と共産党政権を意識して、共産党の指導体制を維持しようとしている。鄧小平は1978年に復権したとき、国民生活を豊かにしなければ、共産党は間違いなく下野させられると意識して、「発展こそこのうえなく理屈だ（説明不要の真理だ）」という談話を発表した。同様に、習近平にとってここで政権を失うと、共産党一党支配体制が清算され、党自体も消滅しかねない。そこで、問題はいかに共産党専制政治の正統性を立証するかにある。

民主主義政治では、政治家は基本的に選挙で選ばれるため、「民本位」の傾向が強い。それに対して専制政治では、指導者が選挙で選ばれないため、「官本位」になる。2020年4月、新型コロナ危機において、習近平国家主席はウイルスの感染がピークアウトしたあと、ようやく武漢を視察した。その直前に湖北省と武漢市の幹部は市民に対して政府共産党に感謝するよう呼びかけた。この呼びかけは間違いなく地方幹部が習主席に喜んでもらうための忖度だった。このような発想は民主主義政治において絶対にあり得ない。だが、専制政治では、これは常識である。

振り返れば、中国共産党は毛沢東や周恩来をはじめとする初代の指導者たちが命を賭けて蒋介石の国民党軍と戦って政権を樹立した。彼らの指導者としての正統性はそれによってある程度立証できたといえるかもしれない。しかし、戦争経験のないその後継者たちは何をもって政権の正統性を立証するのだろうか。民主主義の選挙を実施していないため、経済を発展させ人民の生活を豊かにする鄧小平のやり方は大衆の支持を集めることができた。ただしその一方で、こうした考えは成長至上主義を生み出した。同時に、富の分配について公平性が担保されていないため、所得格差は急速に拡大し、人民の不満を招いた。

胡錦濤政権（2003－12年）は環境と調和する経済発展を目的とする「科学的発展観」を提唱した。そのときに、「以人為本」（人を重んずること）が唱えられた。というのは、それまでの成長至上主義は環境破壊をもたらしたから、人を重んずる調和のとれた「和諧社会」を目指すことが提唱されたのである。

たしかに経済成長さえ続けられれば、短期的には人々の不満をかなりのレベルで鎮めることができる。ただし、上で述べたように経済成長とともに所得格差が拡大すれば、逆効果となる。低所得層は経済成長の果実を享受できなければ、共産党政権を支持しなくなる。習政権は2020年までに貧困を完全に撲滅し、全国民の生活レベルを小康レベルに引き上げると公約した。同年の年末、この公約は達成したと宣言された。しかし、序章でも述べたように、いまだ格差が縮小しないなか、その公約の達成は現実的にあり得ない。

したがって、習政権が直面する最も深刻な問題は、自らの正統性をいかに立証するかである。40年前とちがって、2019年、約1億5000万人の中国人が海外旅行に出かけ、外国の教育機関へ留学している中国人留学生は数十万人にのぼる。世界主要国で民主主義の選挙が行われていることを、これらの海外渡航経験を持つ中国人たちは自分の目でみている。13億6000万人の国民がSNSなどを通じて2020年の米国大統領選の激しい攻防を見守った。そしてなぜ自分の国では、民主主義の選挙が行われないのか。多くの人は心の中で自問自答しているはずである[7]。一方、習政権になってから、社会に対する監視を強化している。豊かな生活を送ることができる中国人はますます不自由を感じている。これでは、中国社会はますます不安定になる。ある意味では、米国の左派の論客たちが考案したエンゲージメント政策は方向性としては間違っていないが、中国社会の変化は彼らの予想よりも遅いものだっただけである。

毛時代への逆戻り

前述したように、毛時代は中国の数千年の歴史において最も暗黒な時代だったと歴史学者たちは指摘している。常識的に考えれば、人々は幸せな生活に憧れ、明るい時代に向かって邁進するはずであり、暗黒な時代に逆戻りしようとしないはずである。問題なのは、一部の中国人が毛時代の呪縛から解放されていないことにある。

2018年はカール・マルクス生誕200年だった。そのとき、一部の中国人はマルクスの故郷トリーアに行って参拝した。彼らの多くが身に纏ったのは文革のときの人民服だった。マルクスは一人の研究者としてその学問的価値は十分に尊重されるべきであるが、イデオロギーの教祖として祭り上げられるべきではない。しかし、中国ではいまだにマルクス、エンゲルス、レーニンと毛沢東をイデオロギーの教祖として崇拝する傾向がある。現在の指導者にとって彼らは人民を洗脳するうえで使い勝手のよい存在だからである。ただし、その効果は近年、かなり薄まってきていると思われる。

毛時代の中国がどれほど暗黒だったかについて改めて詳述する必要はないだろう。しかし、なぜいまだに多くの中国人は毛時代を忘れずに憧れるのだろうか。冷静に考えれば、彼らが毛時代の貧しい生活への回帰を望んでいるはずはない。マルクスと毛が唱えるユートピアへの憧れがこれらの中国人を支配していると好意的に解釈できる。そのユートピアを実際に実現できるかどうかは別問題である。

もう一つの可能性として、一部の中国研究者によって指摘されているのは、目下の中国社会の不公平感に対して不満があるがゆえに、一部の中国人はより格差が小さかった毛時代を懐かしく思うのであるといわれている。表面的には、この言い方に一理があるように思われるが、では毛時代の中国社会はより平等公平な社会だったのだろうか。明らかにそんなことはなかった。

中国のリベラル派研究者たちは、毛時代の負の遺産をきちんと清算していないうえ、左派の人々は目下の政治腐敗に対する不満と怒りが募ったため、自然に毛時代へと回帰しようとしていると指摘している。また、毛時代に逆戻りしようとする人たちはかつての記憶を呼び起こすとき、無意識にそれを美化していると思われる。心理学的にいえば、人間は過去のことを振り返るときに、おのずと悲惨な記憶を濾過して、そうでない記憶を懐しく思い美化しがちである。今の60代と70代の一部の中国人はときどき公園などで毛沢東の偉大さを謳歌する歌と踊りを披露する。それは彼らがほかの音楽とダンスをまったく知らないからであろう。

60代以上の中国人は毛時代を振り返ると、当時、幹部の腐敗は少なく、格差も小さかった。みな貧しく、生活は楽ではなかったが、現在、中国社会で多発している毒粉ミルクや毒ワクチン事件などはなかった。このような思い出話はそれぞれの人の実体験に基づいたものであり、毛時代の中国社会の一つの断面の描写である。毛時代に、共産党が腐敗していなかったかどうかについては改めて検証する必要がある。当時の共産党指導者がさまざまな特権を享受していたのは事実である。指導者たちは主要都市にそれぞれ自分の別荘を持っていた。当時の共産党指導者の特権と現在の共産党幹部の腐敗はやり方こそ異なるが、本質的に同じものである。

格差について、都市部内の格差は今の中国社会と比較して、たしかに大きくなかったが、都市と農村の格差は今以上に大きかったはずだった。当時、食品安全性の問題は深刻ではなかったが、食料不足の問題は深刻であり、大飢饉まで起きた。毛時代と比較して、現在の中国では、幹部の腐敗と格差問題のいずれもかなり見えるかたちで表れているから、怒りと不満を助長している。特に、習政権になって、２６０万人以上（２０１９年末現在）腐敗幹部が追放され、その罪状の一部がマスコミを通じて周知されている。政権としては、人民の支持を集める意思があるが、同時に逆効果でもある。共産党体制そのものが全面的に腐敗している現状について、人民に支持されるはずがない。結果的に習政権への直接的な批判を回避しながら、毛時代を讃えて間接的に習政権を批判する動きが現れているのである。

歴史的循環論

チャイナリスクを経済学者は中国経済の失速と定義するのに対して、社会学者はそれを社会の不安定化と定義する者が多い。そして、政治学者は政権の不安定化をチャイナリスクとみなす。

かつて王政時代の皇帝たちは、自らの統治が永遠に続くという夢を抱く。中国歴代皇帝は不老不死の薬を開発するために、「錬丹術」を開発させた。しかし、不老不死の薬はいまだに開発されていない。

1945年7月、黄炎培というリベラル知識人が延安を訪れ、毛沢東に「歴史的周期律」（循環論）を教えた。黄炎培についてはコラム②を参照されたい。黄は歴史学者であり、歴代王朝に対する詳しい洞察から、歴代王朝が興亡盛衰の周期律から逃れることはないと説く。短命な王朝といえば、秦15年、隋29年が挙げられるが、そのいずれも強権的な王朝だった。王朝が交替するきっかけはほとんど格差の拡大に起因する農民一揆だった。

黄の周期律説を聞いた毛は、「われわれはすでに、先生がいう周期律を脱出する新しい道（方法）を見つけた。その新しい道とは、民主である。人民に政府を監督させ、政府は職務を怠ることをせず、みんなが責任を負えば、政権が滅びることはないと思う」と返した。毛の答えはきわめて正しい見解だったといえる。この会話は抗日戦争に勝利する直前に行われたものだった。問題は、毛が政権を樹立した1949年以降、共産党は自らが示した「新しい道」を歩まなかったことにある。

それから70年以上経過し、今の習政権を考察すれば一目瞭然だが、政府は人民の監督を受け入れず、どんな過ちを犯しても、誰も責任を取らない。毛と黄のこの会話はのちに「窯洞対話」[8]と呼ばれているが、今の中国政治情勢を考察すれば、黄の予言通りになっているといえる。すなわち、政治不安が社会不安を引き起こし、経済成長を押し下げているのだ。

では、なぜ共産党は民主化を拒むのだろうか。

コラム② 教育家・黄炎培と水利学者・黄万里

黄炎培は1878年、江蘇省川沙県（今の上海浦東新区）で生まれた。1902年、科挙試験に合格。12年、江蘇省教育局長に任命された。45年、国民参政会参政委員として延安を訪れ、毛沢東と面会した。黄が執筆した「延安帰来」によると、そのときに、毛に対して周期律説を提起したといわれている。49年、政務院副総理、軽工業部長ののち、65年病死した。68年、夫人は迫害され、睡眠安定剤を大量服用して自殺。

黄万里は黄炎培の子息であり、米国イリノイ大学工学博士、水利学者である。毛時代、黄河三門峡水利施設の建設に反対したことで右派分子と認定された。文革のときに追放され、1980年、名誉回復を果たした。一貫して三峡ダムの建設に大反対した。98年、ようやく大学院で教鞭を取ることを認められ、2001年に病死。

これについて、毛は二つのレガシーを残した。一つは、毛が人民民主専制制度を考案したこと。もう一つは、民主集中制度である。前者は、共産党が人民を代表して、政権を独裁的に支配する考えである。しかし、今日の中国では民主主義の選挙が行われていないため、人民からその権限は付託されていないはずである。後者は、民主をある程度認めるが、最終的に共産党（中央）が民意を集約して決定する。だが、それが適切に行われるかどうかを確かめるチェック・アンド・バランス機能が用意されていない。

人民の監督を受けない政治の下では権力者は必ず腐敗するというのが鉄則のはずである。習政権になってから、260万人以上の共産党幹部が追放された。一人や二人の幹部が腐敗するならば、その個人の道徳観念とモラルの低さに起因すると断罪できるが、260万人以上もの腐敗幹部が追放された事実から、既存の制度に構造的な問題があるといわざるを得ない。このままいくと、習政権は極端に不安定化する可能性が高い。

しかも、最近、腐敗幹部の腐敗金額は天文学的レベルにまで拡大している。2020年に追放され、裁かれた華融資産管理公司（もともと国有銀行の不良債権を処理するためのプラットホームとして設立されたノンバンク金融機関）の元董事長（会長）頼小民は18億元（約270億円）を収賄したといわれている。2021年1月、頼氏は追放された腐敗幹部として珍しく死刑を宣告された。

日本のある大学の大学院で講義している関係で、筆者は講義中に中国人留学生に「もしあなたが中国のどこかの局長だとして、贈賄された場合、それをもらう？　もらわない？」と質問した。真面目な彼らは真剣な表情で首を横に振った。要するに、もらわないと答えた。そのとき、筆者が付け加えたのは「賄賂をもらわなければ、あなたのキャリアはそこで終わる。なぜならば、ほかの局長と副局長はみんなもらっているからである。あなたは受け取らないと、彼らから信頼されなくなる」。残念ながら、これが中国社会の現実なのだ。

4　世界にとっての「チャイナリスク」

中国依存のジレンマ：経済成長vsイデオロギー

振り返れば「改革・開放」が始動した40年前の中国は、名実ともに発展途上国だった。当時の国際社会のコンセンサスは、今後の中国の経済発展は世界の平和と安定に利すると考えられていた。しかし、現在では、中国は国際社会のトラブルメーカーであると、少なくとも主要国を中心にみられている。特に、これまでの四十余年間の米中関係は決して順風満帆ではなかったが、米国企業の対中直接投資と米中貿易は順調に拡大してきた。自動車産業はその好例といえる。１９９０年代以降、米国の自動車メーカーは徐々に国際競争力を失った。ビッグスリー（GM、フォード、クライスラー）は相次いで中国に進出した。米国の自動車メーカーにとって中国は工場であり、市場でもある。

同様に、アップル社にとっても中国は工場であり、市場でもある。２０１９年現在、中国のネット利用人口は8億５０００万人にのぼる（図1－2参照）。中国人はパソコンを使う人が少なく、ほとんどの人はスマホを使ってインターネットにアクセスする。富裕層の間でiPhoneの人気が高い。アップル社はキーコンポーネント（基幹部品）を日本や韓国などで調達し、組み立ては中国に進出し

図1-2　中国のネット利用人口の推移

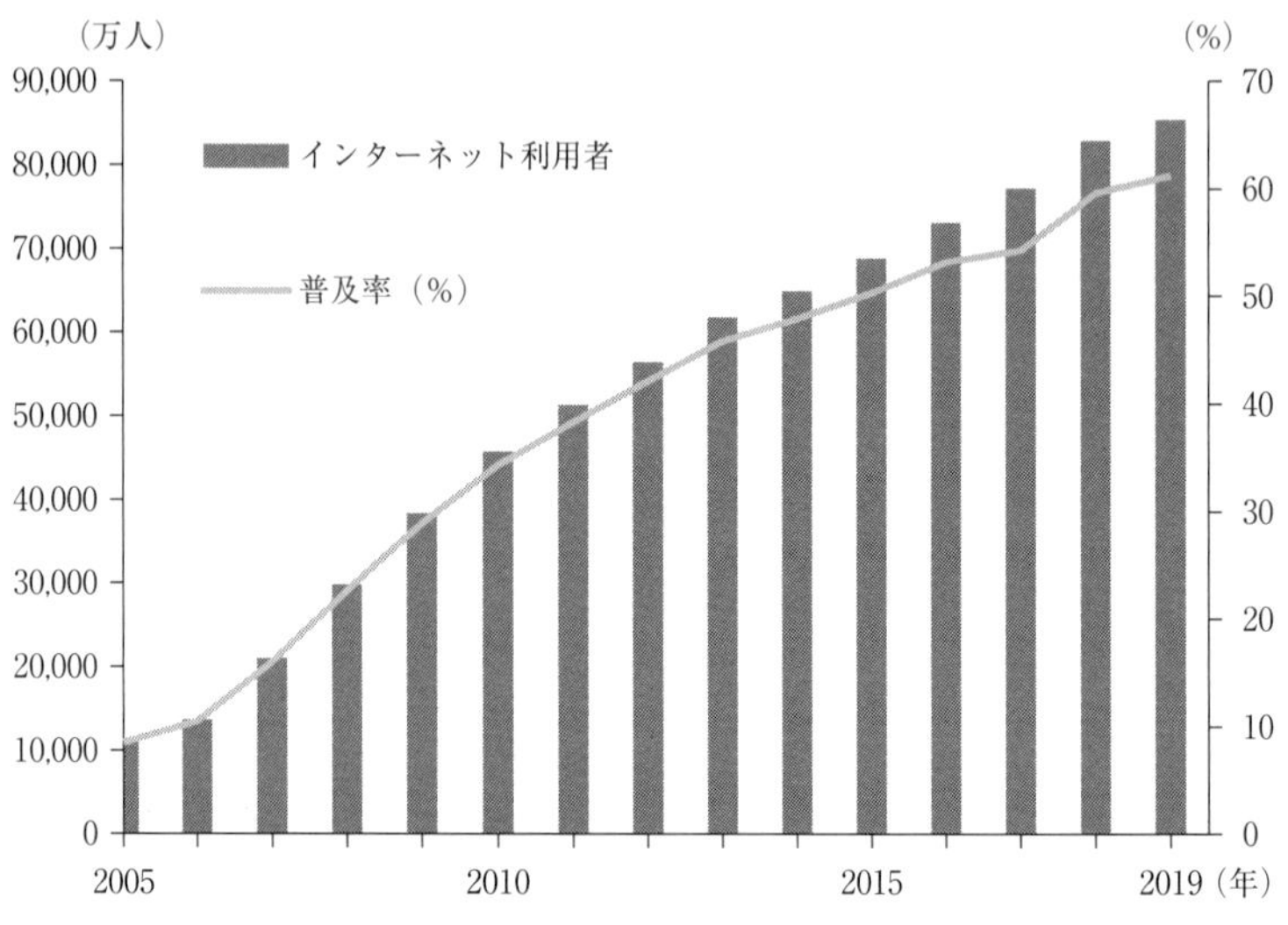

資料：中国インターネット情報センター（CNNIC）

ている台湾企業に委託生産する。中国で販売する以外は、海外に輸出されている。アップル社のこのビジネスモデルはほかの業種でも踏襲されるケースが多い。

近年の米中関係の悪化は、トランプ政権に喧嘩を売られた中国が無防備にその喧嘩を買う連続ゲームになっている。この対立は両国の利益相反によるものというよりも、文明の衝突と総括することができる。

かつて日米貿易摩擦のとき、米国から喧嘩を売られても、日本人はそれを買うよりも、相手との妥協点を探った。現実的にそれが一番の得策といえる。しかし、中国人はその国民性だからかもしれないが、妥協する以前に口では必要以上に強がる傾向がある。中国人は中身の損得よりも態度で相手に負けてはいけないと考えがちなのだ。この点は多くの外国人にとって、中国人の最も不可解なところとなっている。

　米中対立の初期段階でトランプ政権によって制裁関税を課されたとき、習近平国家主席をはじめとする北京の首脳は、米国と和解を図る代わりに「中国の文化はやられたらやり返す、すなわち、目には目を、である」と繰り返して強調した。米中対立が激化してから、中国の国営テレビ「中央電視台」（ＣＣＴＶ）の映画専門チャンネルでは、毛時代に作成された朝鮮戦争の映画、すなわち中国人民解放軍が米軍を撃破した映画を繰り返し上映している。これも人民の愛国心を鼓舞するプロパガンダになっている。

　ちなみに、２０２０年は朝鮮戦争勃発70年記念の年であった。これと関連して、中国外交部報道官たちは記者会見で、中国は喧嘩を売らない、でも、喧嘩を売られたら、絶対に屈服しないというような趣旨の発言を繰り返した。本来ならば、貿易摩擦の背景にあるのは、貿易不均衡と国際ルールに抵触する商慣習（たとえば知財権の侵害など）がある。それについて米国側と対話して、時間をかけて是正すればよかった。しかし、このような論点整理は十分に行われず、米中対立は日増しにエスカレートしている。

米中対立の三つのステージ

　米中対立が激化した最も深刻な影響は、両国の信頼関係が完全に崩れてしまったことである。また、米中関係がここまで悪化したのは、中国が米国を知らなさすぎるからである。かつて、毛時代、米国との関係を改善するために、米国人ジャーナリストのエドガー・スノー[9]を招待したり、米国の卓球選手団を招いたりした。両国関係の改善を促した背景には在米華僑の存在も大きかった。しかし、今の習政権には知米派が少なく、米国にいる新華僑の多くはアンチ共産主義者である。

本来、中国の外国研究のなかで最も力を入れて研究されている対象国は米国だが、中国人は諸外国に関する研究よりも自国の文化に関する「国学」研究にさらに力を入れる伝統と傾向がある。かつて、孫文の側近だった戴季陶は中国屈指の知日家として有名だが、1904年、戴が日本に留学したとき、日本人による中国研究の凄さに感慨させられたと自著に記している。その一方で、「わが国の日本研究は実に浅薄なものである」とあきれもしていた。

このような「内外温度差」は今もほとんど変わっていない。このことは中国外交の混乱をもたらしている。

米中対立を時系列に整理してみよう。トランプ政権が誕生した当初、中国政府によるトランプ大統領に対する基本認識は、政治家というより、価値観よりも利益を重視するビジネスマンであるという見解だった。トランプ政権に対する中国外交の初動は利益外交というべきものだった。それに関する一つの実例は、トランプ大統領の娘イヴァンカのファッションブランドに中国政府があり得ないほど短期間で営業許可を出したことだった。北京からみて、米中が利益で結ばれれば、対立する可能性はほとんどなくなると思われていた。北京の思惑は完全に外れてしまった。

今となって、北京からみると、トランプ大統領は間違いなく「精神不正常的土豪」（気まぐれな成金）の大統領である。2018年にトランプ大統領は突如として対中貿易赤字を理由に対中制裁関税を課した。これこそ米中対立の第一ステージの幕開けだった。

国際収支の観点から国際貿易はできるだけ均衡するようにしなければならない合理性が主張されているが、それぞれの国の産業構造と貯蓄・投資バランスが国際貿易に大きな影響を与えることから、実際には貿易不均衡は非貿易収支によって補われることが多い。

それよりも問題なのは、貿易不均衡をもたらす原因として、産業構造と貯蓄・投資バランスに加え、商習慣が公正なものかどうかということである。米中貿易摩擦のきっかけは貿易不均衡だったが、本質的な原因は中国市場の不透明さと知財権侵害などにある。２００１年、中国は世界貿易機関（ＷＴＯ）に加盟したときに、市場の全面開放を約束したが、いまだに市場開放が不十分とみられている。また、世界主要国のほとんどは中国を市場経済国と認定していない。

米国政府が中国との貿易不均衡について不満を漏らしたのは、トランプ政権がはじめてのことではない。これに対する中国の「対策」はそのつど、米国製の飛行機、自動車、農産物などの製品・商品を大量に購入してガス抜きすることである。トランプ政権に対しても、中国は今まで通りの「対策」を講じようとした。しかし、それはトランプ大統領には通用しなかった。

実は、米中間の火種はそれだけではない。トランプ政権が仕掛けた第二ステージの対立は、中国とのハイテク技術の覇権争いである。その代表格は次世代インターネット通信網（５Ｇ）をめぐる覇権争いである。トランプ政権の言い分は、ファーウェイをはじめとする中国企業はインターネットの安全性を脅かすおそれがあるということである。米国はインターネット技術を凌駕する優位性をキープしているが、中国のインターネット企業はネットサービスの強化に専念し、データを集めることに長けている。もし中国企業はハイテク技術について米国を凌駕できれば、米国はネット技術の覇権を完全に失うことになる。トランプ政権は5G技術を握るファーウェイを叩き潰すだけでなく、テンセントやTikTokなどのネットサービス企業の排除に乗り出している。

さらに、米中対立の第三ステージは、貿易やハイテク技術をめぐる利益相反を背景とするものではなく、在外公館（総領事館）の閉鎖にまで発展してしまった。これこそ米中対立が新冷戦といわれるゆえんである。

米中対立をここまでエスカレートさせたのは双方の利益相反だけでなく、価値観のちがいと安全保障上の対立も見え隠れしている。具体的には、中国の拡張路線は米国のテリトリーを脅かしているとみなされている。そのうえ、2020年7月1日に施行された香港版国家安全維持法は米国人が信奉する自由、民主と人権からなる世界普遍的な価値観に違反しているとされ、トランプ政権は強く反発し、香港行政長官をはじめとする関係者に対して制裁を発令している。それに対して、中国政府は一歩も引かず、米国の議員などに対する制裁を発表した。米中は連続のしっぺ返しのゲームを展開している。

バイデン政権はトランプ政権のさまざまな政策を見直しているが、中国政策だけはトランプ路線を継承しているようだ。

本格化する米中デカップリング（離脱）

上で述べたように、米中対立が日増しにエスカレートしているのは、相互信頼関係が完全に崩れたからである。第一ステージの貿易摩擦において、多くの米国人は、自分たちの生活が中国から輸入す

図１－３　中国に関する米国人の見方

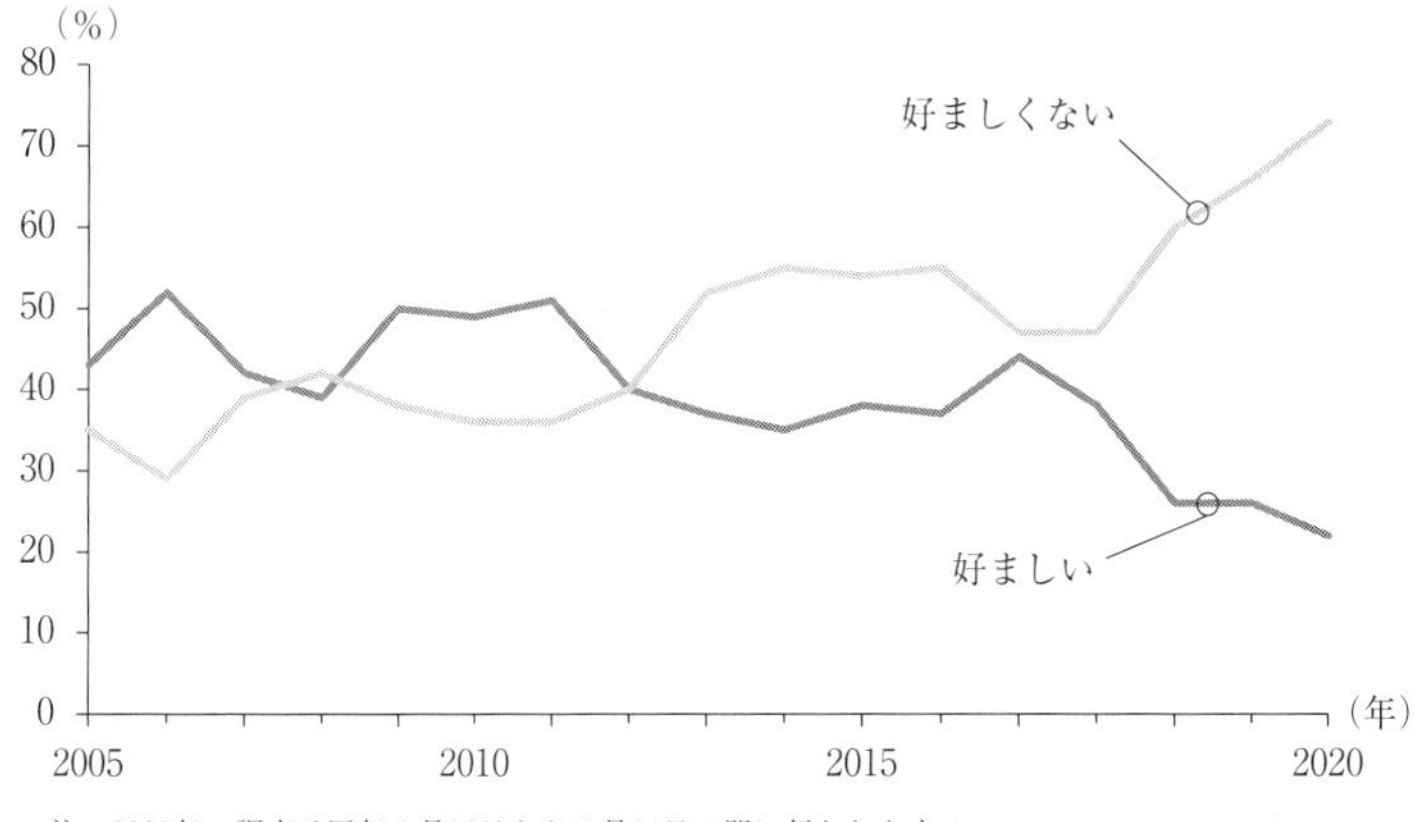

注：2020年の調査は同年６月16日から７月14日の間に行われたもの。
資料：Pew Research Center

るスマホや日用品に頼っている以上、対中貿易赤字が拡大しても仕方がないと考えていた。否、むしろ安い中国商品を買うことができるのは米国の低所得家庭にとって必要不可欠と考えられていた。第二ステージのハイテク技術をめぐる対立は、米国の政治家と教育レベルの高い所得層を目覚めさせた。彼らからみると、中国の国際秩序を守らない拡張路線は米国にとって脅威となっているのである。第三ステージに入って、相互の領事館の閉鎖に加え、中国が香港の「一国二制度」を50年間維持するという約束を破ったことで、73%の米国人は中国のことを好ましく思わなくなった（図１－３参照）。

一般的に、二国関係の悪化は相互同時に進むものである。１９９９年、米軍は中国の駐旧ユーゴスラビア大使館を誤爆し、３人の中国人記者が犠牲になった。それに対して、北京の米国大使館前で大規模な反米デモが起きた。しかし、今回、トランプ政権はヒューストンにある中国総領事館の閉鎖を命じたことに対して、中国では反米デモは起きていない。その対抗措置として、中国政府は成都にある米国総領事館の閉鎖を命じた。米国総領事館が閉鎖されたとき、少しの野次馬がいたが、大規模な反米抗議デモは起きなかった。

1999年当時と比べて、今はネット時代である。中国国内のインターネットのウェブサイトをみると、中国政府メディアと外交部報道官の米国批判談話が掲載されているが、トランプ大統領や米政府に対する理不尽な批判の書き込みは少ない。こうした現象から、中国、とりわけ中国政府は米国と本気で対立したくないようにみえる。トランプ政権が仕掛けた貿易摩擦から、中国は一貫して売られた喧嘩を買っただけであり、中国は米国に対して表立った喧嘩を売ってはいない。

問題は米中対立が米国の国民感情を悪化させていることにある。Pew Research Center の同調査によると、高い年齢層ほど嫌中感情が強くなっている。そのなかで、50歳以上の年齢層では、中国のことを好ましく思っていない割合は81%に達している。

米国の国民感情の悪化をもたらした原因の一つは、中国政府の対応、とりわけ中国外交部報道官の強硬な態度（序章でも触れた）にあるといわれている。その報道官の一人はツイッターの自らのアカウントを使って、新型コロナウイルスは米軍によって中国に持ち込まれたものかもしれないとつぶやいた。何の証拠も提示されないこうした英語の書き込みを米国人がみて、よく思うはずがない。同時に、中国の駐英大使はＢＢＣの番組で新型コロナウイルスの感染が武漢で discovered（発見された）が、それは武漢が originated（発生源）だという証拠とはならないと強弁した。こうしたエビデンスに依拠しない強弁は中国の外交に大きなマイナスをもたらしたにちがいない。

ここで強調しておきたいのは、米中の関係悪化はすべて利益相反に起因するだけでなく、中国の強権政治に反発する米国政府の姿勢であり、その姿勢が大多数の米国人に支持されていることである。米中対立はすでに文明の衝突に発展しているといえよう。中国政府部内の一部の研究者もことの重大さを認識している。すなわち、米中はすでに新冷戦に突入してしまったということである。

2021年1月20日、4年間続いたトランプ政権は幕を下ろし、バイデン新政権が発足した。バイデン新政権はトランプ政権のような気まぐれの戦法で中国と向き合うことはなかろう。とはいえ、米国民感情がここまで悪化していることから、バイデン政権も中国と和解したくても、簡単にはいかない。なぜならば、習政権が米国に対して譲歩する可能性はほぼないからである。もはや米中のデカップリングがあり得るかどうかを議論することにはほとんど意味がないほどに、溝はすでに深まっているのである。

5　日本にとっての「チャイナリスク」

激動の日中関係

一般的に日中関係といった場合、少なくとも三つの層がある。一つは国家間の関係、すなわち政治関係である。二番目は企業を中心とする経済関係である。三番目は草の根レベルの国民感情が表す関係である。

日中国交正常化する前に、両国の国民感情はそれほど悪くなかった。むしろ、もし国民感情が悪かったら、国交正常化を実現することができなかったはずだった。文革のときも日本の政治家や民間団体の代表などは中国を訪問していた。1972年、田中角栄首相の訪中をきっかけに日中の国交正常化が実現した。その意味についてここでは詳述しないが、筆者は、それは歴史的必然性によって実現したものと考えていると強調しておきたい。ここでいう歴史的必然性とは、中ソ対立によって中国政府は西側諸国との関係改善へ大きく方向転換した歴史的背景である。それに中国経済は極度な困難状態に陥り、西側諸国による経済援助を期待していた。

日中の国交正常化は両国の民意に沿った動きであり、日本国内でも中国国内でもそれに反対する声が一部においてあったが、主流（中心的意見）ではなかった。むしろ中国との国交正常化は日本にとってのチャイナリスクを管理することができたと思われていた。なによりも、当時の中国政府、すなわち、毛・周政権は日本との関係改善を熱望していたため、戦争賠償を放棄したぐらいだった。

1979年、鄧小平は日本を訪問したとき、日本政府と日本企業による中国への経済援助を期待し、尖閣問題（中国名「釣魚島」）は今すぐ解決しなくてもよくて、後世の人がもっと賢い方法を考えてくれるだろうといった意味の談話を発表した。これは鄧の「韜光養晦（とうこうようかい）」の世界観に合致する考えである。

韜光養晦とは、才能を覆い隠し、時期を待つという意味である。章頭に示した鄧の国連総会での演説も、この韜光養晦の考えに即したものだったといえよう。

しかし、国交正常化のとき、日中双方ともに事態の進展を急ぐあまり、歴史認識の問題や尖閣諸島の問題などを解決せず、棚上げしてしまった。これこそのちに日中関係が悪化する禍根となったのである。

鄧の韜光養晦理論についても、自分に実力がついたら豹変し、相手に致命的な一撃を与えることも辞さず、とも理解することができる。これは鄧の人生観そのものといえる。

一部の政治学者は習政権の強国復権の戦略が鄧の韜光養晦理論に反していると指摘しているが、それは鄧時代の中国の国力に比べて、現在の中国の国力が比較にならないほど大きくなっているからだとみられている。２０００年代に入ってから、中国政府はまず日本に対して韜光養晦の態度をやめた。近年、中国政府は米国に対しても韜光養晦の態度を取りやめ、強気の姿勢をみせている。これで日中関係の悪化に続いて、米中関係も悪化している。

平時において米中関係が悪化すれば、日中関係を改善しやすくなるといわれている。しかし、日本の政治は世代交代の節目にさしかかっている。日本が脱戦後へと転換しているなかで、中国は日本の古い政治家と古い付き合い方で接すると、日中関係は本当の意味の正常化ができない。中国の政治も世代交代を終えたが、習政権幹部のほとんどは毛時代の紅衛兵である。元紅衛兵たちは、勇気は十分にあるが、見識、とりわけ国際社会の見識が足りない。

タイムスパンを長く伸ばして日中関係を俯瞰すれば、国交正常化以降の日中関係は改善と悪化を繰り返しながら、今は、小康状態になっている。中国側は日本との関係改善を望んでいるが、日本は中国との関係改善を急がない態度のようだ。もともと安倍政権は北朝鮮に拉致された被害者の帰国について習政権に協力を要請したが、結局のところ、不発に終わった。しかも、２０２０年8月、安倍首相は健康問題を理由に首相を辞任した。これで日中関係は新たな局面に入ったとみるべきである。

図1－4　中国人の日本印象

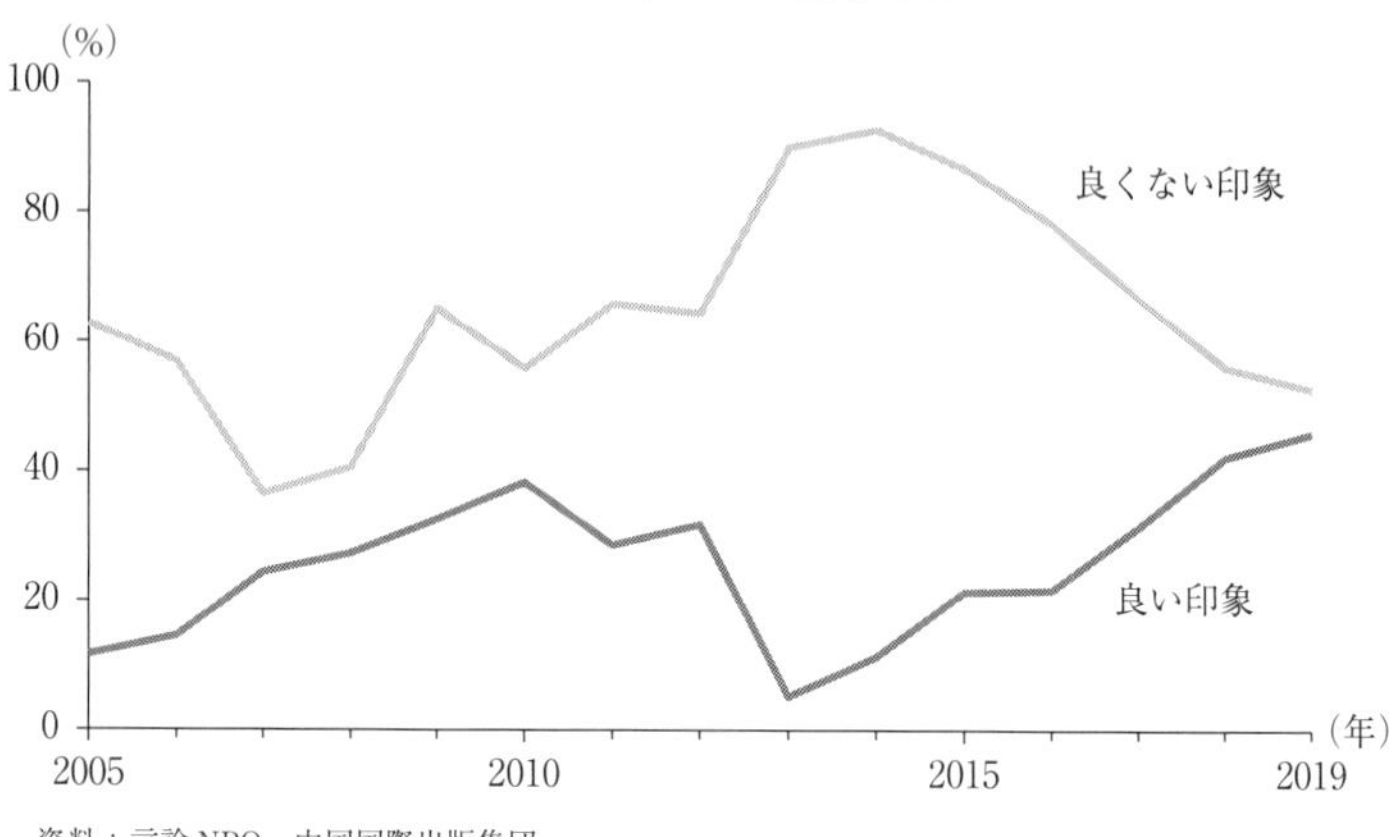

資料：言論NPO、中国国際出版集団

当初、安倍政権は習主席を国賓として日本に招待する予定だったが、新型コロナ危機と香港国家安全維持法の施行により、日本の世論は大きく変化してしまった。これより先の日中関係を展望すれば、叩く石橋がない状況でどのように改善すればよいかわからない。これこそ日本にとってのチャイナリスクではなかろうか。

戦略なき日本の将来

日本では、中国脅威論とか中国崩壊論が提起されて久しい。中国と仲良くすべきと主張する楽観論も少なくない。これらの主張はそれぞれ一理があるが、重要なのは日本の国益を最大化する戦略とそれに即した原則を明確に提起しなければならない点である。日本の国益に利しない日中友好は長続きしない。中国にとっても同じことである。

このような考え方を踏まえれば、日本にとって中国が脅威かどうかという以前に「中国と付き合わない」

表1－1　中国人が抱く日本印象

1．清潔さ
2．ごみの分類
3．マンガ好き
4．日本料理の美しさ
5．神への道：鳥居
6．綿密に設計された交通網
7．謙虚かつ礼儀正しい

資料：http://www.mafengwo.cn/wenda/detail-4563526.html

という選択肢はないことを理解しておく必要がある。中国と向き合うときに、いきなり軍備増強の議論にはならない。まず、中国人に日本のことを知ってもらう努力が必要である。小泉政権のときに、首相の靖国神社参拝に抗議する中国人若者が暴徒化してしまった。中国に進出している日本企業の店舗などが破壊されてしまった。しかし、近年、中国人の訪日観光客が年々急増しているのも事実である。それと同時に、中国人の日本に対する印象は急速に改善している（図1－4参照）。

中国人が日本について最も悪い印象を持ったのは尖閣諸島（中国名：釣魚島）が国有化されたときだった（92・8％）。しかし、二国間の国民感情がかくも激しく起伏するのは歴史的にみても国際的にみても珍しいことである。かつて1930年代、日本軍が中国大陸を攻めていったときにでも、中国で最も有名な京劇俳優・梅蘭芳は毎年のように日本に来ていた。その目的は日本の珍しい品種の朝顔を買うためだったといわれている。梅は朝顔の収集家である。あの時代の中国人は今ほど政治に影響されていなかった。言い方を換えれば、今の中国人は政治色の強い人民になっている。このことを日本人はもっと知っておくべきだろう。

表1－1に示したのは、訪日中国人が抱く日本印象である。筆者も経験があるが、日本に招く中国人研究者を空港へ迎えに行って、まず聞か

れるのは「なぜごみが落ちていないのか」。国際政治学者の一部はグローバル化が進み、互いに知るようになれば、戦争になりにくいとよくいわれている。この命題が正しければ、冷戦が終結したあとの30年近く、世界で大規模な戦争が起きていないのはグローバル化のお陰と結論づけることができるかもしれない。

したがって、日本はグローバル戦略、あるいは対中戦略を考案する際、このような文脈を踏まえなければいけないと思われる。すなわち、日本は諸外国への情報発信を強化しなければならない。米国はボイス・オブ・アメリカ（VOA）、英国はBBCなどがいずれも多言語のニュースサイトをもって24時間のニュース配信を行っている。それに対して、日本はNHKを含めて、海外への情報配信体制が貧弱といわざるを得ない。これでは、外国人が日本を知るチャンスが少なすぎるのではないだろうか。同様に主要国の中で自国向けのニュース専門チャンネルがないのは日本だけである。外国人は日本のことをよく知らない。日本人は外国のことについて無関心である。

問われる日本の対中政策

安倍首相は2020年8月、健康問題を理由に辞任した。振り返れば、安倍政権は内政においてアベノミクスを実施し、景気浮揚を図り、いくらか成果を上げることができたかもしれないが、外交についてはほとんど実りがなかったといわざるを得ない。とりわけ、北東アジアにおいて、日韓関係は最悪な状況に陥っており、北朝鮮との対話も糸口すら見出せていない。そのなかで、中国との関係を改善しようとしたが、ここに来て、その雲行きは怪しくなっている。

2020年6月27日のロンドンエコノミスト誌は、香港、台湾と領海紛争は日中関係が悪化する原因と指摘している。同時に日中の間に横たわっている歴史認識の問題もいまだに解決されていない。2020年8月15日の終戦記念日に安倍政権の閣僚4人が靖国神社を参拝した。この問題の本質は靖国神社参拝が日本の内政かどうかではなく、靖国神社参拝を通じて、日本内外に対してどのようなメッセージを伝えようとしているかにある。すなわち、問われているのは安倍政権の国際戦略ならびにアジア戦略である。

前述したように、もともと2020年4月初旬に日本政府は習国家主席を国賓として招聘し、東京で安倍首相と首脳会談を行う予定だった。新型コロナウイルスの感染拡大により、習主席の訪日が延期され、その代替案として秋に招聘することも考えられていたが、7月1日、中国全国人民大会（国会相当）で「香港国家安全維持法」が採決され、施行された。このことをきっかけに、日本国内世論は一気に変わってしまった。すなわち、強権政治を進める中国の国家主席を国賓で招聘すべきではないという論調がメインストリームを支配した。これで習主席の訪日は白紙になってしまった。

安倍政権が描いた中国との関係改善のロードマップはどのような誤算があったのだろうか。要するに、歴史的な負の遺産をほとんど処理せずに、関係改善を図ろうとしたところである。もっと本質的な議論をするとすれば、安倍政権が描いている国際戦略の中で中国の位置づけを明確にしないまま、中国との関係改善を図ろうとしても、安定した日中関係は実現されない。

日本が直面する現実は、国家の安全保障を米国に依存している一方、経済はかなりの程度、中国に依存しているということだろう。新型コロナ危機をきっかけに、安倍政権は補正予算を準備して日本企業の在中国の工場を日本国内ないし東南アジアなどへ分散することを図っている。このことはサプライチェーンの強靭化を図るための措置として重要だが、中国とのデカップリング（断絶）にはならない。日本にとって戦略物資の製造やハイテク基幹部品の開発と製造を中国に集約させるリスクを管理して、それを reallocate（再配置）することは合理的な計算といえる。しかし、中国との新しい関係のあり方は依然五里霧中にあり、はっきりとみえてこない。

最後に、現在、国際社会は戦後75年間続いた国際秩序を見直し、新しい国際秩序を再構築する節目に差し掛かっている。国際社会が米国という超大国一国にリードされる時代はすでに終わった。米国一国で国際社会を引っ張っていくほどの国力はもはや備わっていない。だからこそトランプ大統領は America first（米国を最優先する）と叫んでいた。見方によっては、これは米国があげた悲鳴にも聞こえる。

新しい国際秩序のかたちはまだ見えてこないが、安定した国際社会に資するものとして、G7を中心とする集団指導体制が望ましいのではなかろうかと思われる。現在、国際社会を支える国際機関のほとんどは機能しなくなった。そのなかで国連でさえ機能しなくなった。それはトランプ大統領だけでなく、国連事務総長アントニオ・グテーレスも認めている。国連は設立されてからの危機に直面しているといって過言ではない。こうしたなかで、米中新冷戦が勃発したのである。

安倍政権の遺産を継いだ路線がいつまで続くか定かではないが、新しい国際秩序を構築する日本の役割が問われている。そのための国際戦略を明確にしなければならない。ここで強調しておきたい点は、不安定期の国際社会にとって必要なのは強いリーダーシップである。同様に、日本が新しい国際秩序の構築にかかわっていくとすれば、国際感覚の豊かな強いリーダーを養成することは急務である。

【第１章・注】

（1）big mouth とは大口を叩く人、ホラを吹く人。ただし英語本来の意味は「口が軽い」なのでお間違えなきよう。

（2）１９６２年10月から11月にかけて、ソビエト連邦がキューバに核ミサイル基地を建設していることが発覚した。米国はキューバに対する海上封鎖を実施し、米ソ間の緊張が極度に達し、核戦争寸前にまで達したが、その土壇場で危機が回避された。

（3）社会主義市場経済と呼ばれていた。

（4）ある国の政権と体制が新しい政権と体制に変わる。

（5）ヴォーゲル、エズラ・Ｆ（２０１３）『現代中国の父　鄧小平』（上下）増尾知佐子・杉本孝訳、日本経済新聞出版社。

（6）本書を執筆するにあたって、改めて中国の近現代史と共産党の歴史を勉強し直した感想として、毛時代に迫害された共産党高級幹部は例外なく、ほかの幹部や知識人の迫害に加担していた。それゆえ、鄧小平は知識人の名誉回復と文化大革命の責任追及について「宜粗不宜細」（ほどほどにして、細かく追及するな）と指示したといわれている。

（7）中国政府は民主主義選挙が実施できない理由として、無理に選挙を実施すれば、中国社会が大混乱に陥る可能性があるからだと主張している。しかし、同じ中国人でも、香港、マカオ、台湾のいずれも民主主義の選挙が実施されている。中国よりも経済発展が遅れているインドでも選挙が実施されている。同じ社会主義だったロシアとベトナムでも、形の上では、選挙が実施されている。したがって、中国では、選挙が実施できない理由はないと思われる。

（8）窯洞とは中国西北部の洞窟住居のこと。

（9）『中国の赤い星』の作者。

第2章　リスクを生み出す既存制度の脆弱性

党の路線は、討論や批判をされない。ある特定の理論が、この聖なる線に符合するか否かの問題だけだ。これほど危険精神状態はないし、これほど真の文化を危うくするものもない。

アーチェ・ブラウン『共産主義の興亡』

習近平が共産党総書記に選出されたのは２０１２年末の党大会だったが、国家主席に正式に選ばれたのは２０１３年３月の全国人民代表大会だったため、習政権が正式に誕生したのは２０１３年３月だった。習主席は就任当初、市場経済の改革をさらに深化すると繰り返し強調したが、時間が経つにつれ、市場化と自由化の方針が改められ、経済統制と言論統制を日増しに強化する方向へと重心を移したのである。

表２－１に示したのは、２０１２年から２０２０年までの全人代で報告された国務院政府活動報告の中で最も多く言及された言葉の順番である。これを通じて中国政府の政策トレンドをうかがうことができる。研究者とマスコミなどで中国の経済統計は信用できないとの指摘があるが、中国の政策トレンドと政策課題を認識するうえでこの表は偽りがなく、中国社会と中国経済の実態を表していると思われる。

表２－１　毎年の政府活動報告で最も多く言及された言葉の回数（2012-20年）

順位＼年	2012	2013	2014	2015	2016	2017	2018	2019	2020
1	発展146	発展128	発展111	発展119	発展141	発展125	発展138	発展134	発展69
2	加強81	経済69	建設63	建設70	建設73	改革68	改革84	改革92	就業39
3	経済70	建設57	推進61	改革64	経済67	推進65	推進74	加強62	疫情31
4	建設69	推進45	改革59	経済61	推進65	建設54	経済60	推進59	企業30
5	推進61	改革42	経済54	推進50	改革63	経済52	加強57	建設56	支持27
6	改革56	社会41	政府47	加強45	創新58	加強45	建設51	企業51	建設25
7	提高52	増長36	加強46	政府44	加快45	推動42	創新50	経済46	経済24
8	社会43	政府35	社会44	社会41	政府41	政府40	全面49	加快43	保障23
9	実施41	我々35	制度40	我々40	促進40	加快40	中国40	改善43	加強23
10	促進41	提高35	増長36	全面35	実施38	創新36	企業37	創新41	推進22

注：各言葉の数字は政府活動報告で言及された回数である。「加強」は強化すること。「増長」は成長すること。「提高」は高めること。「加快」は速めること。「創新」は創造ないしイノベーションを意味する。「疫情」は疫病の進行状況である。

資料：中国国務院政府活動報告

ひとつ例を挙げれば、２０１２年の政府活動報告の中で二番目に多く言及された言葉は「加強」、すなわち強化だった。何を強化するか。それは統制を強化するということである。なぜ統制を強化しなければならないかについて、習近平国家主席は最長二期の任期制に縛られないように、２０１８年３月、憲法を改正し、国家主席の任期制を撤廃させた。選挙が実施されていない中国では、任期制が撤廃されたため、習近平国家主席自らが辞任しなければ、終身もしくはかなりの長期政権になると思われる。

たとえば、選挙制度が導入されているロシアでは、プーチン大統領は長期政権を実現するために、大統領と首相を交互に担うやり方を繰り返している。それでも一応選挙の試練を乗り越えなければならない。それに対して、習主席は憲法を改正させたため、プーチン大統領が直面する面倒くささを省くことができた。

とはいえ、選挙で選ばれていない習政権は、人民を幸せにすることができなければ、長期政権を目指そうとしても、不安定な政権運営になる可能性が高い。四十余年前、鄧小平は復権したあと、人民からの支持を集めるために、経済成長を実現することを目標として掲げた。だからこそ改革派の胡耀邦と趙紫陽を総書記と首相に起用した（胡耀邦総書記が失脚したあと、趙紫陽首相が総書記に選ばれた）。２０１３年に誕生した習政権は腐敗幹部を追放したことで人民の支持を集めたが、反腐敗は両刃の剣である。共産党中央委員会の発表によると、２０１９年までの7年間、２６０万人以上の腐敗幹部が追放されたといわれている。共産党幹部の腐敗ぶりが人民に知れ渡った結果、逆に共産党への求心力がますます低下した。

今となって、中国政治ウォッチャーは習政権がいつまで存続するかというよりも、どのようなかたちで終わるかに注目している。その行方次第で中国社会ならびに国際社会に大きなリスクをもたらすことになるからだ。２０２０年、新型コロナ危機が発生してから、習政権は国際社会に協調姿勢をみることなく、強がる一方である。

かつて、世界で大ヒットしたハリウッドのアクション映画「ランボー」を模して、中国は中国版ランボーともいえる「戦狼」というアクション映画を製作し、中国国内で上映、大ヒットとなった。中国人民解放軍兵士である主人公が、侵略者やテロと戦い勝利する無敵のヒーローだというストーリーである。その影響で、外国の批判に絶対に屈服しない中国の外交姿勢は「戦狼外交」と呼ばれるようになった（第4章でも触れる）。折しも米国に経済制裁を仕掛けられ貿易戦争に発展。さらに米国以外でもカナダ、オーストラリア、インド、チェコなど多くの国とトラブルになっている中国が、国際社会でのこのような負の連鎖に陥ったのは、自らの国力を過大評価している（戦狼外交の姿勢を崩さない）ことと無関係ではない。すなわち、相手に屈服すれば、その負の連鎖はますます広がり、さらに多くの国とトラブルになっていくと心配されている。

実は、中国を取り巻くこのような負の連鎖はさらなるリスクをもたらすことになる。本章では、中国社会でリスクを生み出す制度面の脆弱性を分析することにする。

1　独裁的強権制度の脆弱性と歪み

強権政治と経済の自由化との歪み

中華人民共和国の歴史を１９４９年から数えれば、すでに70年経過した。この70年間の歴史はおおむね二つに分けることができる。前半は１９４９年から毛沢東が死去した１９７６年までの27年間だった。前章でも述べたように、毛時代は中国史上、最も暗黒の時代だった。暗黒の時代と定義されたのは、ありとあらゆる個人から自由を奪っただけでなく、農業政策の失敗で数千万もの人が餓死したからだった。同時に、知識人が徹底的に弾圧され、多くの文化遺産が灰燼と帰した。それでも毛は死ぬまで権力の座に君臨しただけでなく、いまだに毛の亡霊は中国社会を支配している。要するに、毛時代の中国は恐怖の時代の恐怖の社会だったということである。文明の社会はすべての社会構成員が恐怖から逃れる自由を擁する社会のことである。

そして、後半は、毛の死去のあと、鄧小平が復権した後の40年あまりである。「改革・開放」の自由化は決して順風満帆ではなかった。知識人を中心に、政府共産党に全面的な自由化を求め、大胆な政治改革が要請されてきた。そのつど政府共産党は経済の部分的な自由化を進める姿勢をみせるが、言論の自由や報道の自由、さらに政治改革を頑なに拒否し続けている。その象徴的な出来事は、知識人たちが要望している「新聞法」（メディア法）の制定である。中国では、いまだに「新聞法」が制定されていない。

さらなる自由化を拒む政府共産党の常套手段は、オピニオンリーダーと改革派の政治的バックボーンを失脚させることだが、状況が収拾できなくなったときには、天安門事件のように軍を投入して武力鎮圧を行うことである。２０１９年に香港で起きた抗議デモの鎮圧は青年リーダーを逮捕投獄し、指令系統を麻痺させるという、同じやり方の繰り返しである。しかし、このようなやり方で中国政府自身が追い詰められてしまうことになっている。なぜならば、政府が自国民に信用されなければ、その社会は決して安定しないからである。

こうしたなかで時間が経つにつれ、政府共産党が示すレッドラインを認識した知識人の多くは言論の自由を求めるのを諦め、代わりに、ビジネスに転身し金儲けに走るようになった。この動きはまさに政府共産党の思うつぼである。金持ちになるのを許すが、政府に対する批判を許さないというのは中国社会の常識になっている。

コラム③　魯迅と郭沫若

日本人のよく知っている中国人知識人といえば、一人は文豪の魯迅先生である。もう一人は作家の郭沫若であろう。二人の共通点は、いずれも日本に留学した経験があることだ。魯迅は東北大学に留学したあと帰国し、文筆活動を開始した。生涯、蒋介石の国民党政権を痛烈に批判した、当時の中国きっての左派知識人だった。魯迅は1936年10月に病死した。中華人民共和国が成立したあと、小中学校の教科書に複数の魯迅の作品が選ばれている。中国人であれば、魯迅を知らない人は一人もいないといって過言ではない。

問題は、もし魯迅が1936年に病死せず、そのまま長生きしていたとすれば、毛が引き起こした反右派闘争と文化大革命を生き延びることができたのだろうか、という疑問である。魯迅の性格からすれば、文革までは無理だろうが、反右派闘争で自殺するか、迫害され殺されたにちがいない。

ところで、もう一人の郭沫若はどうだったのだろうか。郭は作家であり、考古学者でもある。1978年6月に死去したが、86歳と、当時の中国ではかなりの長寿だったといえる。郭が毛時代を生き抜いた技はただ一つ、徹底的に毛に迎合し崇拝したことだった。郭は11人の子供をもうけたが、4番目の子の郭民英は迫害を受け67年に自殺した。そして6番目の子・郭世英は68年紅衛兵に連日尋問されたなか、大学の寮の3階から落下して死亡した。他殺の説もある。それでも郭は毛に対する崇拝を改めることなく、生涯、毛を謳歌する文学作品を創作し続けた。

中国人知識人の代表として、魯迅が1936年に亡くなったことは不幸中の幸いといえなくもない。郭沫若の人生は権力者に迎合し続けたことから、今日的な中国の文人文化からしても、蔑視されるはずである。

こうした国家を統治する共産党の論理が成立する前提として、経済が成長し続けることが必要である。要するに、経済のパイが拡大しているうちは富の分配が不公平ではあるが、弱者層にもいくらかおこぼれ（トリクルダウン）が回ってくるので、大規模な不満が爆発する可能性は低い。たとえ局所的な不満があって、爆発したとしても、その程度なら力で抑えることが十分にできると思われている。それゆえ、近年、中国では、軍事予算よりも国内の治安維持費のほうが多く計上されている。具体的には、２０１９年３月に開かれた全国人民代表大会で採択された予算案によると、国内公共安全支出（治安維持費）は1兆３８７９億元にのぼり、同年の軍事予算の1兆１９００億元を上回る。

この現実は何を物語っているのだろうか。すなわち、経済が成長し続けていても、所得格差が拡大するにつれ、社会不安は徐々に深刻化しているということである。振り返れば、鄧小平が進めた「改革・開放」は経済成長を目指す制度改革と政策を行ってきたが、経済成長の果実を公平に分配する制度的枠組みが構築されていない。要するに、中国は不公平な社会になっているということである。

避けられない共産党への求心力の低下

共産党中央委員会の発表によると、中国共産党の党員は約９０００万人にのぼるといわれている。統計上、中国の総人口は13億６０００万人となっているため、共産党員の割合は6・6％ということになっている。共産党第17回党大会で選出された中央委員は２０４名であり、候補委員は１６７名だった。ピラミッド型になっている共産党に君臨しているのが7人の中央政治局常務委員であり、その頂点となっているのは共産党総書記である。

共産党の章程によると、共産党員になる条件は①満18歳以上、②中国籍（中国では二重国籍が認められていない）[1]、③各界の「先進分子」（優秀人物）、④共産党の綱領と章程に従い、⑤共産党の組織に入り、積極的に貢献し、⑥党の決意を忠実に執行し、⑦滞りなく党費を納付する、の諸点である。これらの条件に関する規定をみるかぎり、外国籍を有するものは共産党員になれない。もう一つ重要なポイントは共産党（中央委員会）への忠誠を誓う必要がある。ただし、「先進分子」かどうかがどのように判断されるのだろうか[2]。

共産党員になる手続きについて、まず、本人が入党申請書を書いて共産党支部に提出しなければならない。それが受理されるにはその支部の「紹介者」（身元保証人）の保証が必要である。党支部の決議により、予備党員になれば、そこから一年間の予備党員期間（仮免のようなもの）が始まる。この一年間の予備党員期間は当該人物の先進性がテストされる建前である。一年間の予備期間が満了すれば、党支部による審議で異存がなければ、党の上級組織によって認められ、そこではじめて正式な党員になれる。したがって、中国で共産党員になることは日本で自民党員になるのとでは、ハードルの数と高さが大きく異なる。

なぜ、共産党員になるハードルをこんなにも高く設定しなければならないのだろうか。

端的にいえば、共産党員になれば、共産党幹部になる可能性が高くなり、それに伴うさまざまな特権が保障されるからである。むろん、９０００万人の共産党党員全員が特権を享受しているわけではない。特権はあくまでも一握りの共産党幹部に付与されるものである。たとえば、局長級以上の幹部になれば、病気治療の医薬費の自己負担率は極端に低くなる。副部長級（事務次官級）以上の幹部になれば、医薬費の自己負担率はほぼゼロになる。それだけでなく、毎日の食材は国が特別供給するオーガニックのものになり、ほとんどお金を払う必要がない。

このような特別供給制度はスターリン時代の等級制度に倣って創られたものといわれているが、中国に皇帝時代の論功行賞の特権制度があることから、すべてをソ連から取り入れたというよりは、それによって共産党は特権制度を正当化したにすぎない。その論理として、命をかけて革命を成功させた功労者は少々の特権を享受しても当たり前という考え方である。1989年7月、共産党中央政治局が議決した文書では、高級幹部の食材を特別供給する制度の廃止が決まったが、いまだに実施されていない！　特別供給制度は今日なお存続しており、しかも規模はますます拡大している。

共産党幹部に付与されているこれらの特権はいうまでもなく、党員による党への求心力を強化するのが狙いである。ただし、人間の欲望は一定のものではなく、古い欲望が満たされれば新しい欲望が生まれ、ますます膨張するものだ。江沢民元国家主席は現役のとき、「悶声発大財」（黙って大金持ちになれ）という名言を部下たちに言い残した。中国の政治学者の研究によると、共産党幹部の腐敗が急速に膨張したのは江沢民政権のときといわれている。

結局のところ、共産党が安定して存続する条件としては、党員、とりわけ党幹部にどれだけの特権を与え続けられるかにかかる。中国は名実ともに階級社会なのである。特権を享受する党幹部、わけても高級幹部は現行の共産党独裁の社会主義体制を存続させようとする。上で述べたように、経済成長すなわちパイの拡大が続く間は、共産党独裁体制が存続することができるかもしれない。だが、成長が減速し、すべての共産党幹部が享受できる分け前がごっそり減るようになれば、共産党への求心力はおのずと低下するだろう。今はその分水嶺に差し掛かっている。

共産主義革命の初心

習政権は共産党員に対して、「共産党員としての初心を忘れない。共産党員としての初心はたえず人民の幸福を実現し、民族の復興を達成する」と呼びかけている。これは間違いなく共産主義古典的なプロパガンダである。共産党章程をみると、その総論に「中国共産党は中国労働者階級の前衛であり、同時に中国人民と中華民族の前衛でもあり、中国特色のある社会主義事業のリーダーであり、核心である。中国共産党は優れた生産力を代表し、優れた文化を代表する。また、中国共産党は中国人民の根本的利益を代表し、党の最高の理想と目標としての共産主義を実現する」と書かれている。

しかし、共産党を取り巻く現実は習主席が呼び掛けている初心にほど遠いといわざるを得ない。図2－1に示したのは、習政権が誕生してから追放された共産党幹部の人数の推移である。2013年から19年までの7年間、累計で277万人の腐敗幹部が追放された（全党員の約3・1%）。これでは、共産党は労働者階級の前衛や中国人民と中華民族の前衛とはいいがたい。共産党政権の正統性まで疑われている。

中国国内では、共産党幹部の腐敗は「改革・開放」以降の自由化の産物であるとの論調がある。毛時代の中国では、腐敗が少なかった。一方、それをもって「改革・開放」を否定しようとする動きが一部において存在することも事実である。たしかに毛時代の中国では、民営企業の存在は実質的に許されなかったため、民営企業による共産党幹部への贈賄や接待などはほとんどあり得なかった。ただ

図2－1　習政権によって追放された腐敗幹部の人数（2013-19年）

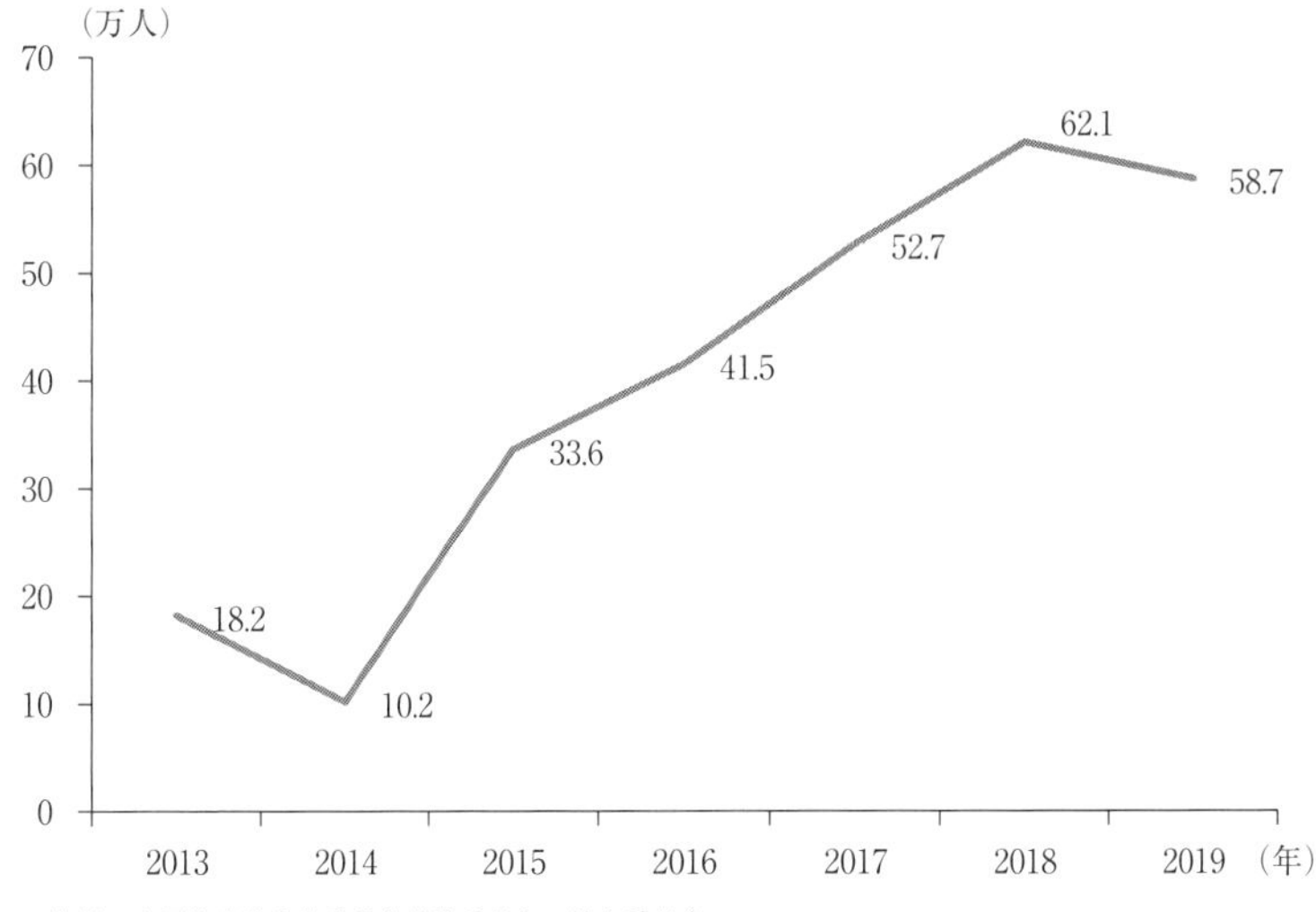

資料：中国共産党中央委員会規律委員会・監査委員会

し、当時の中国共産党幹部が腐敗していなかったという結論は明らかに間違いである。毛時代の腐敗は主として共産党幹部の特権が制度的に認められたものだったが、これは到底正当化できるものではない。

中国国内メディアの報道を総合して集計した結果、毛沢東本人のために造られた別荘は全国で少なくとも61カ所もあったといわれている。毛本人名義の銀行口座に7000万元以上の預金があった[3]。そのほとんどは「毛沢東語録」の印税だったといわれている。さらに、毛本人は古代の書画を収集することが好きだった。その多くは反右派闘争や文革のときに知識人から没収強奪したものだった。それに加え、上で述べた食材などの特別供給制度も共産党幹部腐敗の一環といえよう。共産党が定めた階級制度では、副部長（事務次官）以上の幹部であれば、掃除や料理を担当するお手伝いさんも国によって派遣されていた。その人たちの給料まで国が負担することになっていた。このような制度化された腐敗は毛時代、予想以上に横行していた。

「改革・開放」以降、このような制度化された腐敗に加え、民営企業からの収賄など非制度化の腐敗が横行している。共産党からみると、制度化された腐敗ならコントロールできるが、非制度化の腐敗はコントロール不可能であり、犯罪である。したがって、習近平政権の反腐敗は制度化された腐敗を抑制するのではなく、非制度化腐敗を撲滅するキャンペーンである。制度化された腐敗は共産党員にとって出世を目指すモチベーションとなる。非制度化腐敗が横行すると、共産党幹部は経済界と癒着し、共産党の遠心力がかかってしまうおそれがある。問題は、共産党幹部にとり、制度化された腐敗だけでは満足しなくなり、収賄や横領などで蓄財する動きが盛んになっていることである。中国では、腐敗幹部は穀物サイロに忍び込むネズミと喩えられている。これまでの反腐敗の「功績」をみると、そのネズミは一匹や二匹ではなく、ネズミ軍団が穀物サイロを支配している状況にある。

2　正統性なき権力の不安定性

権威なき権力は「張り子の虎」

1949年、毛が率いる解放軍が蔣介石率いる国民党軍に勝って、政権を取り中華人民共和国を成立させた。その成功は、毛が当時の中国社会各界から広く支持されたからだった。

1978年、鄧小平が復権し権力を掌握したのは、共産党中枢においてその政治手腕が評価され、長老の間で支持されたからであった。胡耀邦と趙紫陽は鄧小平によって推薦され、それぞれ共産党総書記と首相に就任したが、のちに鄧小平の意に反して、自由化の制度改革が行き過ぎたと批判され失脚した。その後、江沢民と胡錦濤も鄧小平に指名され、後継者となった。彼らは鄧小平をはじめとする長老に従い、政権を慎重に運営し、任期満了まで職務を全うした。

鄧小平は1997年に死去したため、習近平は鄧小平によって指名された後継者の候補ではなかった。共産党の後継者選びは選挙によって選ばれるものではなく、長老によって指名されて決まる仕組みになっている。長老のなかでトップの長老が絶対的な権力と権威がある場合、トップの長老の鶴の一声で後継者が指名され決まることがある。長老のパワーバランスは一人の長老の権力と権威が絶対的でなければ、長老グループの間の根回しによる最大公約数によって後継者が選ばれるようになる。

長老たちが後継者を決めるときの基準として、共産党への忠誠心を最も重視するとよくいわれるが、これはあくまでも建前の論理である。ここでいう共産党への忠誠心を長老たちへの忠誠心と置き換えれば、物事がわかりやすくなる。長老たちへの忠誠心とは、長老たちが享受する種々の特権が維持されるかどうかによって判断される。(4) むろん、こうした特権は、長老本人に限るものだけでなく、その家族も特権を享受するものである。

端的にいえば、共産党高級幹部の最たる特権とは、法律を凌駕することである。2012年11月に開かれた共産党第18回大会で胡錦濤総書記（当時）は、報告の中で「いかなる組織と個人も憲法およびその他の法律を超越することができない。共産党幹部の言葉は法律に代わることができない。権力が法律を圧迫することができない。私利私欲のために、法律を無視することは許されない。いかなる個人もその権力の大きさ、職位の高さにかかわらず、共産党の規律と国の法律に反すれば、必ず厳しく処罰されなければならない」と述べた。これもまた共産主義のユートピアである。

この談話の問題意識は正しいものといえる。しかし、その高い志を実現するための制度インフラは中国で整備されていない。中国国内の有識者の間で習政権が行っている反腐敗キャンペーンは自らの政敵を粛清する「セレクティブな反腐敗」にすぎないと指摘されている。

一党独裁政治体制の最大の問題は、権力者の権力をガバナンスする制度的枠組みが用意されていないことにある。権力者の暴走を止めることができなければ、大惨事につながることがある。毛時代の文革と鄧時代の天安門事件での学生市民に対する虐殺のいずれも、権力が暴走した結果だった。

もう一つの問題は、こうした過ちについて共産党指導部が一度も責任を取ったことがないことである。毛に対する適切な評価がなされていないため、習政権は毛時代へ逆戻りすることができるようになっている。中国のリベラルの知識人によると、今の中国は「文革２・０」に突入しているといわれている。

ただし、今の中国社会は毛時代とちがって、再び鎖国することができないうえ、人々が一度は自由のすばらしさを味わったため、その自由が奪われることに対する反発力の強さが容易に想像できる。特に、共産党幹部の子供の多くは米国やカナダなどへ移民し、巨額の金融資産を移民先の国と地域に持ち出している。このようなことは毛時代には皆無だった。これより先、どのようにして共産党への求心力を強化するというのだろうか。ここで問われるのは、習政権が鄧時代に定められた任期規定に則って二期10年で引退するかどうかである。２０１８年3月に開かれた全人代で習政権は憲法を改正し、「国家主席の任期は最長二期10年まで」という規定を撤廃させた。この憲法改正措置は習政権が三期目に突入する準備と受け止められる。しかし、長期政権への法的手続きはできたが、人民から継続して支持されるかどうかは依然不透明である。毛と鄧と比べ、習近平に最も欠けているのは「権威」「風格」である。権威を確立しなければ、人民の支持を十分に集めることができない。無理に三期目に突入しても、結局、政治情勢が不安定化する可能性が高い。

目指す「赤い帝国」の虚実

習政権は権力基盤を強化するために、政権に対するいかなる批判も受け入れず、政策批判を展開する知識人を徹底的に弾圧する姿勢を強めている。リベラルな知識人が求めているのは漸進的な民主化の政治改革である。「改革・開放」の基本は経済を部分的に自由化するが、民主化の政治改革を行わないことである。

しかし、経済の自由化と政治統制の不釣り合いの弊害がすでに現れている。共産党幹部の腐敗が蔓延するのは共産党に対する人民によるガバナンスの機能が用意されていないからだとして、北京大学の憲法学者・賀衛方教授を代表とする法学者たちは司法の独立性を求めているが、今の中国では、司法の独立性に関する議論はタブーになっている（コラム④参照）。特に、政治的にタブーとされる内容の書き込みや文章をインターネットにアップすると、「国家転覆罪」に問われる可能性がある。

習政権が目指す中国の夢は、毛時代から目指された「赤い帝国」の成立ではなかろうか。中国が国連に復帰したときに鄧小平が行った演説で「中国は永遠に覇権を求めない」と宣言したのは、当時の

コラム④ 司法改革への遠い道のり

中国で司法の独立性を求める急先鋒は北京大学の憲法学者・賀衛方教授である。同教授は日本の歴史に関心が高く、たびたび学術交流で訪日するついでに、名所旧跡を回られている。

中国の司法改革について、同教授は「一番重要なのは司法の独立性を担保することである」と力説する。具体的に、まず、裁判所を行政機関から独立させなければならない。そして、裁判官の任命制度の改革が必要である。長い間、復員軍人が裁判所に中途採用され、裁判官になるケースが多かった。この点はこれまでの努力により、おおむね是正されている。さらに、司法試験の改革である。この三点のなかで最も重要なのは、裁判所と裁判官の独立性を担保することであるが、それはいまだに実現していない。

中国の国力は覇権を求めるほど強くなかったからだった。1978年、共産党中央委員会の文書では、中国経済は破綻寸前にあったと総括されている。

具体的に1978年当時の中国のGDPは1495億ドルだった。習政権が誕生したのは2013年で、そのときの中国のGDPは9兆5700億ドルに達し、世界二番目の規模だった。さらに、2019年の中国のGDPは14兆ドルを超えた。概算すれば、「改革・開放」以降の40年あまりの間、中国のGDPは約100倍も拡大したということになる。

中国人にとって最も苦手なのは、繰り返しになるが、謙虚な姿勢を示すことではなかろうか。中国人は心底から大国らしく堂々としなければならないと考えているはずである。このような文脈を踏まえ、米国ピーターソン国際経済研究所（ＰＩＩＥ）のバーグステン所長は、２００５年、米中によるG２構想を提案した。それを受けて、胡錦濤政権も米中関係の重要性を認識し、「新型国際関係」を米国に提唱した。胡錦濤政権のとき、米中両国は戦略的対話を続けていた。

習政権になってから、米中の戦略対話がストップしてしまった。北京からみると、オバマ政権が進めた環太平洋パートナーシップ協定（ＴＰＰ）は中国に対する包囲網とみられた。習政権はＴＰＰに対抗するために、古代のシルクロードにちなんだ「一帯一路」イニシアティブ（ＢＬＩ）によるユーラシア大陸を跨ぐ巨大な経済圏の構築を手掛けている。具体的に、陸のシルクロードに加え、海のシルクロードも建設している。中国の建設会社（ほとんど国有企業）が沿線国家のインフラプロジェクトを受注し、労働者、技術と資金をともに投入してプロジェクトを建設する。

「一帯一路」イニシアティブは、かつての先進国による途上国への政府開発援助（ＯＤＡ）に似たやり方でプロジェクトの建設を進めている。それに対する批判も少なくない。資金力の弱い途上国に対して、港湾や鉄道などのインフラ施設の建設を進めることで巨額の債務を負わせる結果、これらの途上国は債務の罠に陥ってしまうおそれがある。なによりも、途上国のインフラ建設の入札手続きや融資などに関する諸条件の設定について透明性が不十分であるため、途上国にとって不利な条件が設定されている可能性があると指摘されている。習政権が性急に「一帯一路」イニシアティブによるインフラ建設を進めた結果、国際社会で中国に対する警戒感が強まっている。

では、なぜ習政権は赤い帝国の成立を急ぐのだろうか。

理由の一つは、習政権が統治を続けるには、前述のように、習に欠けている、それなりの権威を確立しなければならないからだ。毛や鄧のような革命世代とちがって、習近平の世代は歴史に残るほどの功績を成し遂げていない。2021年は共産党設立100年になる。2049年は中華人民共和国成立100年である。習政権が掲げた目標の一つは2020年に中国社会で貧困を完全に撲滅することだった。2019年、中国の一人あたりGDPはすでに1万ドルを超え、名実ともに中所得国になったといえる（前掲図1－1参照）。

しかし同時に、所得格差も拡大している。図2－2に示したのは中国のジニ係数の推移である。ジニ係数は所得分配を表す指標であり、その値が0と1の間になる。その値が大きければ、所得格差が拡大していることを意味する。極端にいえば、その値が1であれば、すべての富が一人によって支配されているということになる。逆に、その値が小さければ、所得格差が小さいことを意味する。仮にその値がゼロであれば、富が完全に平等に分配されていることになる。経験的にジニ係数0・4は社会騒乱警戒ラインといわれている。

中国の実際のジニ係数は、統計局が公表している値よりも遥かに高いといわれている。中国西南財経大学の研究チームは、中国の実際のジニ係数は0・6を超えていると推計している。体感温度的にいえば、西南財経大学の研究チームの値が実勢に近いと思われる。中国社会における所得分配の問題は税と社会保障などの所得再分配機能が弱いことにある。

結果的に、2020年までに貧困撲滅の目標を掲げ達成できたと豪語する習政権は、2049年までに中国を強国にする「中華民族の偉大なる復興」を新たな目標に掲げている。中国共産党の文脈は、中華民族の偉大なる復興を達成できるのは中国共産党しかないとしているのだ。中華民族の偉大

図２－２　中国のジニ係数

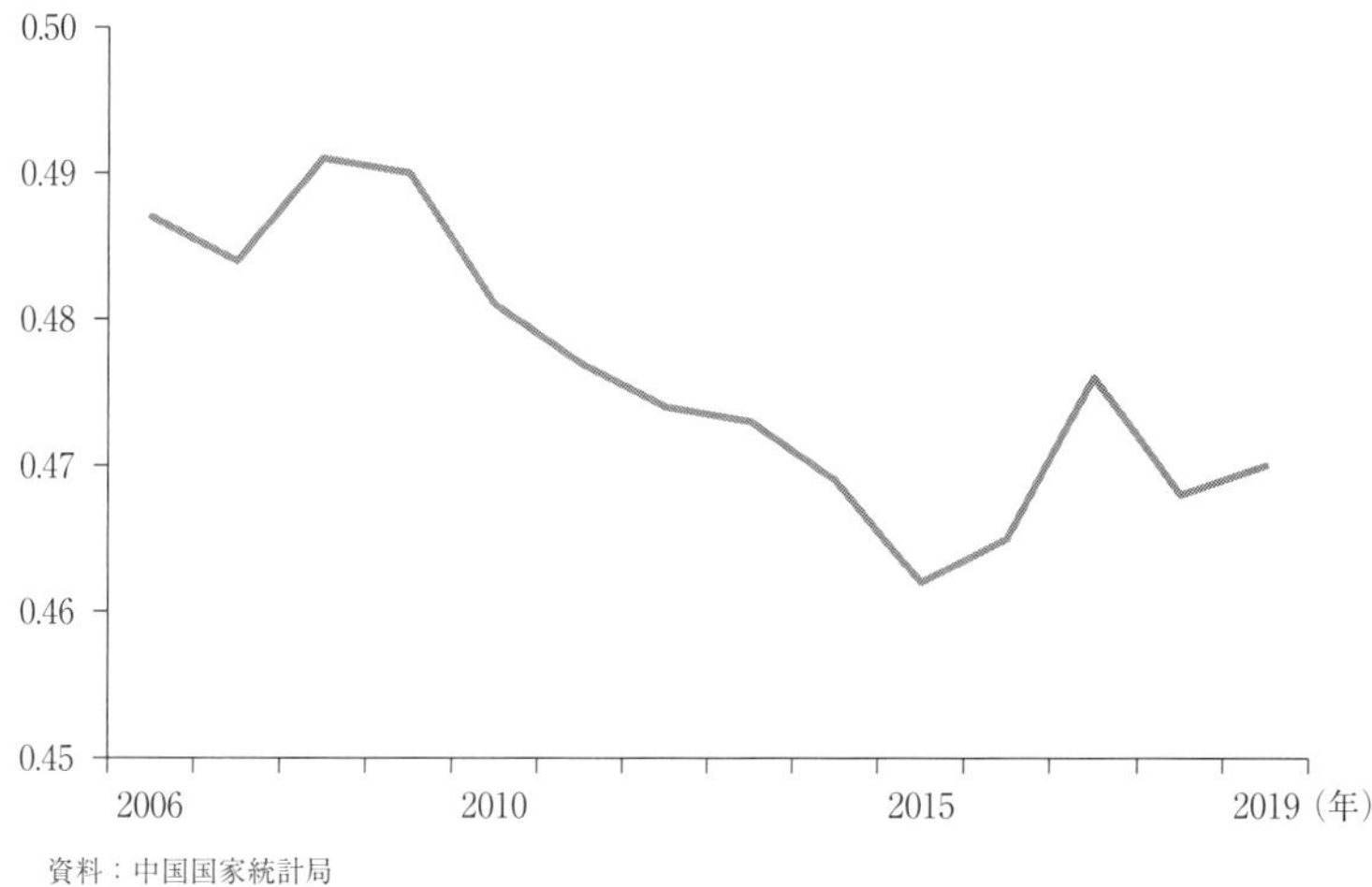

資料：中国国家統計局

なる復興の象徴こそ「赤い帝国」の成立なのである（第10章を参照されたい）。

それに加え、習政権が三期目に突入するために、人民に誇示する功績となる材料が必要である。新型コロナ危機により、経済成長が大きく落ち込んでいるなか、ここで偉大なる目標を掲げることで人民を鼓舞するしかない。これは毛時代と同じ常套手段でもあった。

中央集権と個人崇拝の強化

しかし、習政権の政治については不可解な点が多い。その一例を挙げると、長期政権の実現を狙うとすれば、経済をさらに発展させる必要がある。これまで、中国経済が奇跡的な成長を成し遂げたのは経済自由化のお陰だった。だが習政権が実施している一連の「経済政策」は経済統制を強化することであり、民営企業を排除する動きが強まっている(5)。その結果、経済活力が抑えられてしまう。すなわち、目的と手段が一致しないという問題が露呈している。もう一つの問題は、強国復権、すなわち、中華民族の偉大なる復興を狙うならば、もう少し自国民に自由を与えなければならない。習政権は、権力の集中による権力の安定と自由化を対立させているようにみえる。

論点を整理すれば、習政権にとって、国家を円滑に統治する方法は一つしかない。すなわち「改革・開放」路線を続け、法治国家を構築し、人民によるガバナンスを受け入れ、共産党幹部の腐敗を抑制することである。経済について、40年前にすでに実証されていることだが、長期にわたる国有企業経営の非効率性こそが経済成長を阻んでいた。この四十余年間、中国経済が成長を成し遂げたのは民営企業の活力によるところが多い。さらなる経済成長を促進するには、国有企業による独占を徐々に排除し、より公平な市場経済を構築しなければならない。このような一連の改革は共産党の統治を邪魔するものではなく、むしろ、経済成長が実現すれば、共産党による統治がさらに強化されることになる。

しかし、現実は、ボタンの掛け違いのように、自由化すれば、リベラルな知識人を中心に政府の種々の政策に対する批判が沸き起こり、たちまち打倒共産党の政治運動になるのではないかと恐れているようだ。自由を奪われる人々はますます政府に反発する。習政権は政府批判を展開する知識人を軟禁状態に置くか、投獄する措置を取っている。しかし、オピニオンリーダーを黙らせることはできていても、人々の不満を解消することはできない。

習政権は腐敗撲滅に力を入れているが、その取り組みは腐敗幹部を追放するだけで、腐敗を予防する措置が講じられていない。共産党幹部が腐敗できないようにするためには、それに対するガバナンス機能を用意しなければならない。

格差問題も同じことである。格差が拡大しているのは、所得分配と所得再分配が不合理だからである。もっといえば、共産党幹部と企業経営者、すなわち、資本家は所得分配において有利な立場に立っており、彼らの脱税も日常茶飯事である。所得再分配を目的とする課税を強化するには、共産党指導者の個人財産の公開が必要である。なによりも、上で述べた共産党幹部の特権をなくさなければならない。しかし、習政権の取り組みはいずれも病根を取り除かず、表層の治療だけ行っているようなものである。

結果的に中国社会はますます不安定化するようになっている。第1章で述べたように、軍事予算よりも治安維持費のほうが大きくなっている。国家を治める共産党指導部と人民の距離はますます遠ざかる一方である。

中国のような人口の多い大国を治めるには、政府による直接的な管理では物事はうまく運ばない。新型コロナウイルスの感染拡大はその好例といえる。世界主要国のいずれもウイルス研究に力を入れている。中国も例外ではなく、最先端のウイルス研究所を設立し、研究に励んでいる。そんな折に、研究所の内部管理がずさんでウイルスが外部に漏洩してしまったとの報道があった。それはまぎれもなく、現在世界で猛威を振るっているコロナウイルスであるといわれている（このことは米国に亡命した中国人科学者によって証言されている）。

ウイルスの漏洩は意図的でなければ、単なる事故であり、その感染と影響を抑制すれば、グローバルの問題に発展することはなかった。残念ながら、現場の管理者は責任を逃れるために、ウイルスの漏洩をないがしろにし、気がついたら、ウイルスの感染は世界に拡大していった。

新型コロナウイルスの発生源と感染拡大の原因は完全に解明されていないが、感染が広がった初期段階において現場で治療を行った医師たちは、すでに原因不明の肺炎について、新種のウイルスによるものではないかと気づいた。彼らは公の場で警鐘を鳴らすことができなかったが、インターネットのSNSサイトで知り合いの医師と意見交換を行っていた。その一人は武漢の眼科医の李文亮医師だった。その後、李医師がデマを拡散したとして、警察から訓告処分を受けた。しかし、当局が李医師の警告を聞き入れていたら、ウイルスの感染はここまで拡大しなかったのだろう。

問題は、2020年9月、習政権は新型コロナウイルスの感染拡大を克服する功労者として、真実を語った李医師などに勲章を与えず、当局に迎合する関係者たちに勲章を付与したことだ。このやり方の影響は中国社会でますます真実を語る人がいなくなり、当局に迎合して嘘をつくものが増えることになる。北京大学の張維迎教授は中国社会の問題について一部の知識人が無恥であり、幹部が無知だからと指摘している。知識人は本来あるべき矜持がなければ、当局に迎合して、その結果、実情を知らない当局の幹部がミスリードされてしまう。場合によって新型コロナ危機のように大惨事になることもある。清華大学の許章潤教授（法学）は、当局の新型コロナウイルス対応に疑義を呈し、「憤怒の人民はもう何も恐れない」の文章を執筆し、インターネットにアップした。許教授は人民に対する強権政治はノーと言ったため、のちに清華大学から解雇されてしまった。しかも、許教授の支援者たちも同罪を問われ、その一部が拘束されている。

このように正念場に直面している習政権は権力を強化するために、ますます中央集権を狙い、個人崇拝を図っている。中国の書店に行けば、入り口の売り場は習近平文集のような書籍が特設カウンターで平積みにされている。しかし、このように人為的に作られたプロパガンダだけでは今の中国人をマインドコントロールできるとは思えない。毛時代とちがって、今の中国人はさまざまなチャネルを通じていろいろな情報と接している。習政権の取り巻きは迎合して指導者にその気にさせることができるかもしれないが、その幻想が崩れた場合の反動が中国社会を大混乱に陥れることになる。

3　習政権の統治能力

毛沢東の遺伝子を引き継ぐ元紅衛兵たち

2012年11月、共産党第18回大会が開かれ、習国家副主席（当時）が党の総書記に選ばれた。翌年の2013年3月に開かれた全人代で習近平が国家主席に選ばれ、習政権が正式に誕生した。そのとき、国内外で習政権による改革の断行に対して熱望する声が多かった。その背景に、18回党大会の決議文書に「市場メカニズムがもっと機能する市場環境を整備する」といった文言が盛り込まれたからである。前述したようにそれまで10年間続いた胡錦濤政権では、ほとんどの改革がトーンダウンし、中国版「失われた10年」といわれている。もう一つは習政権が若返りしたからである。若さこそ改革の原動力と期待されていた。

習政権は一期目（2013－17年）において大胆な反腐敗キャンペーンを繰り広げた。いわゆる「トラ」も「ハエ」も叩く習政権の反腐敗キャンペーンは人民から広く支持を集めた。追放された高級幹部のなかに最高レベルの周永康・元共産党中央委員会常務委員も含まれている。周永康氏はその裁判で無期懲役を宣告されたとき、即座に「控訴しない」と態度を表明した。中国の司法制度を熟知している周は控訴しても意味がないことを十分承知しているため、控訴しないことを決めたのだろう。むろん、収賄と権力乱用の罪に問われる周は決して冤罪ではない。問題はこれで問題が解決とはならないということである。

それ以外、習政権が成し遂げたもう一つの「功績」は、メディアとインターネットに対する統制の強化である。その目的はいうまでもなく言論統制である。習政権が打ち出したメディア統制の基本原則は「政府系メディアは共産党の指導に従わなければならない」ということである。インターネットのウェブサイトに対する管理も強化され、ネット上にアップされるいかなる書き込みでも、タブーとされる言葉や文書が含まれていると、すぐさまネット管理者によって削除されてしまう。中国の憲法で保障されている言論の自由はもともと付与されていなかったが、リベラルな知識人たちは曖昧な表現で政府の政策をやんわり批判したりしていた。しかし、習政権になってから、これすら許されなくなった。

ここで、問われるのは習政権のDNAである。表2－2に示したのは、習政権執行部、共産党中央委員会7人の常務委員の肩書および生まれた年である。特に注目すべきことは文革が始まった1966年に彼らのほとんどが小中学校に在学していた（栗のみが高校生）ことである。文革当時、毛は政敵の打倒のために、中学生たちを紅衛兵と命名し、彼らに「革命無罪、造反有理」の悪知恵を伝授したことは前にも述べたが、当時、紅衛兵たちは毛の加護の下に学校の先生をはじめとする知識人

表２－２　習政権の７人の常務委員会常務委員

	肩　書	誕　生	文革開始時（66年）の年齢
習近平	党総書記・国家主席	1953年	13歳（中一）
李克強	国務院総理	1955年	11歳（小五）
栗戦書	全国人民代表大会常務委員長	1950年	16歳（高一）
汪洋	政治協商会議主席	1955年	11歳（小五）
王滬平	中央政治局書記	1955年	11歳（小五）
趙楽際	規律委員会書記	1957年	９歳（小三）
韓正	国務院常務副総理	1954年	12歳（小六）

注：括弧は学年
資料：中国共産党中央委員会

たちを手あたり次第迫害した。元紅衛兵たちは今、だいたい60代である。習政権執行部のほとんどは元紅衛兵である。彼らはそれまでの世代と比較して権力を人一倍崇拝する傾向が強い。

結論をいえば、元紅衛兵出身の指導部が国家運営を主導している間は、中国社会が民主化する見込みはほとんどないと思われる。元紅衛兵たちは毛時代に憧れ、社会と知識人に対する統制を強めようとする傾向にあるからだ。このことについては何の不思議もない。問題なのは、毛時代と別れ、自由と民主主義という人類の普遍的価値観を受け入れようとするリベラルな知識人が統制によって行動を制限されてしまうため、水と油の関係にある両者の価値観がさらに激しく対立していることである。

もちろん、人口の大多数を占める「普通の中国人」たちは、日々の生活の中で自由と民主主義など自分とは関係がないと考える。彼らは言論の自由が奪われても痛みをそれほど感じないかもしれないが、序章で述べたように、都市再開発において自分の家が何の事前通告もなくいきなり強制的に取り壊されたりすると、突然、事態は自分と無関係ではなくなったことに気づく。あるいは、幼稚園や学校に通う自分の子供が、化学物質が混ざったミルクを飲んで病気になっても、政府に陳情すらできないとなると、人々は沈黙を守ることができなくなる。

海外の政治学者の一部は、習政権の統治能力を問題視し、トランプ政権が仕掛けた米中新冷戦は、実は習政権のレジームチェンジを狙って発動されたものだと指摘している。現実的にみれば、外部の圧力によって習政権のレジームがチェンジする可能性は高くないといわざるを得ないが、百歩譲って、習政権が退陣することがあっても、その後継者も同じく元紅衛兵になるだろう。少なくとも、1970年代後半ないし80年代生まれの若い世代が登場してくるのを待たなければならない。

進退両難の中国社会

リベラルな知識人は中国社会の民主化を主張しているが、明治維新以降の日本とちがって、今の中国社会では、草の根のレベルの啓蒙教育活動がほとんど行われていない。中国の学校教育では、共産党への忠誠を誓う教育が徹底されている。小中学校の基礎教育はもとより、大学受験の内容をみても、歴史や政治などの科目は共産党への忠誠を誓う内容が多く含まれている。テレビの番組をみても、文革を彷彿とさせる革命の歌や劇などの内容がほとんどである。

中国では、大学受験を復活させたのは1977年と78年だった。[6] それからの40年あまりの間、どんなに多く見積もっても、大学教育を受けたのは2億人程度と思われる。中国の総人口は約13億6000万人であり、大学教育を受けていない人口の割合は圧倒的に多い。しかも、大学教育を受けた人々が全員、民主主義の近代思想教育を受けたわけではない。優秀な大学生は共産党員になるために、共産主義思想教育を受けなければならない。共産党は優秀な大学生を共産党に取り入れることに力を入れている。

こうしてみれば、中国社会では、民主化を主張するリベラルな知識人の声があるが、それに呼応する民衆は限られている。したがって、中国は短期的に民主化する可能性がほとんどないといわざるを得ない。中国で声をあげて民主化を主張するのはほとんど一流大学の教授、ジャーナリスト、弁護士などである。彼らは読書が好きで、モンテスキューの『法の精神』などを読破し、自らの啓蒙を終えた人たちである。むろん、目下の社会不安は民主化を求めるリベラルな知識人の活動によるものではない。

中国社会が不安定化している原因は、上で述べた所得格差の拡大（図２－２参照）、共産党幹部腐敗への不満、都市開発に伴う民家の違法な取り壊しなどにある。今の中国人は暴政による暴挙を目にしても、自らと関係がなければ、見て見ぬふりをする人が多い。近年、多発する集団抗議活動は上の三つの原因のほかに、金融詐欺トラブルや保育園給食をめぐるトラブルなどがある。これらのトラブルは、いずれも担当の行政機関の無責任と無作為と関係している。政府当局に対するガバナンス機能が付与されていないため、これらのトラブルを根絶することができない。

結局のところ、ジャーナリストや弁護士は政府当局と担当者の無責任を糾弾するために、声をあげて活動を展開するが、政府当局は抗議活動が広がるのを恐れて、これらの知識人を容赦なく弾圧している。歴史的に共産党は幾度も知識人に政府共産党に対する提言を呼び掛けたが、そのつど、共産党の呼びかけを信じて意見を具申した知識人が容赦なく弾圧された。歴史家によると、共産党の知識人弾圧については以前に比べて若干の進歩があって、毛時代、政府に拘束された知識人の多くが死刑に処されたが、近年、知識人を含む政治犯の処刑はほとんど行われていないということである。しかし、中国社会で真実を語る際の恐怖は毛時代も今もほとんど変わらない。こうした弾圧は本人にとどまらず、家族まで波及する連座制になっている。

もちろん、毛時代に比べ、今の中国経済は著しく発展しているので、生活レベルが向上したのは間違いないことである。だがその半面、中国社会で民主化に関心を持つ人は必ずしも増えていない。それよりも現在60歳以上の中国人は、前にも述べたように、文革の惨事の記憶が薄れ、当時の革命の歌や革命の京劇といった文芸作品を懐かしく思う人が少なくない。毎年のように日本のバレエ団は中国のバレエ団を日本に招聘し、「白毛女」などの演目を上演しているが、これらの演目こそ農民による地主に対する憎しみを煽る革命の劇である。筆者は個人的にこういった演劇をみるのを拒絶しているが、今の中国では、こういう演劇を懐かしく思い、鑑賞する高齢者が少なくない。

このような現象からみてもわかるように、中国社会は民主化することは難しいが、さりとて毛時代に逆戻りしようとしても、再び社会全体を厳しくコントロールすることはそう簡単には行えない。まさに進退両難な状況にあるといえる。

習政権の統治能力が問われるのは、統制を強化することについて国民の間でコンセンサスを得ることができるかどうかにある。すでに自由を味わった人民から自由を奪うことは強い反発を買うことになる。つまるところ、習政権が実現しようとしている「厳しくコントロールされた中国社会」と「自由を求める社会」の要求が激しくぶつかる可能性が高い。

長い目からみれば、「改革・開放」によって40年間、高成長が続いたあと、中国経済は谷間に差し掛かっている。権力を崇拝する習政権は社会統制を強めようとしている。それに対する反発は社会不安につながる可能性がある。この難局を切り抜けられるかどうかは、まさに習政権の統治能力にかかっている。

【第2章・注】

（１）しかし、実際は一部の共産党幹部は南米などのパスポートを保有しており、実質的な二重国籍である。

（２）江沢民元国家主席は２０００年、①共産党は先進的な生産力、②先進的な文化とその方向性、③最も広範な人民の利益を代表する、とする「三つの代表理論」を提唱した。

（３）一説によると、１億元以上ともいわれている。

（４）ここでいう特権とは、前述した食材の特別供給はもとより、現役のときに住んでいた家や別荘をそのまま利用する権利、入院するときの個室の広さ、国内で旅行に出かけるときに専用列車を利用する権利など多種多様である。

（５）その一例はアリババやテンセントという中国を代表するＩＴ系民営企業に対する罰金である。その理由は市場独占にあるといわれているが、中国で一番市場を独占しているのは大型国有企業である。

（６）文革のとき、大学入試が廃止され、大学に進学するのは労働者、農民と軍人を推薦する制度だった。１９７７年、それまでの推薦制度が廃止され、全国統一試験が導入された。

第 II 部

新しいチャイナリスクの諸相

第3章　チャイナリスクの制度分析

中華人民共和国の公民は法律の前で一律平等である。国家は人権を尊重し保障する（第33条）。

中華人民共和国満18歳の公民は、いかなる民族も、いかなる種族も、いかなる性別も、いかなる職業も、いかなる家庭出身も、いかなる宗教信仰も、いかなる教育レベルも、いかなる財政保有状況も、いかなる居住期限も、選挙権と被選挙権を有する（第34条）。

中華人民共和国公民は言論、出版、集会、結社、行進、デモの自由を有する（第35条）。


「中華人民共和国憲法」

1　中国における国家と市場の「関係」

制度構築の遅れ

日本では、何かを成し遂げようとするときは、まず法制度、すなわちルールを整備しなければならない。たとえば、2020年新型コロナウイルスの感染拡大を食い止めるために、議会で都市封鎖が議論されたが、それに関する法的根拠がなかったため、強制力を伴う都市封鎖ができず、ウイルス感染への対応は大幅に遅れた。結局のところ、都市封鎖や都市のロックダウンに代わって緊急事態宣言に伴う外出自粛要請措置が実施された。これは「お願い」ベースの緩い措置である。結果的には、都市封鎖に比べ、感染者の減少が遅い半面、自粛要請による経済活動への影響はいくらか緩かった。

それに対して、共産党一党独裁の中国では、必要性が認められれば、いかなることでも、それに関連する法律がなくても、トップダウンで強制的に実施することができる。この考えのDNAが中国人の国民性に由来するものかどうかは不明だが、少なくともプロレタリアート闘争を唱えるレーニン主義には「目的は手段を正当化することができる」という教えがある。実際、新型コロナウイルスの感染拡大によって武漢市が封鎖された当時、中国には都市封鎖について何の法的根拠もなかった。すなわち、正しいことを行うならば法律の存在は必要ないという考え方は、中国社会ですでに定着している。

中国で感染症対策のように政府が思い切った措置を講じることができるのは、それに伴うコストを無視することができるからである。日本では、飲食店に対する営業時間短縮の時短要請を行おうとしても、それに対する保障を約束しなければならない。コストを無視して乱暴な措置を取ると、次の選挙で落選してしまう可能性がある。それに対して、中国共産党は一党独裁であるがゆえに、下野する心配はとりあえずない。

もう一つの事例を挙げれば、日本では、区役所や市役所などの役所で住民票の移転などの手続きを行うときに、日本人は役所のウェブサイトで関連手続きの際に必要な書類を調べ、その書類をそろえてから役所に行って手続きを行う。たいていの場合はトラブルになることはない。それに対して、中国人は役所で手続きを行うときや、病気になって病院に行くときも同じことだが、まず役所や病院に知り合いがいないかを調べ、知り合いがいれば、知り合いをつてに手続きなどを行いに行く。なぜならば、知り合いがなければ、トラブルになることが多いからである。

役所で手続きを行うときの必要書類に関する規定はあいまいなものが多い。病院に知り合いがいなければ、医者がちゃんとみてくれないのではないかと思われる。中国語では、つては「関係」(guanxi) と呼ばれている。中国では、「関係」は制度よりも重要であり、「関係」がなければ、何もスムーズにできない。中国社会の「関係学」は数千年も続いたといわれている。

中国社会の「関係」を組織論（organization）の観点から研究したものに、台湾国立大学の Kwang-kuo Hwang 教授の Theory Construction and Empirical Studies of Social Science for Chinese がある。中国国内の研究者は「関係」を personal connections in Chinese society あるいは Chinese social relations と定義している。

なぜ中国人と中国社会は「関係」に頼らないといけないかというと、正規な制度的枠組みがきちんと構築されず、あるいは十分に機能していないからである。中国社会の関係の複雑さは予想以上のものがある。同じ地域の出身者（同郷）の「関係」、同じ学校の同窓の「関係」などさまざまだが、こういう「関係」は、近代社会のような契約によって結ばれているわけではなく、「関係」の中のつながりは利益になる。中国社会の「関係」は日本語の「人脈」とも微妙に異なる。どちらかというと「仲間」や「アミーゴ（友人）」に近いかもしれない。すなわち、あらゆる「関係」は原則的に互恵でなければならない。単なる「知っている」だけでは役に立たない。利益の互恵が崩れてしまうと、「関係」もおのずと崩れてしまう。「関係」には、ある種の冷淡さが潜んでいる。

もちろん日本でも県人会のような「関係団体」や同じ出身大学・グループ会社・役所のOB会などの「関係」が存在し、ある意味では日本社会も「関係」の社会といえる。ただし、日本社会の「関係」は正規の制度と組織を凌駕するものではない。日本社会の「関係」は単なるコミュニケーションを促進するためのものが多い。この点は中国社会と決定的に異なる点である。

なお、中国人社会学者・費孝通教授（1910－2005年）は中国社会の「関係」と西側諸国の「関係」のちがいについて次のように総括している。「西側諸国において『関係』ネットワークにおける個人はそれぞれ独立したものであるのに対して、中国社会の『関係』ネットワークにおける個人は同郷会や同窓会に属することが多い。すなわち、中国社会のネットワークがグループとグループの関係によって結ばれているといわれている。グループ内の結束が強ければ、他のグループとのバーゲニングにも強い立場に立つことができる」[1]。

中国社会の「関係」の中で、あるグループに属する個人は、そのグループに君臨するリーダーに支配されることが多い。逆にいうと、支配関係のない「関係」は中国社会では成り立ちにくい。たとえば日本の経団連や経済同友会のような経営者団体は中国ではできにくい。中国人経営者はいつも相手を支配しようとする（相手より上に立とうとする）ばかりで、相手に従うつもりはないからである。

中国人は相手に服従することを極端に嫌うが、逆に、相手を支配しようとする気持ちは人一倍に強い。中国社会では、日本語でいわれる持ちつ持たれつの関係がほとんどできない。この点は中国人同士であれば自然になじむが、外国人にとってそれに慣れるのは至難の業であろう。中国語には、日本語にない言葉の一つは「奴才」というのがある。無理に直訳すれば、「奴僕」になるが、「奴才」はその主人に百パーセント支配されているということである。この言葉こそ中国社会の政治と職場における人間関係を如実に表している。

デジタル時代において、中国で最も広く利用されているＳＮＳアプリは「微信」（WeChat）であるが、このアプリの特徴の一つは「群」（グループ）の形成をＡＩで進められる。この「群」こそ中国社会固有の「関係」のデジタルバージョンではなかろうか。この「群」にも「群主」がいて、誰を参加させるか、あるいは排除するかを決めることができる。

むろん、こういった「群」の中での情報の共有は、共産党一党独裁の政治体制を脅かすリスクとなり得る。共産党を批判する情報の共有が瞬時に行われるからである。だからこそ、「微信」のシステムアドミニストレータの一番の仕事は「群」の中での情報共有の監視と管理であり、政治的なタブーに関する書き込みを容赦なく削除することである。

では、なぜ中国政府は制度をきちんと整備しないのだろうか。ここでいう「制度」とは法制度に加え、共産党と行政および軍の組織的枠組みも含まれる。共産党のトップは党の総書記であり、同時に軍のトップの軍事委員会主席も兼ねる。人事権と軍を掌握する党の総書記は、いうまでもなく一番の権力者である。これを理解したうえで、中国社会における制度構築を考察したほうがわかりやすい。

制度の構築は一回かぎりの作業ではなく、既存の制度を部分的に見直して、そのうえ、制度を補完的に改善していく作業になる。制度構築の視点は、政府本位か利用者本位かによってできた制度がまったく異なるものとなる。すなわち、政府にとって管理しやすい制度の場合は、往々にしてそれを利用する者にとって使い勝手が悪いことがある。こうしたなかで、制度を見直す際に、日本では議会による審議がきちんと行われるのに対して、中国では、まじめな審議を経ずに恣意的に行われることが多い。結局、制度の連続性がほとんど考慮されず、その不連続性こそ制度の使い勝手を悪くしているのである。中国では、1978年以降、何回か、簡素化を目的とする行革が行われたことがある。しかし、行革が行われるたびに、行政組織が膨張する羽目となった。

中国行政組織(政府組織)は定員制になっている。かつては公務員の概念がなかったが、1987年に「幹部人事制度改革」が試験的に進められ、1993年に「国家公務員暫行条例」が施行された[2]。2005年「国家公務員法」が全人代で採択され、国家公務員制度が正式に成立した。しかし、あらゆる法律と同じように「国家公務員法」にも遡及性がない。「公務員法」が施行される前に採用された「幹部」とそれ以降、公務員法に合格した公務員が同時に併存することになっている。それ以外に、正規の公務員とは別に、中国で「事業単位」と呼ばれる、あえていえば、日本の役所の外郭団体のような組織に近い存在もある。

たとえば、中央政府と各地方政府の傘下にある社会科学院の研究員および職員は、制度的には公務員ではないが、その人件費と諸経費はすべて税金によって賄われている。待遇は同等の公務員とほぼ同じようになっている。新華社通信系の「経済参考報」が報じたところによると、中国で税金によって養われている公務員および「事業単位」の職員の合計人数は6400万人にのぼるといわれている。約25人の中国人が1人の「幹部」を養う計算になっている。むろん、社会主義の中国が大きな政府になるのは何ら不思議でもない。

国家と「存在しない市場」との関係

中国において、そもそも「国家と市場の『関係』」という命題は大変不思議なものである。なぜならば、中国には資本主義でいうところの「自由な市場」など存在しないからである。歴史を振り返れば、１９４９年以降、中国では資本財と消費財の調達と供給はすべて政府が策定する経済計画に則って行われていた。長い間、中国社会には給料以外にボーナスというものがなかった。給料も職種と勤続年数によって等級が決まる仕組みになっている。

１９５０年の規定によると、当時、国家主席から清掃員までの給料は25等級に分けられ、最高（国家主席）は３５８・７元で、最低（清掃員）は12・66元だった。最高と最低の倍率は約28倍だった。１９５５年、北京の事例をみると、最高（国家主席）は６４９・06元であり、最低（清掃員）は20・88元）だった。約31倍に拡大した。

近代経済学の「規制の経済学[3]」では、規制のあり方とその意味に疑問を呈している。１９９０年代以降、日本でも deregulation（規制緩和）が叫ばれている。すなわち、政府による市場に対する規制は経済の非効率性をもたらす原因といわれている。社会主義国家は別として、資本主義国家においても大きな政府と小さな政府に関する論争が絶えず存在する。小さな政府のメリットは規制が少なく、経済が活性化しやすいといわれている。半面、行き過ぎた市場競争により市場が失敗するだけでなく、所得再分配が機能しないで所得格差が拡大しやすいというデメリットが指摘されている。

それに対して、大きな政府のメリットは、政府による所得再配分が機能し、所得の平準化が達成されると期待される。逆にデメリットは、政府による規制が強すぎると市場競争が阻まれ、経済の活力が抑制されてしまうことだ。しかし、このようなオーソドックスな論争の前提はあくまでも資本主義国家においてのことである。社会主義国家では、大きな政府や小さな政府に関する論争などあり得ない。なぜならば、社会主義国家においては政府がすべての経済活動をコントロールすることが経済運営の前提だからである。

中国は毛沢東が死去する1976年まで完全な計画経済を続けていた。計画経済が失敗した理由はすでに明らかだが、新古典派経済学者の総括を援用すれば、次の二つに集約される。一つは、政府は市場活動に関するすべての情報を把握することができない。したがって、効率的な資源配分を達成できないため、計画経済は非効率なものになる。もう一つは計画経済の給与システムはどんぶり勘定であるため、人々の働く意欲が抑制されてしまう。

1978年、「改革・開放」が始動した。「改革・開放」の目玉の一つは国有企業を民営化するのではなく、民営企業の参入を徐々に認めるようになったことである。これまでの四十余年間、共産党の公式文書で一貫して強調されたのは、国有企業が主役であり、民営企業が補佐役であるといわれている。この定義の重要性は中国共産党が社会主義路線を否定するのではなく、資本主義の一部の要素を取り入れ、社会主義体制を補強することである。これまでの四十余年間を振り返れば、中国の社会実験は成功したといえよう。

中国の民営企業がみせた活力はほかの国では考えられないほど強いものだった。しかし、中国の市場は国有企業が支配する main market と民営企業が参入する submarket に分けられている。国有企業の main market の発展が遅れているのに対して、民営企業の submarket は著しく発展した。経済学者は中国経済の発展を「双軌制」(dual track model) によるものと指摘している。
「改革・開放」初期の「双軌制」は主に物価の「双軌制」を意味するものである。すなわち、電力や石油などの公共財の価格は公定価格を維持するのに対して、一般消費財は市場価格ということである。「改革・開放」の深化に伴って、物価の「双軌制」は徐々に一本化された。それよりも、民営企業は国有企業が独占する main market に参入できず、それによって新たな「双軌制」が生まれた。中国経済が奇跡的な成長を成し遂げたのは、民営企業の submarket の発展によるところが大きい。しかし、習政権になってから、民営企業に対するコントロールを強化しているため、中国経済は大きく減速するようになった。

2　計画経済へと逆戻りする力

改革が進まない原因

人々は習慣的に目の前の問題をみて、自らが歩んでいる方向性を否定しようとすることがある。中国は「改革・開放」から四十余年経過したが、格差の拡大などさまざまな課題が露呈した。前章でも述べたように、60歳以上の中国人は毛時代を懐かしく思う人が少なくない。特に、当時、都市部の住民のうち、国営企業および集団所有制企業に勤める人々は、ゆりかごから棺桶まで勤務先がすべて面倒をみてくれるとのプロパガンダが浸透していたため、貧しい生活だったが、心理的なプレッシャーは大きくなかった。

だが、「改革・開放」以降、勤務先は社会保障の面倒をみてくれなくなった。給料こそ上がったが、それ以上にマンションやアパートの値段も上がり、子供の教育費、車の購入など出費はどんどんかさんでしまっている。[4] 中国社会は人と比べ見栄を張る風習が横行している。[5] 毛時代は高級幹部が腐敗していたが、草の根の庶民はほぼみな貧しかった。みなが等しく貧しいので、ある種の安心感があった。今の中国社会では、民営企業経営者は脱税するなど、あの手この手で蓄財している。要するに、格差が可視化されているため、貧しい階層へのプレッシャーはよりいっそう強まっている。

想像してみればわかるように、経済成長が大きく減速し、失業者が溢れているなか、明日を見通せなくなった人々は途方に暮れ、元の道、かつての平等な時代に戻ろうとする。本来、改革は決して振り子ではない。改革の方向性が間違っていなければ、改革を少しずつ深めて進歩へと進んでいくべきである。一方で、改革は痛みを伴うため、それに抗う既得権益グループもあるはずだ。中国国内の経済学者の言葉を援用すれば、「改革は成果を得やすい分野の改革を先に行ったので、残ったのは岩石のような成果が出にくい分野の改革のみ」であるということだ。[6] この表現は間違っていないが、改革を阻んでいるのが既得権益を手放そうとしない共産党幹部だから、改革の速度が鈍くなっているのである。

習政権になってから、指導者は「中華民族の偉大なる復興」といった抽象的な目標だけ叫んで、それを実現する具体策をほとんど提示していない。半面、リベラルな知識人は中国社会に存在するさま

表３－１　中国リベラル知識人の代表

茅于軾	経済学者	北京天則経済研究所元理事長
張維迎	経済学者	北京大学教授
許小年	経済学者	中欧国際工商学院教授
江平	法学者	中国法政大学教授
賀衛方	法学者	北京大学教授
許章潤	法学者	清華大学元教授、軟禁中
張思之	弁護士	四人組裁判の担当弁護士
任志強	国有企業元役員	服役中
秦暉	歴史学者	清華大学元教授
資中筠	歴史学者	中国社会科学院米国研究所元所長
徐友漁	歴史学者	米国在住、中国社会科学院元研究員
周孝正	社会学者	米国在住、中国人民大学元教授
王康	哲学者	2020年米国で死去
陳丹青	画家	清華大学元教授
艾未未	アーティスト	ドイツ在住、父艾青は延安時代の詩人・文学者
蔡霞	政治学者	中国共産党大学校元教授、米国亡命中
崔永元	テレビ司会	中央電視台インタビュー番組元司会
劉暁波	作家	ノーベル平和賞受賞・服役中に死去
章詒和	作家	父・章伯鈞は中国民主同盟・農工民主党の創設者

資料：筆者作成

ざまな課題と制度面の欠陥を暴くと、これらの知識人の口を封じ込める措置が取られる。表３－１に示したのは中国リベラル知識人の代表である。

中国では、これらのリベラルな知識人は「公共知識人」と呼ばれている。彼らは自分個人の利益を最大化するのではなく、公共の利益を最大化するために、改革の深化を求めて声を上げている。表３－１に示したリストは中国で最もよく知られている「公共知識人」だが、それ以外にもたくさんの弁護士やジャーナリストなどは中国社会の民主化と人権保護のために奔走している。なかには獄中で命を落とした知識人も少なくない。

これらの公共知識人のほかに天安門事件の後、海外に亡命した知識人も少なくない。彼らは海外で民主化運動を展開している。そのほかに、香港の新聞社主や書店主なども大陸の専制強権政治を痛烈に批判している。問題なのは彼らの声が共産党指導部に届かないことにある。

中国政治史の専門家によれば、中国の政治改革は１９８９年に起きた天安門事件がターニングポイントで、それ以降、改革は終わってしまったといわれている。要するに、天安門事件は、鄧小平をはじめとする指導部が、民主化を容認すれば、究極的には共産党が下野することになるため、それは絶対に阻止すべし、と判断したために起こったことなのである。鄧の後継者たち（江沢民と胡錦濤）は政治改革を回避しながら、経済発展を図った。習政権になってから、経済発展もできなくなった。結果的に、毛時代の計画経済に逆戻りしようとしているのである。

振り返れば、1990年代、中国人経済学者たちは、市場メカニズムを重視する古典派経済学あるいは新古典派経済学と政府機能を重視する制度学派経済学を比較しながら、朱鎔基首相（当時）に政策提言していた。中央銀行の幹部や財政部の幹部は日米欧で成功・失敗したさまざまな経験と教訓を謙虚に学んでいた。そのなかで、彼らは中国に適する経済政策のポリシーミックスを導こうとしていた。このようなある程度自由な空気感は当時のポリシーメイキングにいくらか影響を与えていた。

2000年代に入ってから、リベラルな知識人たちは新自由主義派を形成し、より大胆な発言を展開するようになった。そのベンチマークとなったのは2006年北京郊外の西山杏林山荘で行われた「新西山会議[7]」と呼ばれる新自由主義派の論壇だった。四十数人のリベラルな知識人がこの論壇に参加し、まさに百家争鳴のように自由に発言した。そのなかで、法学者たちは司法の独立性の確保を主張し、民主主義の選挙を導入するために、台湾を見習うべきとまで指摘している。一方、経済学者たちは政府による市場への介入を排除すべきと主張し、資源配分を市場メカニズムに完全に委ねるべきであると主張した。これらの主張は当時の社会雰囲気からすれば、明らかに前衛すぎると思われる。むろん、研究者の意見として尊重されるべきである。

まったく偶然だが、筆者はそのときに、北京にある中央党校のキャンパスにある小さな書店で「連邦制に関する研究」という小冊子を見かけ、心より驚いた。当時、中国社会のうわべの空気は依然として保守的なものだったが、その底流にあるのは自由、民主と人権尊重を求めるマグマが予想以上に溜まっていた。

問題は、当初の約束としてクローズドな論壇だったはずだが、その議事録がネット上にリークされてしまったことだ。その結果、中国社会に吹き込んだ新風に対して、社会主義路線を擁護する人たちが猛攻撃したのだった。こうした論争そのものを否定すべきではないが、共産党指導部はその影響を心配して論争に待ったをかけた。ちなみに、習政権になってから、このような論争はまったく展開できなくなった。

前の章で述べたように、胡錦濤政権の10年間は改革がトーンダウンした、中国版「失われた10年」だった。結局、論争は政策にはならず、改革を推進することもできなかった。

習政権が誕生した2013年3月当初、それまでに改革がトーンダウンした反動から、改革の深化を熱望する動きが内外で沸き起こった。若返りした指導者は「紅二代」であり、革命世代の遺伝子を引き継いだ二世だからこそ、改革を推進する強い原動力を持っているのではないかと期待されていた。共産党第18回党大会で決議された文書に、市場メカニズムをよりいっそう重視するといった文言が織り込まれていた。経済成長についても、無理に高成長を実現しなくても、7％前後の成長を新常態（new normal）と定義した。出だしは順調だったようにみえた習政権だが、その後の統治は波乱万丈に満ちた茨の道だった。

計画経済は中国だけでなく、ソ連・東欧諸国など他の社会主義国でも実証されているように、経済成長は持続不可能である。ソ連と東欧諸国は計画経済を放棄し、政治制度も民主化した。制度移行段階で経済と社会において混乱がみられたが、徐々に落ち着きを取り戻し、経済も成長軌道に戻った。それに対して、中国共産党は旧ソ連の轍を踏まないように、さらなる開放を拒み、自国民に対する監視体制をますます強化している。

２０００年代に入ってから、ＩＴ技術の発達により、監視カメラの設置と情報処理のコンピューターシステムが日増しに進化している。日本のマイナンバーカードの取得率は20％未満（２０２０年９月現在）といわれているが、中国では、ＩＣチップが組み込まれている身分証明カード（ＩＤ）の取得率は１００％に近い。中国人であれば、ＩＤカードがなければ、飛行機や高速鉄道に乗ることができない。旅行や出張などでホテルに宿泊することもできない。銀行で口座を開設しようとするときも、ＩＤカードの提示が求められる。監視カメラとＩＤカードに組み込まれている個人情報が随時に認証されている。リベラルな知識人は今の中国を現代版・オーウェルの「１９８４」と揶揄している（詳細は第5章を参照されたい）。

IHS Markit の調べによると、２０１８年、世界の監視カメラとシステムの市場規模は１８２億ドルだった。２０１９年は１９９億ドルに増えた。２０１８年の伸び率は前年比８・７％だった。それに対して、中国市場の伸び率は13・5％と、世界平均を大きく上回っている。２０１８年の中国市場の世界市場に占める割合は45％だったといわれている。２０２１年、中国市場の割合は50％を超えるとみられている。

ここで、銀行手続きにおける顔認証システムの実例を紹介しておこう。日本では、引っ越しなどで銀行口座に登録されている住所などの個人情報を変更する場合、預金通帳と印鑑を持って銀行の窓口に行って手続きを行うのが普通である。その際、身分証明のために、健康保険証か運転免許証の提示が求められる。在留の外国人であれば、在留カードの提示でも手続きできる。

では、中国ではどのように手続きを行うのだろうか。中国の銀行のほとんどは預金通帳を発行していない。デビット機能のあるキャッシュカードを持って銀行のＡＴＭ（他行のＡＴＭでは手続きできない）で手続きを行うことになる。まず、キャッシュカードを差し込み、パスワードを入力して、個人情報の更新を選択すると、ＩＤカードの挿入を求められる。ＩＤカードを挿入し、頭上に設置されている監視カメラに顔を向けると、1～2秒で顔認証される。顔認証されれば、ＡＴＭにＩＤカードに登録されている新しい住所が表示され、問題がなければ、それで手続きが完了することになる。

便利な社会には落とし穴も潜んでいる。政府によって厳しく監視されている社会では、政府に対するガバナンスが確立していなければ、その個人情報が悪用されないとはかぎらない。実は、同時に政府にとって深刻なリスクを孕んでいる。なぜならば、政府もこの監視システムによって監視されているからである。すべての社会構成員は安心して生活できないということになる。

3　不安定化する中国社会のリスクの深刻度

中国社会の無恥と無知の罠

世界の中国研究者の一部には、新華社通信や人民日報などの官製メディアの報道をことごとく深読みして、それに含まれている政策メッセージを読み解く努力をする者がいる。筆者のような中国出身の研究者は祖国の官製メディアの報道をつぶさに解読することには、生理的に耐えられない。それらの中には「仮」（嘘）、「大」（大げさ）、「空」（空虚）の情報が多く含まれているからだ。

いくつかの事例を挙げよう。

まず、日本人研究者がよく引用する「環球時報」の編集長・胡錫進はインターネットのＳＮＳで「われわれは24時間で台湾を攻略することができる」と豪語している。軍事の専門家ではない筆者は、北京が24時間以内に台湾を攻略することができるかどうかについてコメントを控えるが、武力を行使した場合、民間人の犠牲を考えれば、武力行使戦略そのものの正統性が疑われる。

北京大学教授で世界銀行チーフエコノミストだった林毅夫は、中国経済は２００８年から20年間、年平均８％成長を続ける潜在力があり、購買力平価で評価すれば、中国は２０１５年に米国を凌いで世界一の規模になると予言していた。このような無責任な予言こそ習指導部をミスリードして、米国との貿易戦争をエスカレートさせてきたのだといえる。

さらに、第１章で述べたように清華大学の胡鞍鋼教授は２０１８年、北京で開かれたフォーラムで「わが国の科学技術水準はすでに全面的に米国を凌駕している」と言い放った。胡教授は中国が毎年Ｒ＆Ｄに投じた予算を累計して、その結論にたどり着いたようだが、素人の目からみても、中国の科学技術水準が本当に米国を凌駕しているかどうか、明々白々と思われる。

この三人に対して、アリババの創業者ジャック・マー（馬雲）は、ビジネスマンゆえなのか、もう少し現実的なようだ。２０２０年９月、中国国内で開かれたシンポジウムで、彼は「われわれの得意分野は技術の応用であり、基礎技術の開発は依然として米国など海外に頼っている。米国のトランプ政権はファーウェイへのＩＣチップの供給を禁止している。中国国内企業の多くは相次いでＩＣチップの開発と生産に参入している。しかし、中国のＩＣチップの技術レベルは米国のそれに比べて、20

年も遅れている。ICチップの開発には資金を投じるだけでは不十分であり、重要なのは数学者と物理学者を大量に投入することである」と訴えた。

ちなみに、比較的慎重に発言する馬雲は2020年の年末に行方不明になった。その直前にアリババグループ傘下のアントファイナンスグループの上場の際、すべての手続きが完了したにもかかわらず、当局からストップがかかった。馬の「失踪」の原因の一つとされているのは、政府批判の発言を行ったからと推察されている。2020年12月、中国国内のフォーラムで馬は「政府が行う監督と管理は、監督は見るほうで、管理は介入するほうです。政府は管理すべきではなく、監督すべきである」との不満をもらしたのだ[8]。

同じタイミングで、中国名門大学の一つ、清華大学[9]の共産党委員会書記・陳旭は同大学の評価委員会で「清華大学はすでに世界一流の大学になった」と宣言した。清華大学はたしかに中国有数の名門大学だが、世界一流の大学になったかどうかについてはもう少し精査する必要がある。少なくとも学術的に自由を与えていない同大学は世界一流とは到底認められない。表3−1に示したリベラルな知識人の一人・許章潤教授は何の証拠もなく買春をしたといわれ、大学から解雇された。冤罪の可能性が高いとの噂がもっぱらだが、もしそれが本当なら、大学の教育者としての最低限の矜持が欠けているといわざるを得ない。

ここで例示した中国社会の怪現象こそ、現代中国が混乱に陥った兆しといえる。

北京大学の張維迎教授が定義した幹部の**無知**と知識人の**無恥**は、中国社会が抜け出せない落とし穴もしくは罠である。日本では、忖度という言葉は流行語のようになっているが、中国社会、とりわけ知識人の間で権力者に迎合する風潮が横行している。忖度と権力者への迎合が横行する背景には、権力に対するガバナンスが欠如し、政策決定に透明性がないことがある。具体的に一つは人事権、もう一つは財源の配分について透明性がまったく担保されていないことだ。

かつて、毛沢東時代、人材を抜擢する基準として、まず赤くないといけない。「赤い」とは共産党への忠誠心を意味する。もう一つは専門家でなければならない。しかし、この二つの条件のうち、忠誠心のほうが優先して重視されている。

中国の核開発の父ともいわれる銭学森教授（故人）は中華人民共和国建国後、米国から帰国した有名な研究者である。１９５８年、毛沢東は工業と農業の増産の大躍進運動を呼びかけた。毛の呼びかけに呼応するために、銭は専門家の見地から「化合作用を活かせば、農地単位面積の生産量は数十倍に増産することができる」との談話を人民日報に載せた。人々は、銭先生のような科学者も大躍進運動を鼓吹しているのだから、大躍進の目標は絶対に達成できると信じてしまった。知識人の無恥とはこういうことである。このような知識人のほとんどは、日本流でいえば、政府御用学者ということになる。

中央集権的なポリシーメイキングのリスク

胡錦濤政権期（２００３−12年）において、国の政策が決定されても、額面通りに実施されないことがあったといわれている。このことを、胡錦濤政権時の官僚は「政令不出中南海」（政令が中南海[10]の外へ出ることがない）と嘆いた。胡の路線を邪魔したのは江沢民元国家主席の勢力だったといわれている。

習政権になってから、2016年10月、共産党第18回大会中央委員会が開かれ、習総書記を核心とすることが決議された。前任者の江沢民元国家主席と胡錦濤前国家主席はすでに高齢となり、習国家主席を牽制する勢力はもはや存在しない。それに乗じて、習政権は反腐敗の一環として政敵となり得る幹部を相次いで追放した。

日本では、政府省庁間の縦割り組織は政策執行の妨げになることが多いといわれている。否、それだけでなく、大企業においても縦割りの組織づくりによって、組織間の連携が妨げられるのは周知の通りである。中国でも、政府部門は縦割りとなっているため、政策決定と政策執行の効率化は実現されない。習政権は政策実行力を強化するために、省庁間の連携を強化し、異なる省庁を跨る「領導小組」を設置し、省庁間の隔たりを是正しようとしている。「領導小組」は日本でいえば、審議会や委員会のようなものだが、日本の審議会と委員会よりも権限が遥かに強い。

1980年に「中央財金経済領導小組」が設置された。この領導小組の役割は財政金融およびエネルギーなどにかかわる制度改革と経済政策ならびにエネルギー政策のトレンドなどについて提案することである。それに加え、1994年以降、毎年秋に「共産党中央経済工作会議」が開かれている。この経済工作会議は中国共産党中央委員会と国務院による共催であり、その役割は短期的な経済情勢について討議し経済政策のトレンドを決定することである。現在、習近平国家主席は「中央財金経済領導小組」の組長を兼務している。

そのほかに、習政権になってから、習近平国家主席が自ら組長に就任する新たな「小組」が三つほ

表3－2　習近平国家主席が「組長」を兼職する「領導小組」

名　称	設立時期	役　割
中央財政経済領導小組	1980年	財政、金融、エネルギーなど経済全般の制度改革と政策決定を司る
中央深化改革領導小組	2013年	共産党組織と行政改革ならびに人事体制を決定する
中央網絡安全と情報化領導小組	2014年	インターネットの管理体制と情報化政策を決定する
中央軍事委員会深化国防と軍隊改革領導小組	2014年	国防戦略と人民解放軍組織改革を司る

注：中央財政経済領導小組は前政権からの継承以来、残りの三つはいずれも習近平政権になってから新しく設立されたもの
資料：中国共産党中央委員会

ど新設された（表3－2参照）。具体的には①「中央深化改革領導小組」、②「中央網絡安全と情報化領導小組」と③「中央軍事委員会深化国防と軍隊改革領導小組」である。

これらの「小組」を設立する狙いとして、①の「中央深化改革領導小組」は人事権の掌握、②の「中央網絡安全と情報化領導小組」はマスコミとインターネットの管理強化、③の「中央軍事委員会深化国防と軍隊改革領導小組」は人民解放軍に対する指導権の掌握である。この四つの小組の組長に就任したことから、習国家主席は共産党指導体制の核心的存在になったのである。

中国では、民主主義の選挙制度が導入されていないため、共産党にとってその統治体制の正当性を立証できないという欠陥がある。この欠陥を回避するために、最高実力者だった鄧小平は「発展こそこの上なく理屈だ」と経済発展の重要性を繰り返し強調していた。要するに、経済さえ発展すれば、人民は共産党を支持してくれるというのが鄧小平の論理だった。

だが逆に、経済が発展しなくなった場合、人民は共産党を支持しなくなるのではないか。一刻も早く豊かになろうとする中国人の特性からこの描写は間違っていないが、近代経済学の教えでは、自由な市場経済においてプライスメカニズムというアダム・スミスが定義した「見えざる手」による資源配分こそ、最も効率的といわれている。専制政治において政府が資源配分を行うと、経済効率はおのずと低下していくと思われる。

これまでの四十余年間、中国の実質GDP伸び率は年平均9％を超え、奇跡的な経済成長を成し遂げた。換言すれば、9％以上の成長を維持できたから、中国社会は安定していたともいえる。ただし、格差が拡大しているため、高い成長率を維持するだけでは社会は安定しない。特に、これから経済成長は次第に減速していく可能性が高く、社会不安が心配される。

2017年、北京大学で、産業政策の必要性と有効性に関する論争が繰り広げられた。この論争は張維迎教授（経済学）と林毅夫教授（同）との論議だった。張教授は英国オックスフォード大学で経済学博士号を取得したリベラルな経済学者（指導教官はジェームズ・マーリーズ教授）である。林教授は台湾出身で1980年代、徴兵され大陸に近い金門島に配属されたとき、海に飛び込み、福建省に泳ぎ着き、大陸に亡命した。中国大陸で優遇される林氏は北京大学に進学した。卒業後、シカゴ大学に国費で留学し、同大学で博士号（経済学）を取得した。のちにジョセフ・スティグリッツの後任として世界銀行のチーフエコノミストに就任した。当時の世界銀行総裁は、米国きっての親中派ロバート・ゼリックだった。

産業政策に関する両氏の論争は、林教授は戦後日本の鉄鋼政策と自動車政策の成功例を挙げ、中国も同様な産業政策を実施すべきと力説する。それに対して、張教授は政府主導の産業政策は資源配分のミスマッチをもたらすものと指摘する。産業の発展は企業および産業に任せるべきと主張する。二人の経済学者の主張にはそれぞれ一理あるようだが、産業政策の必要性と有効性について議論する前に、まず、産業政策を実施する前提を明らかにする必要があるのではないか。だが残念ながら、それに関する議論は十分に行われていない。

産業政策の有効性そのものを否定することは妥当な議論ではないが、その有効性を発揮するためには政府に対するガバナンスを強化する必要がある。ガバナンスなき政策の実施は必ずや腐敗の温床となる。今の中国を考察すれば、民主主義体制に移行しておらず、法による統治（the rule of law）も確立していない。

これまでの40年間の「改革・開放」政策を振り返れば、中国では、合計13回もの５カ年計画（正式には「国民経済計画」）を発表し実施してきた。これらの５カ年計画の中核的な部分はまさに産業政策である。問題は5カ年計画の実施において、その主役は企業ではなく、政府だということだ。結局のところ、毎年のように計画が発表され実施されるが、その目標を達成できたかどうかについてはほとんど検証されることがない。

こうしたなかで新たに考案されたのが「中国製造２０２５」の産業育成戦略である。「中国製造２０２５」は情報通信機器などハイテク製造業の育成が主な狙いとなっている。

これまでの三十余年の外資導入政策により、中国企業は外国企業の下請けとなり、中国は輸出製造企業が集約する世界の工場にまで成長した。しかし、大学院のビジネススクールでよく取り上げられている有名な事例だが、米国カリフォルニアで開発・デザインされているアップル社のiPhoneは中国で組み立てられているが、仮に1台500ドルするiPhoneでも中国が得る売上げは、わずか7ドルといわれている。

世界2番目の経済規模を誇る中国経済は、いつまでも「世界の工場」という定位置に安住するわけにはいかない。当然のことだが、中国は低付加価値の生産加工からハイテク産業へと産業構造の高度化を図ろうとする。その戦略はまさに「中国製造2025」である。残念ながら、習国家主席の肝煎りのこの世紀の大戦略は、米国トランプ大統領によって阻まれてきた。

政策決定におけるシンクタンクの役割

政策の立案において最も重要な作業の一つは、当該分野のデータを正しく収集し、正しく解析することである。中国には、純粋な民間シンクタンクはほとんど存在していなかった。「改革・開放」政策以降、小規模な民間のシンクタンクが設立されているが、影響力は予想通り小さい。

その原因の一つは、民間のシンクタンクによるデータ収集が原則として禁止されているからである。もう一つは、研究内容によってその研究成果を公表できない場合があることだ。結果的に、民間シンクタンクの多くは企業に情報サービスを提供するコンサルティング業が主体となっている。

ちなみに、中国で最も活躍している民間シンクタンクは北京天則経済研究所である。この研究所は中国人経済学者・茅于軾[11]などが発起人となって、1993年に設立された。ところが、国家の基本方針に反して国有企業の民営化などに関する研究を行ったとして、免許が取り消され、ウェブサイトの

表３－３　中国国家認定のシンクタンク（計25社）とその所属

分　類	所　属		
第１分類	政府機関、主に中央政府	10社	社会科学院、国務院発展研究センター、発展改革委員会マクロ経済研究院、国家行政学院など
第２分類	大学および国営研究機関	12社	北京大学国家発展研究院、清華大学国情研究院、復旦大学中国研究院など
第３分類	国有企業	１社	中国石油経済技術研究院
第４分類	独立系	２社	深圳綜合開発研究院、中国国際経済交流中心

資料：中国国務院

ホームページも閉鎖させられた。

現在、リベラルの研究者のほとんどは大学に散在して、インターネットで発言を試みている。ただし、中国のインターネットは前掲表３－２にある「中央網絡安全と情報化領導小組」の管理の下で、リベラルの研究者の多くは、ＳＮＳのアカウントが取り消され、情報発信ができなくなっている。

一方、現在の中国で重要な役割を果たしているのは、政府系シンクタンクである。表３－３に示したのは、中国共産党中央委員会ならびに国務院が認定した国家レベルのシンクタンクの分類である。

シンクタンクにとって、国家認定を受ければ政府機関から委託研究を受注することができるというメリットがある。その直属の政府機関から委託研究を受ける場合、経済メリットも大きいが、同時に名誉として重要である。直属政府機関以外の政府機関から委託研究を受ければ、その経済メリットはなおさら大きい。特に、中国のシンクタンクの場合、委託研究費の２～３割を管理費として研究所に納めれば、残りのすべての研究費は研究チームが自由に使うことができる。わかりやすくいえば、中国のシンクタンクにとって、直属の政府機関から委託される研究はいわば本業である。それ以外の政府機関および企業や団体からの受託研究は副業となる。この点は日本のシンクタンクが行う受託研究と大きく異なるところである。

一方、政府機関にとって、国家認定シンクタンクに有償で委託研究を外注するメリットが大きい。たとえば、ある地方政府は地下鉄建設プロジェクトのフィージビリティスタディを国家認定のシンクタンクに委託した場合、許認可を得やすいことがある。また、政府機関の責任者（たとえば、大臣など）は共産党中央委員会や国務院に経済活動報告を提出する必要がある。専門のシンクタンクに研究プロジェクトとして外注して、その報告書をもとに共産党中央委員会や国務院に報告するやり方は最も無難といえる。

こうしてみれば、中国の政府系シンクタンクの研究と米国のシンクタンクの研究を比べた場合、質的に異なることがわかる。米国のシンクタンクは民主党系と共和党系など理念が異なる場合があるが、基本的に独立した研究によって得られた成果をもとに政策提言を行うものである。むろん、そのなかに、政治に影響を与えるためのロビー活動に近い研究も散見されるが、多くは事実を解明して政策提言を目的にするものである。

それに対して、中国の政府系シンクタンクの研究は基本的に共産党中央委員会および政府行政機関に対するサービスのようなものである。シンクタンクにとって、事実よりも共産党および政府が何を必要としているか、それに応えるのが自らの役割と考える。本来のシンクタンクは政策決定のための羅針盤機能である。中国の政府系シンクタンクは政府に対して、「出謀劃策」（策略を提案する）、すなわち、劉備玄徳にとっての諸葛孔明のような役割を果たすものである。その研究の主な消費者は政府である。民主主義国におけるリベラルな研究の主な消費者は国民である。この点において決定的に異なる。

市場開放、制度改革と経済発展の関係性

図3－1に示したのは中国の実質GDP伸び率の推移である。中国経済は明らかに減速している。一般的に新興国経済はなんらかの原因により、成長は一時的に減速しても、そのあと、リバウンドして、いわゆるV字型回復を果たすことが多い。1997年に起きたアジア通貨危機のとき、東アジアの多くの国の経済は一時的に大きく減速したが、そのあと、すぐさま回復した。では、今の中国経済は減速しているが、これから回復する可能性はあるのだろうか。

中国経済のファンダメンタルズを考察すれば、世界2番目の経済規模、世界の工場としてのステータス、世界の市場としての潜在性、ほぼ完璧に整備されているインフラ基盤、新興国の中でも突出する教育水準の高さなどから、経済がこのまま停滞し続けるとは予想しにくい。目下の中国の経済成長を妨げているのは、制度改革の遅れだといえる。

しかし、いかなる制度改革も経済学的にみれば、短期的にゼロサムゲームかマイナスサムゲームとなる。それがプラスサムゲームに転じるのは、改革から一定の時間が経ってからのことであろう。それゆえ、制度改革によって不利益を被る既得権益集団は必ず抵抗してくる。これこそ改革を行っていくうえでの高いハードルとなる。

図3-1　中国の実質GDP伸び率の推移

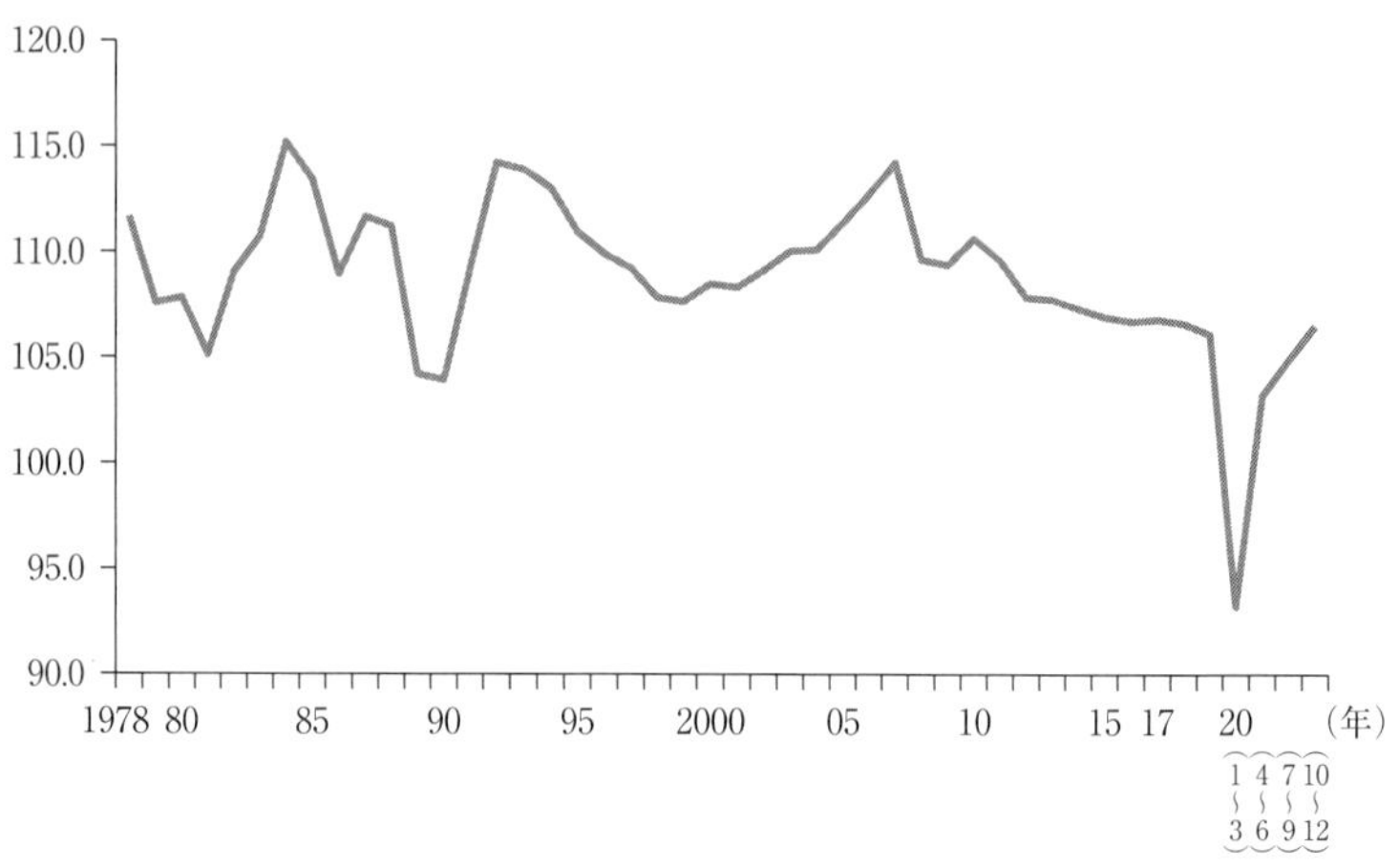

資料：CEIC

そこで、改革を推進するには、強い原動力が必要である。物理学的に原動力は往々にして圧力から来るものである。国内において改革を推進していくインセンティブが強くなければ、改革は進まない。比較的やりやすい方法として、市場を段階的に開放して、そのなかで外圧を利用して、改革を推進していくことである。

振り返れば、中国で、改革が進んだ時期はたいてい市場が開放された時期と重なる。２００１年、中国はＷＴＯ加盟を果たしたが、実はその前から市場開放を進める準備を行っていた。中国の市場経済の基本的な構図は、まさにこの、１９９０年代の後半にＷＴＯ加盟に向けた市場開放と同時に行われた市場経済改革によって完成したものだった。その改革のボーナスとして、２００１年以降の高成長につながった。

このような点を踏まえれば、目下の経済成長の減速は改革の遅れに原因があって、強いていえば、市場開放の遅れが原因であるといえる。目下の米中貿易戦争および新型コロナ危機をポジティブに捉えて、大胆な市場開放を進めることができれば改革は再び深化していけるきっかけとなる。そうなれば、中国経済が再び成長軌道に乗る可能性は十分にあり得るのだ。

残念ながら、今の中国社会と中国経済の実状を考察すると、繰り返しになるが、統制経済に逆戻りしているようにみえる。逆に習政権は改革を先送りすれば、政権が持続していけなくなるという正念場になる。これこそチャイナリスクが顕在化するきっかけになり、これについては後章で詳述することにする。

【第3章・注】

（1）費孝通『費孝通社会学論文集』（中国社会科学出版社、１９８５年）。

（2）公務員制度を導入する前に、１９８２年、国家幹部管理制度の改革が行われた。最も重要な改革の一つは等級別の幹部の退職年齢の明確化だった。一般的に大臣や副大臣と省・市の首長は65歳で引退しなければならない。副大臣や副知事、副市長とその他の局長級の幹部は原則として60歳で引退することになった。この改革は中国社会に蔓延（はびこ）る終身雇用に終止符を打ったといわれている。

（3）シカゴ学派のスティグラー教授は「規制は公共利益の最大化に資する」とする伝統的な公共理論に疑問を投げかけた。米国トラック産業に関する実証研究をもとに、規制者が規制されるはずの産業界の虜にされてしまう事実を突き止めた。

（4）中国では、賃貸の市場は十分に発達していないため、若者は結婚するにあたって、マイホームを購入するのが一般的である。銀行から住宅ローンを借りるとき、頭金の一部は親に援助してもらうことが多い。

（5）この現象は今始まったものではなく、昔から中国社会は競争社会であるため、人の前で見栄を張ることで競争に勝とうとする意思が込められている。この点は日本社会とまるで異なる。日本人は一般的に控えめにするのが美徳とされている。

(6) この指摘は中国国内でコンセンサスになっているが、誰が最初に言い出したかは不明である。その可能性のある代表的な一人は、国務院発展研究中心の研究員・呉敬璉である。

(7) もともと1920年代、国民党内で共産党と協力する左派とそれに反対する右派は激しく対立していた。1925年3月、孫文が死去したあと、孫文の柩が安置されていた北京郊外西山碧雲寺に右派の一部が集まり、会議が開かれ、共産党員の国民党籍の剝奪などを決めた。これは歴史的に「西山会議」と呼ばれるものである。それに因んで、2006年のこの会議は「新西山会議」と呼ばれている。

(8) 2021年1月、約3カ月ぶりに馬は公の場で姿を現した。しかし、なぜ3カ月間も「失踪」したかについては依然謎のままである。

(9) 清華大学の校訓はもともと「自強不息、厚徳載物、独立精神、自由思想」だった。「自強不息、厚徳載物」は「易経」の「天行健、君子以自強不息(天行健ナリ、君子ハ以テ自強シテ息マズ)、地勢坤、君子以厚徳載物(地勢坤ナリ、君子ハ以テ厚徳載物)に由来する。「独立精神、自由思想」は元校長・梅貽琦が残した訓話である。しかし、今の清華大学のキャンパスに飾っている石碑には「自強不息、厚徳載物」しか残っておらず、「独立精神、自由思想」は削り取られてしまった。習近平国家主席は自身が清華大学の卒業生であり、その後輩たちに対して絶対服従を求めているようだ。

(10) 中南海とは北京・天安門広場の横にある中国要人たちの住居兼執務室の所在地のこと。

(11) 茅は中国リベラル知識人の代表者の一人であり、その主張の一つは毛沢東を神棚から降ろして、俗人に還元させるべきというものである。そして、民営企業の経営者などから寄付を募って、山西省で農民を助けるマイクロファイナンスも実験した。さらに、自分の仕事と役割として、「貧しい人のために仕事する、豊かな人の人権を代弁する」と述べている。貧しい人のために働くというのは、マイクロファイナンスを実験的に行っているということである。豊かな人というのは主に民営企業の経営者を意味し、彼らの財産権と人権が侵害されがちであるため、彼らを擁護するための代弁者になると、茅は主張している。2012年米国ケイトー研究所からミルトン・フリードマン賞を受賞。

第4章　韜光養晦から「戦狼」外交への展開

真理は一つである。真理は時間や場所によって変わることがない。真理は決して相対的ではなく、絶対的である。真理は形式ではなく、本質の中に探求すべきである。人はみな真理を発見することができるし、それに従って行動すべきである。
アレクシス・ド・トクヴィル『旧体制と大革命』

中国人はほかの国の人たちと同じように、自国の文化を誇りに思う人がほとんどである。古代の中華文明はあまりにも輝かしかったため、一部の中国人は外国と外国人を下にみる向きがある。だが、これらの中国人のほとんどは外国に行ったことがなく、外国をみたこともない者ばかりである。「井の中の蛙」こそ自己尊大になりがちである。

毛沢東時代の中国では、外国人、とりわけ白人が観光に来ると、街角ですぐさま数十人の中国人に囲まれてしまう。言い換えれば、多くの中国人は無意識的に外国と外国人を蔑視する傾向にあるが、いざ実物の外国人を目の当たりにすると、相手をあまりにも知らないため、好奇心でいっぱいになる。

実は、このギャップこそ中国外交の基本的なトーンを決めているのではないかと思われる。振り返れば、かつて義和団の農民たちも「功夫(コンフ)」や気功をもって西洋の侵略者に立ち向かおうとした。西太后は義和団の「勇敢さ」を過信して、彼らを頼りに侵略者を排除しようとした。ところが、いざ農民たちが農機具を手に侵略者の大砲と銃に立ち向かおうとすると、すぐさま負けてしまい、一目散に逃げてしまった。

かつて、毛沢東が率いるゲリラ赤軍が国民党軍と戦ったとき、「戦略的に相手を軽視し、戦術的に相手を重視する」という兵法を徹底していた。この戦法は毛の独創というよりも、中国人のDNAに先天的に組み込まれている合理主義に由来するものといえる。すなわち、相手に比べ、自分が弱小であったため、自らを励ましながら勇気づけなければならなかったのだ。実際に戦うときに相手を慎重に研究して戦うという考えだった。

毛の秘書や戦友たちの回顧録を読むと、毛は狡猾で小心者であると記されている。その狡猾さをポジティブに捉えれば、戦略家ということになる。小心者とは常に相手を徹底的に調べるという意味である。実は、毛の狡猾かつ小心者のDNAを最も忠実に引き継いだのは鄧小平だったといわれている。むろん、ゲリラ戦を展開して、天下を取った共産党政権において最後まで生き残った者は全員、狡猾で小心者でなければ、生き延びることができなかったろう。

しかし、習政権になってから、中国外交に異変がみられた。外国のことを知ろうともせず、いきなり強国復権を呼び掛けている。しかも秘密裏に進めなければいけなかった「中国製造2025」プログラムや「千人計画」も意気揚々に発表された。元紅衛兵たちは毛沢東を崇拝しているが、毛沢東思想をほとんど勉強していない証拠である。かつて、鄧が国連総会で、中国は今後、覇権を絶対に求めないと言った約束は、本当か嘘かは別として、表面上国際社会との協調姿勢をみせていた。これが習政権になってから、中国外交は一変した。鄧の韜光養晦の外交理念を畳んで押し入れにしまい込んでしまったのだ。代わりに登場してきたのは、前述したが、「戦狼」外交と呼ばれる攻めの外交だった。[1]「戦狼」外交の問題は、国家のイメージを悪くしてしまっていることである。中国は自国の利益を最大化するために努力を重ねているが、ここで国際社会におけるイメージ戦略に失敗すれば、あらゆる努力は水の泡となる。この点からみると、習政権の外交は必ずしも成功しているとはいえないように思える。

１　米中新冷戦の政治経済学

バイデン政権の対中政策

２０２１年１月20日、トランプ前大統領はホワイトハウスをあとにし、新たに米国第46代大統領に、ジョー・バイデンが就任した。バイデン大統領は就任早々から数十本もの大統領令に署名をして、トランプ前大統領の施策の是正に取り組んでいる。しかし、トランプ政権の中国に対する政策方針だけは是正されることなく、そのまま継承されている。バイデン政権は中国を「米国に対する挑戦者であり、競争相手である」と位置づけている。

２０２１年２月、ワシントンの主要シンクタンクは相次いでバイデン政権に対して、対中戦略の政策提言レポートを発表した。戦略国際問題研究所（ＣＳＩＳ）は Degrees of Separation–A Targeted

Approach to U.S.-China Decoupling を発表。Atlantic council は The longer telegram-Toward a new American China strategy の提言レポートを公開。こうした背景には、米国社会では現在の中国を「脅威」とみなす共通認識がある。これらの政策提言レポートを読むかぎり、米国は中国と戦争するのではなく、中国に対する警戒を強化し、中国の拡張戦略を抑制すべきとの提言がほとんどである。換言すれば、米中は一触即発の関係にはないが、その距離は少しずつ遠ざかりつつある。

バイデン政権が誕生する前から言われたことだが、共和党政権に比べ、民主党政権は人権と民主主義のイデオロギーを重んずる傾向があり、バイデン政権になると、米中関係はさらに厳しくなると予想されていた。今の米中関係は当初の予想通りになってきたといえる。

バイデン政権は米中貿易摩擦をさらにエスカレートさせる意思はないようだが、新疆ウィグル自治区での人権侵害問題や香港における国家安全法の施行について、積極的に関与する姿勢を示している。また、日中が対立している尖閣諸島海域の領有権をめぐる紛争について、バイデン政権は日米安保条約に適用すると表明している。

貿易不均衡が原因となる貿易摩擦は、ある意味では解決しやすい。しかし、バイデン政権が問題にしている人権侵害や民主主義などのイデオロギー問題は、中国の政治体制に直結するもので、中国としては引くに引けない問題であり、米国に「内政には外国は口出しするな」と応戦するしかない。なによりも、中国社会に目を転じると、元紅衛兵の指導者たちは米国の経済制裁に対して、「自力更生」という伝家の宝刀をもって対抗しようとしている。民のレベルでは、ナショナリズムが高揚し、米国に絶対に屈することなどしない。

２０２１年2月10日、遅まきながらも、バイデン大統領と習近平国家主席は電話会談を行った。会談のなかで、バイデン大統領は「中国による香港への統制強化、新疆ウィグル族自治区での人権侵害、それに台湾への対応など地域で独断的な行為を強めていることに懸念」を表明した。それに対して、習主席は「両国の協力は唯一の正しい選択である。一方新疆、香港、台湾問題は中国の内政問題であり、いかなる外国も干渉してはならない」と応じたといわれている。両者とも歩み寄りの姿勢をみせていない。

２０２１年3月5日、北京で例年通り、全国人民代表大会が開かれた。李克強首相は政府活動報告を行った。そのなかで「中国製造２０２５」プログラムを封印したが、その一方で半導体などのハイテク技術の研究・開発を強化することを呼びかけた。米国の経済制裁により、ファーウェイなどのハイテク企業は技術力不足の問題を露呈しているが、中国政府は自力更生で発展していこうとしているようだ。今の中国の国力からして、米国など怖くないという姿勢である。

ただし、習主席の言葉にあったように、中国としては米国との関係を改善したい。米国と喧嘩を続けたくない。ボールはバイデン大統領にあるような言い方だが、バイデン政権は次の一手としてどういうカードを切るかが注目を集めている。

オバマ政権のとき、ヒラリー・クリントン国務長官（当時）は come back to Asia を提唱し、東アジアの事柄に積極的に関与していくと、それまでの方針を転換させた。おそらくバイデン政権もそっくりそのままこの戦略を継承するにちがいない。トランプ政権とのちがいを指摘するとすれば、トランプ前大統領は同盟国との信頼関係をダメにしてしまったのに対して、バイデン政権は同盟関係を強化しながら、対中戦略を講じていくものと思われる。このままいくと、中国包囲網ができてしまい、米中新冷戦が具体化する可能性がある。

「一国二制度」の終焉と香港の将来

1997年7月まで、香港は英国の植民地だった。英政府と中国政府は香港の資本主義を50年間変えないことについて合意し、香港は中国に返還された。それからわずか23年、約束の期限の半分に満たない期間しか経っていないにもかかわらず、香港に適用されてきた「一国二制度」が終焉に近づいている。これまでの23年間、香港住民は自らの権利を守り、民主化を求めて戦ってきた。

北京の香港政策を振り返れば、経済の繁栄を保障する代わりに、香港に対する管理を強化してきた。もともと香港はレッセフェール（自由放任）の国際金融センターと国際海運センターだった。香港住民の自由を保障したのは香港の独立した司法制度だった。香港が返還されたあと、北京による香港の司法への介入が始まった。

そもそも「一国二制度」の枠組みは、どのような文脈で存続できるのだろうか。香港の制度は正しく表現すれば、独立した司法制度と自由主義の組み合わせである。中国の政治体制は中国特色のある社会主義である。「中国特色」とは共産党独裁を意味する。現実的に考えれば、自由主義と共産党独裁の社会主義とは水と油の関係にあり、そもそも両者は相容れないもの同士のはずである。それでも北京が香港の「一国二制度」の存続を約束したのは、香港を野放しにするのではなく、徐々に管理を強化していくための過渡期を設けただけだったのだ。

それに対して、英国政府と香港住民が「一国二制度」を受け入れたのは、中国の共産党独裁体制は持続できないとみていたからだった。１９９７年、香港返還に際して、国際政治学者の間に「香港の中国化」または「中国の香港化」という二者択一の命題が提起され、議論されていたという事実がある。今から振り返れば、「中国の香港化」を支持した論者は中国情勢を読み誤ったことになる。

２０１３年3月に習近平政権が正式に始動した。当初、内外から習政権に対する期待が高まっていた。若返りした習政権は思い切った改革に着手すると思われていた。だが、２０２０年末までの7年間を振り返れば、習政権は反腐敗に取り組んだが、市場統制の強化と言論弾圧などが強まり、改革は前進するどころか、むしろ逆戻りしている。

中国大陸が民主化せず、逆に力づくで香港を社会主義体制の傘下に組み込む方向にシフトするのであれば、「一国二制度」は破綻へと進む運命だったといえる。一方中国大陸の政治体制が少しでも民主化の方向へ歩み寄れば「一国二制度」はもう少し存続し、将来的に、民主主義国家として統一されれば、香港住民側も中国大陸側も円満に向き合うことができるようになるのだが、北京が民主化を拒否する以上、民主主義のままの香港を受け入れることはできない。したがって、香港に約束された「一国二制度」はあくまでも過渡的なシステムであり、香港の中国化は時間の問題である。

他方、北京は香港の中国化を急ぐあまり、性急に強権発動を続けていくとなると、民主派の大規模デモ、リーダーや議員の逮捕拘束などの事件が次々と起こり、そのニュースが世界中に発信されると、諸外国から非難が集中し、国家として失う代償も大きい。

まず、香港住民の人心が離れていくにつれ、香港は香港でなくなる。人心が離れていった証拠の一つは、中国で新型コロナウイルスの感染拡大と長江流域の大洪水があっても、香港住民による支援金が募られていないことである。北京は香港に適用されている「一国二制度」と同じやり方で台湾を統一しようとしているが、香港統治に失敗すれば、台湾も平和裏に統一することができなくなる。2019年1月2日に習主席は新年談話の中で、「台湾統一に武力行使を辞さない」と述べた。それは本音と思われる。

そして、自由と司法の独立性を失った香港は、もはや国際金融センターでなくなる。米国政府はすでに香港に付与している特別優遇措置の停止を発表している。国際金融センターとしての香港を失うことは、北京にとってあまりにも大きな代償であろう。しかも、香港の富裕層とエリート層は海外への移民を加速させている。金融資産が流失するにあたって、現在の1ドル＝7・8香港ドルのペッグ制が外れる可能性が高くなる。香港の将来は、普通の「中国の一都市」へと変わっていくということである。

文明衝突の行方

これまでの40年間、中国は経済成長によって国力を強化したが、今日なお米国と互角に戦えるほど国力は強くなっていない。それよりも、中国にとってこれから経済成長を維持するうえで、米国の協力が必要不可欠である。特に半導体チップのような、中国が製造できないハイテク部品を米国から輸入しなければならない。中国は軍事力を年々強化しているが、いまだ米国に遥かに及ばない。

中国の外交戦略は米国と正面衝突を避けながら、アフリカなどの途上国に対する経済支援によって国連などの国際機関で支持を集めることである。古くから中国は世界の中心だったため、米国の傘下に入るのはＤＮＡ的に受け入れられない。むろん、個々人の中国人の行動は現実的で合理的かつ実利的である。共産党幹部の多くは子供を米国に留学させている。しかも、彼らは個人の金融資産を米国の金融機関に預けている。留学組でない中国人でも、子供が米国の国籍を取得するために、観光ビザで米国に入国し、米国の病院で出産するツアーに参加する人が多い。

それでも中国共産党は政治改革を頑なに拒否している。彼らが守りたいのは共産党幹部が享受しているさまざまな特権である。共産党幹部の特権を温存できるのは共産党一党支配の専制政治体制である。民主化すれば、共産党幹部の特権が間違いなく剝奪されてしまう。

それに対して、民主党のバイデン政権は共産党一党支配の専制政治体制を受け入れない態度を表明している。特に習政権が拡張路線を続け、国際社会の安定を脅かしていると、少なくともバイデン政権はこのように認識している。要するに、米中対立は貿易摩擦のような利益相反というレベルのものではなく、価値観のちがいにちなんだ文明の衝突ということである。

利益相反であれば、双方の努力により、それを克服することができる。しかし、価値観のちがいによる文明の衝突は簡単には克服できない。米中国交正常化のきっかけは、ソ連という当時の共通の敵があったからである。敵の敵は味方であるが、今は米中は、互いに敵視するほどではないにしても、双方が相手の敵意に対する警戒を強化している。文明の衝突から抜け出す唯一の方法は、中国が民主化に向けて、少なくとも一歩踏み出すことである。しかし、現状は、民主化に踏み出すどころか、さらなる強権政治のほうに逆戻りしている。

実は、バイデン政権の誕生とともに、米中対立は大きく変形しようとしている。それは中国と「米国同盟連合」との衝突に変わりつつある。英国、カナダ、オーストラリア、インドなど、いずれも中国に対して米国との連携を強化している。QUAD（クアッド：日米豪印四カ国の首脳や外相による「自由で開かれたインド太平洋」維持のための協議）には日本も積極的に参加している。つまるところ、米中対立は国際社会を再び二分化する可能性が出てきたということである。

習政権の外交の反省点

米中対立はトランプ政権が仕掛けた貿易戦争が起点だったが、中国の立場に立って中国外交戦略を点検すれば、中国側にも落ち度がないわけではない。本来の外交戦略は世界主要国と安定した友好な外交環境を維持し、自国の経済発展と国際社会における役割を果たすためのものでなければならない。「戦狼外交」は対話よりも力での対抗が優先されている。一つの例を挙げれば、新型コロナウイルスの感染拡大を受けて、オーストラリア政府はこのウイルスの発生源をきちんと調査すべきと主張した。それに対して、中国の駐オーストラリア大使は即座にオーストラリアビーフと赤ワインの輸入を停止する経済制裁実施の談話を発表した。

オーストラリア政府は、全世界で感染が拡大しているウイルスの最初の感染例が中国武漢で報告されたため、特効薬とワクチンを開発する必要性から、その発生源を特定する必要があり、それを調査すべきだという当然の主張を行ったにすぎない。これは特に中国を敵視する発言ではないと思われる。にもかかわらず、すぐさま経済制裁を実施する談話を発表するなどという敵対的な姿勢は、問題の解決に資さないだけでなく、国際社会における中国のイメージダウンにつながり、中国自身が大きなロスを被ることになる。

では、なぜ習政権は中国に不利な外交戦略を展開するのだろうか。

原因の一つは中国の国力が過大評価されていることにある。習政権になってから、国内の一部の専門家はナショナリズムの高揚に迎合して、中国の国力を過大評価する談話を相次いで発表している。その背景に、言論統制が強化されているため、政府にとって不都合な意見などを述べることが認められなくなったことがある。その結果、イエスマンの大合唱が中国の指導部をミスリードした。

もちろん、中国指導部をミスリードしたのは何も中国国内の政府御用学者だけではない。世界銀行の発表によると、購買力平価[2]（ＰＰＰ）で中国の名目ＧＤＰを再評価すれば、中国の経済規模はすでに米国を凌駕しているといわれている。世界銀行の調査チームが使う中国の物価指数は中国国家統計局のものであり、かなり過小評価されているため、それをもって再評価した中国の名目ＧＤＰは当然過大評価されがちである。

同様に、日本のマスコミでも、中国の大学と企業が申請した特許の件数はすでに世界一になったと繰り返して報道している。しかし、特許には、役に立つ特許と役に立たない特許があることを忘れてはならない。特許件数、すなわち、量をもって中国の科学技術力を評価するのは偏った結論を導く可能性がある。質にも目を配る必要がある。

もう一つの原因は、これまでの１５０年間の歴史に起因する被害意識とナショナリズムの高揚の相乗効果により、中国が世界のリーダーになる願望が高ぶっていることにある。その論理として、中国はアヘン戦争以来、西欧列強に侵略され、発展が大幅に立ち遅れてしまった。中国共産党のお陰で中国はようやく再び世界のリーダーになれるまで発展している。今まで、中国は列強に翻弄されていたが、これからは中国が世界をリードする時代である。こうした論調は先進国の一部の論者にも支持されている。彼らは、これからは「中国の世紀」になるとまで断言している[3]。

こうしたなかで、習政権は強国復権の夢の実現を急いでいる。毛沢東以降の歴代指導者は、中国は世界の覇権を求めないと繰り返して強調している。しかし、世界主要国とのトラブルはもとより、近隣諸国とのトラブルも後を絶たない。最近では、インドとの国境紛争まで再発してしまった。

もう一度、中国の外交戦略を鳥瞰すればわかるように、中国外交が大混乱に陥っていることがわかる。今の中国国力が過大評価されているため、手当たり次第に多くの国とトラブルを起こしている。これこそ戦狼外交がもたらした弊害である。

最後に述べておきたいことは、中国は真の強国として台頭していこうとすれば、世界主要国との協調姿勢を徹底する必要があるということだ。中国は恐れられる国ではなく、信頼される国になる努力が不可欠である。

2 「一帯一路」と中国的ヘゲモニー

変わる中国と変わらない中国

日本の近代史を検証するならば、明治維新以降の150年を振り返れば、その変化はくっきりと見えてくる。それに対して、中国の近代史を検証するならば、中国の歴史家は一般的に1919年の「五四運動」[4]以降の中国社会の変化を振り返る。

近代中国は、清王朝の腐敗によって国力が弱体化し、アヘン戦争をきっかけに英国などの西欧列強に侵略された。1919年、第一次世界大戦の終戦を受けて、パリ講和会議で締結されたベルサイユ条約によって中国（山東半島）におけるドイツの権益が日本に引き渡されたことに反発して、学生を中心に大規模な抗議デモが繰り広げられた。五四運動の意味は、単なるパリ講和会議の不当な決定に対する中国人の怒りと捉えるのではなくて、知識人と学生は、科学（science）と民主（democracy）を目標として掲げたことにある。要するに、中国がいかにして列強に侵略されなくて済むかを考えたときに、国力を強化する必要があり、そのためには、西洋の優れた思想の科学と民主に学ばなければならないと、当時の知識人と若者ははっきりと認識したのだった。

残念ながら、この崇高な理想に対して中国の民衆は十分に理解することができなかった。科学とはなにか、民主とはなにかを議論する前に、軍閥による内戦、日本の侵略、国民党軍と共産党軍との内戦と、普通の中国人は落ち着いて息もできないほどの戦乱が続いた。1945年抗日戦争が終戦してから、中国人が迫られたのは、国民党か共産党か、の選択だった。共産党軍と戦う国民党軍の規律が緩慢だったため、至るところで略奪が起きた。首都南京（当時）の国民党政府の役人も腐敗していた。

それに対して、多くの中国人は共産党と共産主義についてなじみがなかったが、共産党軍の規律が厳しかったためか、国民党軍に比べ、まだましだと判断したようだ。なによりも、文筆家の一面を持つ毛沢東は中国人民に共産主義のすばらしさを説諭したのである。毛の巧みな説教に魅せられた中国人民は、国民党よりも共産党を支持するようになった。そのときの人民の夢は、強国・大国になることよりも、戦争のない生活を送ることだった。

そんな状況下で毛沢東は中国人に、みんなが平等になり、農民は自分の農地を持つようになることを約束した。数千年の歴史の中で、農民が自分の農地を所有したことはほとんどなかった。それなのに、毛が率いる共産党は夢のような約束をしてくれた。これによって中国社会は赤い共産主義に染められたのだった。米国人ジャーナリストのエドガー・スノーが著した本の題名を援用すれば、*Red star over China*（中国の赤い星）とあるように、中国は瞬時に赤く染まった。

しかし、毛沢東のおとぎ話を信じた中国人はそのあと、nightmare（悪夢）をみることになった。毛が権力の座に君臨した27年間、中国は極貧の状況に陥った。それだけでなく、前述したように、反右派闘争、大躍進の失敗、文化大革命などの政治運動により数千万人の中国人が餓死、または迫害され殺された。中国は強国になるどころではなかった。当然のことながら、五四運動のときに知識人と学生たちが掲げた科学と民主の目標も実現することがなかった。それよりも、毛は個人崇拝が極まり、実質的な皇帝になったのだった。毛が生涯実現できなかった夢の一つは、広く「共産圏のリーダー」になることだった。

毛が死去したのは1976年9月9日だった。毛夫人の江青女史をはじめとする「四人組」が逮捕されたのは、10月6日だった。この逮捕劇は何の司法手続きも踏まれなかった。実際には「クーデター」だったのである。

しかし、ほとんどの中国人はそれに異議を唱えなかった。なぜならば、前述したように中国社会では正しいことをするならば、法律など必要ないという思想が浸透しているからだ。人民にとって「四人組」を追放するのはきわめて正しいことだった。そのあと、鄧小平は復権を果たして「改革・開放」を始めたが、毛時代の過ちを十分に清算せず、そのほとんどの責任を「四人組」に着せた。のちに「四人組」の裁判の中で、江青は「私は毛主席の番犬にすぎず、毛に言われたことしかやっていない」と自己弁解した。この弁解は嘘ではなかったが、彼女の話に耳を傾ける中国人はいなかった。当時の老幹部と知識人にとって、江青はいやな番犬だったにちがいない。共産党幹部にとり、この裁判が示唆した教訓は、権力を失ってしまうと、人権など保障されないことである。

問題は、中国のような古くて巨大な船の舵を突然正反対の方向へ切るときのリスクにある。しかも、毛の責任をほとんど清算しないまま、鄧小平は突然、中国社会に資本主義の要素を取り入れたのだ。１９１９年当時と比較すれば、１９７０年代末の中国は科学を尊重する雰囲気はすでに現れたが、「民主」は一貫して拒否されている。政治の自由化を進めず、経済の自由化だけ進めて、中国社会の進歩と中国経済の発展は持続していけるのだろうか。

「一帯一路」イニシアティブの行方

鄧小平は生前自らの後継者として、胡耀邦、趙紫陽、江沢民と胡錦濤を指名した。胡と趙は、天安門事件絡みで失脚させられた。江と胡は鄧の政治的レガシーを引き継ぎ、無事に任期を全うした。習は鄧が指名した後継者ではなく、江と胡をはじめとする元指導者たちの合議の結果、国家主席と党総書記に抜擢された。習の抜擢に最も貢献した立役者の一人は、毛の元秘書だった李鋭（2019年2月に103歳で死去）だった。李は、上層部の人事を担当する共産党中央組織部常務副部長だった。習の父親の人柄から、息子の習の推薦状を書いたと李は生前振り返った。ただし、李は生前病院で最後に外国メディア、ボイス・オブ・アメリカの記者の取材に応じたとき、中国社会の現実をみて、自分が推薦状を書いたことについて後悔しているとはっきりと述べている。

習政権が誕生して7年間経過した。これまでの7年間を振り返れば、このように総括することができる。

① 政治は、毛時代に逆戻りしている
② 言論統制と報道規制がいっそう強化されている
③ 政府による資源配分が強化されている
④ 国有企業を重視する政策が徹底されている
⑤ 民営企業への介入と関与が強化されている

一言でいえば、習政権になってから、市場の役割よりも、政府の役割が強化されている。

習政権は、政治改革や経済改革よりもさらに壮大な夢をみている。それは、毛が実現できなかった、グローバル社会のリーダーになることである。歴史は常に偶然性を伴うものである。オバマ政権のとき、日米主導のTPP（環太平洋経済連携協定）の構築が議論されていた。TPP参加の条件をみると、たとえば国有企業の取り扱いなどに関して高いハードルが設けられているため、実質的には中国を封じ込めるための枠組みといわれている。

習政権がＴＰＰに対抗するために考案した戦略は「一帯一路」イニシアティブである。２０１３年9月、習主席がカザフスタンを訪問し、ユーラシア各国との経済連携を強化するために「シルクロード経済ベルト」経済圏構想を打ち出したのが最初だった。そして、同年10月、インドネシアで中国とＡＳＥＡＮがともに「21世紀海上シルクロード」を建設することで合意した。この、いわゆる海のシルクロードの構想が加えられ、「一帯一路」イニシアティブが徐々に明確に考案された。

トランプ政権になってから、米国はＴＰＰから離脱してしまった。それでも、習政権は「一帯一路」イニシアティブの構想をトーンダウンさせていない。習政権のグローバル戦略とは、中国の国力相応の存在と影響力を国際社会で誇示していくことである。習政権に政策提言を行う大学の教授と政府系シンクタンクの研究員の一部は、中国国力の強大さを踏まえ、より積極的な国際展開を提言している。

しかし、いかなる国際戦略でも国際協調の姿勢がなければ、成功する確率が低い。早稲田大学の劉傑教授（歴史学）は「一帯一路」イニシアティブが成功する条件として、内なる条件と外なる条件を分けて説いている。内なる条件とは社会が安定し経済が発展することである。外なる条件とは国際社会との協調である。このいずれの条件からも「一帯一路」イニシアティブが難航しているのがわかる。実は、中国にとって「一帯一路」イニシアティブを成功させる最も重要な条件は、五四運動以来、知識人と学生たちが掲げた科学と民主の価値観を国際社会と共有することである。習政権は政治改革を拒む以上、国際社会と普遍的な価値観を共有することができない。したがって、「一帯一路」イニシアティブが難航するのは必至である。

米中貿易戦争が勃発して以来、中国の対外輸出は難しくなり、経済成長も急減速している[5]。そのうえ、新型コロナウイルスの感染拡大によって、かつてないほどの落ち込みを喫することになった。その結果、中国単独で「一帯一路」イニシアティブを実現することは難しくなった。それをトーンダウンさせつつ、日本に協力を求めてきたのである。それについて、詳細は後述することにする。

AIIBの役割と中国のグローバル戦略

中国は「一帯一路」イニシアティブの種々のインフラプロジェクトを建設するために、そのファイナンスを行う必要があるが、既存のアジア開発銀行（ADB）は日米が主導して創設されたものである。日米両政府関係者は、「一帯一路」イニシアティブは中国のグローバル覇権のプラットフォームではないかと批判している。中国では、それに関連するインフラプロジェクトのファイナンスをADBに頼ることは難しいとの見方があり、それゆえ、中国自身が主導して「一帯一路」イニシアティブの関連プロジェクトのファイナンスを行う新たな金融機関の設立が考案されたのだ。

2015年、中国政府によってアジアインフラ投資銀行（AIIB）の設立が提唱され、翌2016年1月、AIIBが正式に設立された。2019年7月現在、AIIB加盟国は100カ国にのぼり、ADBを遥かに上回った。現在、AIIBへの加盟を見送っているのは米国と日本である。日米はAIIBへの加盟を見送る理由として、ガバナンスと透明性の欠如を挙げている。大きくいえば、ＡＩＩＢは、日米と中国のグローバリズムをめぐる覇権争いの縮図になっているといえる。世界経済が中国経済に依存している現状から、東南アジアやアフリカなどの新興国はもとより、米国の同盟国であるヨーロッパ諸国の多くもＡＩＩＢに参加している。すなわち、これらの国々は中国との経済連携の実利を得ようとしているのである。

むろん、開発金融は専門性の高い、開発援助の理念だけでなく、ファイナンスとリスク管理を一体化させたビジネスの複合体である。個別のプロジェクトを正しく審査し、リスクをきちんと管理したうえで融資を行っていかなければならない。新しく設立されたＡＩＩＢはノウハウが不足しているとの見方がある。ＡＩＩＢの上層部も、ノウハウ不足を認めたかたちで世界銀行とＡＤＢとの協調融資を探っている。とりわけ、加盟国からみると、ＡＩＩＢの融資の公平性が担保されるかどうかについて心配する声が絶えずあがっている。

なによりも、「一帯一路」イニシアティブのキックオフとＡＩＩＢのテープカットは順調に行われたが、その後の運びをみると、新興国を中心に、背丈に合わないインフラプロジェクトの建設は当該国を債務の罠に陥れてしまうのではないかとの批判が噴出している。マレーシアなど一部の国は、すでに合意したインフラプロジェクトの契約をキャンセルする事態まで発生している。

また、習政権になってから、中国経済は年を追うごとに成長率が鈍化している。開発援助の色彩が濃い「一帯一路」イニシアティブは中国独自で拡張していくことが困難になってきたとみられている。その結果、当初計画された「一帯一路」イニシアティブをダウンサイズさせると同時に、中国政府は日本に協力を要請している。安倍政権（当時）はアジア戦略の一環として、第三国に限るという条件の下、協力する用意があると前向きな姿勢を示している。

ただし、予想外の事態が起きた。新型コロナウイルスの感染拡大によるグローバル経済への深刻な影響である。このため世界経済はもとより、中国経済も、国際援助を考えるよりも、まずいかに自国の経済運営を立て直すかという状況に陥っている。「一帯一路」イニシアティブは頓挫することはないだろうが、すべての予定は大幅に遅れるものと思われる。

3　高まる東アジアの地政学リスク

「戦狼外交」と義和団運動

「戦狼外交」とは何度も述べているように、強権的な力の外交である。1996年、数人の中国人青年が執筆した『「ノー」といえる中国』[6]は中国でベストセラーとなった。この本は当時、中国で急速に台頭するナショナリズムに迎合して作られたものだった。その関係で中国共産主義青年団から称賛され、メディアにも広く取り上げられた。言い換えれば、それは共産党「宣伝」のツールになったのである。

この本の構想そのものは1980年代後半、日本でベストセラーとなった『「No（ノー）」といえる日本』を真似して企画されたものだった。しかし、その内容は必ずしも熟慮したものではなく、その根拠も不明瞭だったため、先進国では部分的に報道されているが、一般の読者はほとんど気にも留めなかった。皮肉なことに、著者の一部はのちに渡米し、米国に移住した。

外国人読者は本の中の攻撃的な表現を読むと、この著者たちの熱き愛国心を強く受け止め、ミスリードされてしまうかもしれない。だが、彼らが口にする愛国は、正直に感想を述べると、偽りの愛国といわざるを得ない。中国では、愛国教育が一貫して行われ、そのなかで使われる言説の語彙は攻撃的なのが特徴である。日米欧の中国専門家の間では『「ノー」といえる中国』は所詮、国内向けのプロパガンダにすぎないとの見方が多かった。しかし、今から振り返れば、それは長年の愛国教育の成果であり、目下の「戦狼外交」誕生の産声とみるべきかもしれない。

愛国教育と経済成長の相乗効果は「戦狼外交」を誕生させた。前掲の中国近代史に詳しい早稲田大学の劉傑教授は、「戦狼外交」は清王朝末期の義和団運動と重なってみえると指摘している。清王朝末期、国力が衰弱したが、ＧＤＰ規模では依然として世界一だった。「扶清滅洋」の看板を掲げる義和団（義和拳教の教徒）は西欧列強を中心に排除する排外運動を繰り広げた。内外情勢を間違って判断した実力者の西太后は義和団支持の態度を表明し、列強に宣戦布告した。むろん、清王朝の戦力は列強と戦えるほど強くなかった。

たしかに、目下の米中対立に対応する習政権をみると、義和団の影がみえなくもない。一つは外交交渉に頼らないことである。もう一つは国力を過大評価することである。さらに、ノーといってくる相手に必ず制裁を加えようとする。こうした攻撃的な態度は中国自身をますます窮地に陥れている。それでもありとあらゆる事象の責任はすべて相手側にあるといい張る。義和団運動から1世紀以上経過したが、なぜ習政権は何の教訓も汲み取れないのだろうか。

原因はきわめて簡単である。元紅衛兵の習政権指導部のほとんどが中国近代史を知らなさすぎるからである。毛沢東時代から、中国の歴史の授業では、義和団運動は愛国運動であると教えることが規定されている。英雄扱いされている義和団運動は若者の憧れの的となった。「戦狼外交」はまさにこのような空気感の中で生まれた怪物といわざるを得ない。

怪物とは21世紀のグローバル化の現実を無視して、ありとあらゆることについて、責任はすべて相手にあると主張するという意味である。前出の新型コロナウイルスの発生源をめぐるオーストラリアに対する報復の例でいうと、主要輸出品目の取引停止をちらつかせる中国に対して、オーストラリアの農家は当然困ることになるが、それ以上に、オーストラリアに限らず国際社会で反中・嫌中感情が高まり、中国自身が損することになるのである。

こうしたことの背景には、共産党は自らの統治を持続させるために、その存在が絶対的であることを人民に浸透させ続けようと画策する。その結果、いかなる者でも「共産党を批判する」ことは許されないのだ。しかし、現実的に考えれば、この措置は逆効果といわざるを得ない。プロパガンダから権威など生まれてこないからだ。

共産党は中国のことをほめてくれる外国人を「朋友」と呼ぶ。1970年代、周恩来はイタリア人の有名な映画監督ミケランジェロ・アントニオーニを中国に招待して、ドキュメンタリー映画を作らせた。その目的は外国人の目からみた、すばらしい新中国の風景を世界に発信するためだった。しかし、アントニオーニは中国政府が事前にアレンジした農民や労働者の代表に対するインタビューだけでなく、下町の風景や下水を積んだ台車を引っ張る老人などもカメラに収めた。結局のところ、当局の意図に反したシーンもフィルムに組み込んで発表したアントニオーニは「朋友」ではなくなり、中国人民の敵となった。この映画も中国で上映されることはなかった。しかし、今となって、この映画は1970年代の中国の実情を知る貴重な歴史的資料となった。ちなみに、YouTubeに「安東尼奥尼：中国」がアップされている[7]。

今、中国共産党は世界で「朋友」を探しているが、見つかるのは中国から経済援助を得ようとする国々だけである。しかし、それは真の「朋友」とはなり得ないだろう。なぜ共産党は根も葉もない褒め言葉を得るために、これらの国々に貴重な財源を使って経済援助するのだろうか。

一言でいえば、中国には国際戦略を整える必要性があるからである。北朝鮮はその典型といえる。また、アフリカも中国にとって国連での影響力を誇示するうえで必要不可欠である。これらの国々への経済援助を続けなければ、その一部はすぐさま台湾との国交を正常化する可能性がある[8]。こうした経済外交の背景には、台湾を孤立させる狙いがあると推察される。

香港と台湾

北京の外交はいくつかの深刻なジレンマに直面している。実は、自らの権威を高める目的で行っている「戦狼外交」は、逆に中国を孤立させてしまっているようにみえる。多くの国々を（表面上は）味方につけるために、経済援助を続けているが、これが中国経済にとって大きな負担になっている。なぜならば、これらの国々は中国からの経済援助を頼りにする一方で、国内の経済改革が遅々として進まないため、もっぱら大量の燃料を食いながら走行距離は短い非効率な燃費の車のような存在である。しかし、今となって、中国にとってそれをやめたくてもやめられなくなっている。

それにもう一つのジレンマは香港の取り扱いである。英国の植民地だった香港は1997年7月1日に中国に返還された。香港返還のときの約束として、香港の資本主義制度は50年間維持するということだったが、中国はこれ以上香港を野放しにしておきたくなかった。習政権になってから急速に国家統制が強まっているからである。

香港はレッセフェール（自由放任）の自由な港だった。北京からの弾圧に対して、香港の住民は当然のことながら強く反発する。北京は香港に対するコントロールを強化すればするほど、香港の人心はますます北京から離れて、反中姿勢が強まってしまう。

香港の問題と一体化しているのは台湾の問題である。習政権は一日も早く台湾を統一したいと考えているはずである。しかし、台湾を武力で統一しようとする姿勢をみせればみせるほど、台湾の住民の反発を買うことになる。「戦狼外交」によって外交的にさらなる孤立へと追い込まれている台湾は、反共感情が高まる一方である。このままでは、台湾を平和裏に統一することができない。習政権は台湾統一に武力行使を辞さないとしているが、そうなれば、北京は大きな代償を払うことになろう。

中国ウォッチャーにとって一番不可解なのは、なぜ北京は香港弾圧をかくも急がないといけないのかという点である。1984年中国政府と英国政府が交わした「中英共同声明」によれば、香港の「一国二制度」は返還後50年間、変わらないと規定されていた。このことについて問われた中国外交部スポークスマンは「中英共同声明はもはや歴史的な文書である」と、暗に中国の香港政策は中英共同声明に縛られないと主張した。

しかし、このロジックからすれば、米国と中国と台湾との関係を決める「米中三つの共同コミュニケ」も歴史的な文書と解釈できることになる。もしもそれが「歴史的な文書」扱いになるのであれば、米国は三つの共同コミュニケを無視して、台湾との関係をいっそう深めることができることになる。いかなる国にとっても国際社会でダブルスタンダードを安易に使わないほうがよいように思われる。なぜならば、自らの手足も縛られるからである。

香港問題について、中国政府のデッドラインは香港の民主化、すなわち、行政長官の直接選挙を何があっても絶対に認めないということのようだ。言い換えれば、香港が民主化の拠点になってはならないのである。最近、香港の中国代表と香港行政長官のいずれも、香港にはもともと三権分立など存在していないと明言している。北京は暗に司法介入の正統性を主張している。

改めて北京の香港政策と台湾政策の欠落点を検証してみよう。究極的には世界の覇権を掌握することを目標としている北京にとって、地理的に本土と接近している香港と台湾を掌中に収めても、地政学的にはさほど意味のあることではない。香港と台湾の持つ本当の力とは、国の経済を牽引するための原動力としての地位を占めているということだ。

中国の経済成長を持続させ、外的環境を安定させるためには、国際社会とのゲートウェイの役割を果たす香港と台湾の人心を掌握する必要がある。その必要性をなぜか北京はまったく認識していないようだ。北京は自らの手でこの地域の安定を壊しているようだ。だからこそその統治能力が問われているのである。

【第4章・注】

（1）「戦狼」外交とは中国にノーというあらゆる外国に対して、直ちに制裁を実施する外交手法。相手が態度を軟化させるまで制裁し続ける。むろん、「戦狼」外交でもアメとムチのバランスを取ることは忘れない。本書第2章も参照。

（2）購買力平価とは、自国の物価指数と外国の物価指数の対比で為替相場を算出し、ＧＤＰを再評価するものである。問題は、中国の消費者物価指数は食品など価格上昇率の高い財やサービスのウエートが過小評価されているため、購買力が過大評価されていることにある。それを無視した購買力平価によるＧＤＰの再評価は現実的に国力を示す指標にはならない。

（3）２０１０年2月、ワシントンポストとＡＢＣニュースが共同で実施したアンケート調査によると、46％の米国人は、21世紀は中国の世紀になると答えているといわれている。

（4）学生による抗日、反帝国主義の運動。思想面において科学と民主を明確に掲げたことで歴史的に重要な意味を持つとされる。

（5）それでも世界の主要国の中で唯一、２０２０年の成長がプラスだったのが中国である。

（6）宋強、張蔵蔵ほか『「ノー」といえる中国』（日本経済新聞社、１９９６年）。続編も刊行された。

（7）https://www.youtube.com/watch?v=_LecKyaCORY

（8）その実例の一つは、中国はソロモン諸島を２０１９年台湾と断交させ、中国と国交正常化した。その背景に経済外交を展開することで、グローバル社会で台湾を孤立させることがあるといわれている。

第5章　経済自由化と国家資本主義——国有企業戦略の光と影

「より多くの自由を」という約束が、社会主義者たちの宣伝活動にとって最も有力な武器の一つとなったことは疑いないし、しかも「社会主義こそが自由をもたらす」という彼らの信念が本人たちとしては偽りのない真剣なものであったことも、また疑いない。だが、そうであればあるほど、彼らが「自由への道」だと約束したことが、実は「隷属への大いなる道」でしかなかったと実証された時の悲劇が、より深刻なものとなることは避けられない。

F・A・ハイエク『隷属への道』

経済の基本は、限られた資源を効率よく配分することである。社会主義経済の信奉者たちは、市場メカニズムによる資源配分は、しばしば市場の失敗を引き起こし、必ずしも効率的ではないと考える。古典派経済学者は、政府による資源配分が資源の偏在をもたらすため非効率であり、市場メカニズムこそ効率的な資源配分を実現できる、と考える。

経済学者の一部は、社会主義計画経済に基づく経済運営が失敗したのは政府が市場の需要と供給の情報を完全に把握できなかったためであると指摘している。この論調を受けて、アリババのジャック・マー（馬雲）は、これからはＡＩ（人工知能）の時代であり、ＡＩによる資源配分ができるようになるので、新時代の計画経済は成功する可能性があると述べている。たとえそうであっても、AIは政府による市場介入の道具として使われるべきではない。このジャック・マーの主張は、若干自己矛盾を含んでいる。彼自身、自らのビジネスが政府によって介入されるのを嫌っているはずである（第3章を参照されたい）。

市場メカニズムの基本は市場競争であり、市場競争の参加者はそれぞれの資源を最大限に生かし利益を最大化しようとする。一方計画経済の基本は資産の公有制であり、政府による市場の独占こそ資源配分の非効率性をもたらす原因である。この議論を踏まえて考えれば、中国は市場経済の市場原理を取り入れずに、毛沢東時代の社会主義計画経済の道をそのまま歩んでいけば、この40年間の奇跡的な経済成長は実現しなかったのだろう。否、旧ソ連よりも早く崩壊したにちがいない。この論争に意味があるとすれば、政府の役割と政策のあり方をもっと議論していく必要がある。

１９７８年に始まった「改革・開放」は経済成長を成し遂げたが、これまでの四十余年間、一度も政府による市場介入を否定したことがない。鄧小平およびその後継者たちの考えでは市場経済の市場メカニズムはあくまでも補完的な役割しか果たさない。今の中国経済は古典的な計画経済ではないが、依然として政府主導の市場経済であるといえる。なぜならば、中国政府は国有企業の独占的存在を一度も否定したことがなく、それを改めようとしないからである[(1)]。これは経済合理性に由来する考えというよりも、政治学的にいえば、共産党にとり国有企業労働者は自らの支持基盤であるからである。特に政府共産党にとり国有資産は国家財政よりも重要であり、それを民営化ないし自由化することはできない。言い換えれば、民営企業あるいは民営経済はあくまでも国有企業を補完するものである（第３章を参照）。Ｅコマースのアリババが存続できたのは国有企業がこの分野に参入していないからである。逆にいえば、民営企業は国有企業が支配する分野には参入できない。たとえば、三峡ダムの建設工事や高速鉄道の敷設工事は国有企業によって独占されている。それでも中国経済が離陸して世界二位の経済規模を誇るようになったのは、まさに奇跡といえる。

公式的に中国共産党は中国の経済システムを「中国の特色のある社会主義市場経済」と定義している。この定義はきわめて曖昧かつ難解なものであり、若干の解釈を付け加える必要がある。まず、「中国の特色」とは何か。それは「共産党の指導体制の下での政策運営」を意味する。端的にいえば、何があっても、共産党の指導体制を維持しなければならないというのが至上命題だということである。

ここで問題は、社会主義と市場経済の組み合わせである。そもそも市場経済が成り立つ前提は、自由と法治が担保される民主主義体制である。水と油の関係にある二つのコンセプトをむりやりくっつけることは、実際の経済運営に混乱をもたらすだけである。特に社会主義のイデオロギーは中国で絶対的な存在であるため、それを前提に経済運営していこうとすれば、中国の市場経済は極端に歪んだものになる。一つは経済の非効率性である。もう一つは所得配分の不公平性による格差の拡大である。本章は、中国のイデオロギーと経済システムの歪みに焦点を当て、新しいチャイナリスクを明らかにすることにする。

1　経済の自由化か統制強化か

「鳥籠経済」――不自由な市場経済

国有企業経営がなぜ活性化しないかについて、改めて分析する必要もないが、大きくいえば、二つの致命傷によるものと思われる。一つは政府による恣意的な介入である。もう一つはownership（所有権）が不明確であることである。コーポレート・ガバナンスの観点から、国有企業に対するガバナンスが機能しないため、経営を効率化するインセンティブが働かない。具体的にいえば、国有企業の日々の経営活動は政府によって恣意的に介入されるため、合理化しないうえ、効率化もない。政府は国有企業を監督・管理するが、あくまで政治の視点からそれに介入するだけであり、経営の合理化と効率化は政治の要求とは別物である。

図5－1に示したのは、これまでの40年間の国有企業改革の変遷である。1980年代、政府共産党は国有企業経営体制の問題について、働いても働かなくても、どんぶり勘定なので、経営を改善していかねばならないと総括した。当時、国有企業を改革するために、生産請負責任制を導入し、労働者同士と部門間において競争原理が働くようにした。

国有企業は共産党支部の書記と工場長の二重管理体制になっているため、その責任の所在が曖昧であることも問題視された。それを改革するために、工場長責任制が導入された。そのなかで、党の書記の役割はあくまでも労働者たちの思想教育が中心であるとされた。ただし、人事については工場長

図５－１　改革・開放における国有企業改革の変遷

1978 年	生産請負責任制の導入 政府機能と企業経営機能の分離（政企分開・党企分開）
1985 年	
1990 年	国有企業所有制の明確化 近代企業制度の構築（国有企業の株式会社化） 国有企業の株式公開（全体の３分の１程度）
2000 年	大型国有企業の国有化と中小国有企業の自由化
2010 年	「国進民退」 習主席：国有企業をより大きくより強くする
2020 年	

資料：筆者作成

は党の書記と相談して決めなければならないことになっており、共産党はかなり抜本的な改革に着手したにもかかわらず、結局、人事権を放棄しなかった。結果的に、国有企業管理については、完全に自由化できなかった。その結果、経営の効率化も達成できなかった。

結局のところ、「改革・開放」の突破口となったのは、既存の国有企業以外に、新設される企業の所有制の自由化であった。「改革・開放」前の中国では、国有企業しか存在していなかった（厳密にいえば、当時の「集団所有制企業」も国有企業の一種だった）。当時、国内の外貨不足を補うため、外国企業の直接投資を誘致したが、そのほとんどは国有企業との合弁だった。これらの合弁企業は国有企業ではない。その内部のマネジメントも国有企業と異なって、外国企業に準じたものである。しかも、これらの合弁企業は輸出向けのものがほとんどであり、たくさん作ればたくさん輸出できるというインセンティブが強く働く。なによりも、合弁企業には政府部門は恣意的に介入できない。その経営業績は国有企業が比べものにならないほどよかった。これは非国有企業の比較優位といえる。これらの合弁企業は主に東南沿海部に集中していた。中国国内の研究者は種々の所有制企業が併存するシステムを「混合所有制」と命名している。

小括すれば、外国企業は中国に進出するにあたって、資本（外貨と設備）と経営ノウハウを中国に持ち込んだ。1980年代の中国には、近代的な企業経営を知るプロの経営者がほとんどいなかった。外国企業との合弁で多くの中国人経営者が育成された。たとえば、当時、中国企業は複式簿記の会計手法すら知らなかった。ほとんどの企業では現金出納帳しか記されていなかったため、損益計算や原価管理などまったく行われていなかった。それを踏まえて、今の中国を考察すれば、実に隔世の感がある。それはひとえに中国に進出する外国企業と中国人の向上心が化学反応を起こして奇跡を実現したといえる。

非国有企業が当時の勢いで発展していけば、国有企業がクラウディングアウトされてしまう可能性があった。政府共産党は全面的な自由化を実施する代わりに、国有企業が独占する重厚長大産業には非国有企業が参入することを厳しく制限した。また、外資が進出できるのは沿海部で指定された経済特区だけだった。1980年代、経済政策に強い影響力を行使していた陳雲[2]は、共産党中央委員会に対して鳥籠経済を提案した。鳥籠経済とは、外資企業が中国で自由にビジネスを行うのではなく、籠に入れた鳥のようにきちんと管理しておくという考えのようだった。むろん、合弁企業だけでなく、のちに自由化が拡大することによって、地場民営企業も籠に入った。

現政治協商会議主席の汪洋[3]は２００８年広東省書記を務めたとき、広東省の産業構造高度化を促す政策として「騰籠換鳥」（籠のなかの鳥を入れ替える）政策を提案したことがある。「騰籠換鳥」政策の狙いは競争力が低下している労働集約型製造業企業を鳥籠から取り出して、技術集約型企業を鳥籠に入れることである。しかし、この政策の問題は、やはり政府本位であったことだ。本来ならば、どの企業が籠に残り、どの企業が籠に入るかは企業自身が決めなければならないはずなのに、政府がそれを仕切ってしまったのである。すべての企業を公平に取り扱うべき政府が恣意的に取捨選択を行ったことで、結果としてこの政策は思ったより成功しなかった。これは政府の市場介入の罠ともいえる話である。政府はどんなことにも口を出すため、その分、責任も負わなければならない。結果的に大きな政府になるが、それでもその責任を負いきれない。

国有企業にとっての潮目が大きく変わったのは２００８年、リーマン・ショックの影響を最小限にとどめるため、２００９年11月、胡錦濤政権が突如として４兆元（当時の為替レートでは約56兆円相当）を財政出動したことが発端だ[4]。これらの財政資金のほとんどは国有企業に流れ込み、フリーランチのような財政資金を得た国有企業は民営企業を逆に買収したのだった。この動きは「国進民退」[5]と呼ばれている。習政権になってから、「国進民退」の動きはさらに加速した。習近平国家主席は「国営企業をより大きくより強くしていかなければならない」と宣言している。まさに歴史の逆行である。

資源を独占している政府は国有企業を吸収・合併（M&A）などで大きくすることはできるが、なかなか国有企業を強くすることができない。国有企業が強くなるのは市場競争で揉まれながら成長していく国有企業自身の努力によるところが大きいはずだ。結論的にいえば、市場メカニズムが正常に機能するには、すべての市場プレーヤーがルールに則って自由に競争できるようにしなければならない。不自由な市場経済では、市場メカニズムが正常に機能しない。

統制経済の強みと弱み

米国は近年、繰り返し、米国にとって中国は深刻な脅威になっていると主張している。中国経済の実情をみると、きわめて不均衡なかたちで成長を続けている。中国のこのような不均衡な経済は、なぜ米国からみて深刻な脅威にみえたのだろうか。

ノーベル経済学賞受賞者であるジョセフ・スティグリッツ教授は、かつて以下のように指摘したことがあった[6]。ソ連のような統制経済でも資源を動員する力が強ければ、短期的には資源を集約させることで、個別の産業と経済の発展を成し遂げることはできる可能性がある——。この指摘の意味は、民主主義体制は合議制であるため、コンセンサスを得られるまで時間がかかる。統制経済では、トップダウンの指令によって短期間のうちに資源を動員することができる。要するに、政策決定が正しければ、それを実行するパワーが強いということである。

しかし、強権政治においては、いかにして政策が正しく決定されることを担保するか、という課題が残る。旧ソ連の政策決定を振り返れば、軍拡に力を入れすぎたため、生活必需品の生産、すなわち民需供給がおろそかになって、最後には国民経済が破綻してしまった。1950年代のモスクワでは、市民はそこそこ豊かな生活を送っていたそうだ。他方、たとえレニングラード（現在のサンクトペテルブルク）などモスクワ以外の大都市でも、生活は相当苦しかったという。このような状態で軍備資金を投入し続ければ、市民生活はいっそう困窮する。この連鎖のなれの果てが旧ソ連の崩壊であり、冷戦はそこで終結した。

同様に、毛沢東時代の中国経済も大躍進政策に力を注ぎすぎたがゆえに、数千万人の餓死者を出すという惨事を招き、ソ連と同じ運命を辿った。ただし、毛時代の中国は英米諸国との軍拡競争ではなく、国内の権力闘争[7]に奔走したため経済建設が粗末にされたというちがいがあるが。共産党中央委員会の見解によると、１９７８年「改革・開放」時の中国経済は破綻寸前の状態にあったといわれている。実際は、破綻「寸前」ではなく、すでに破綻していたといってよかろう。

旧ソ連と毛時代の中国の事例を踏まえれば、独裁政治では、政策決定が民主主義のプロセスを経ていないため、それが正しく決定される保証はないことがわかる。結局のところ、独裁政治は資源を効率よく動員できる強みを生かすことができなくて、結果的に間違った資源配分を行ってしまうという弱みが露呈してしまう。

ここで、独裁政治においてポリシーメーカーは何のために資源配分を行うか、という目的が問われることになる。民主主義社会では政治指導者は選挙民の福利厚生を最大化することができなければ、次の選挙で落ちることになる。一方独裁政治の指導者は選挙で選ばれることがないため、口先では「人民に奉仕する」（「為人民服務[8]」）というが、実際は為政者の利益を最大化するだけであるようにみえる。一つはできるだけ長く権力を支配しようとする。もう一つは自らの一族がより多くの資源を支配するようにする。そのために、自らに傾くように資源を配分するのだ。

しかし、社会で不公平感が増幅し、格差が拡大すると、権力がガバナンスされないため、幹部の腐敗も横行する。今の中国はまさにそのような袋小路に入っているといえる。習政権になってからの7年間、合計260万人の共産党幹部が腐敗し追放されたことは前にも述べたが、これほど多数の幹部が腐敗して追放されたということは、もはや個別の幹部個人のモラルの問題ではなく、現行の制度の問題といわざるを得ない。

それでも共産党指導部は共産党指導体制を維持するとしている。その政治的教条は「共産党がなければ、新中国は誕生しなかった。今の幸せな生活も実現しなかった」ということである。今の中国人の生活について、家の居住面積や食生活は毛時代に比べ、たしかに格段に改善されてはいる。しかし、同時に格差も拡大し、共産党幹部と比較して、庶民の生活改善は大幅に立ち遅れている。つまり、毛時代に比べれば、今の生活について多くの人は幸せを感じるだろうが、共産党幹部と比較すると、自分の生活が幸せと感じる人はそれほど多くないはずである。

もともと共産主義を信奉する共産党員は唯物論を信じる論者のはずだが、共産主義と共産党が絶対的に優位性を持つものと形而上学的な教条主義で説教しても共産党への求心力を高めることができないし幻想にすぎない。共産党はこのような危機感を抱けば抱くほど、中国社会に対する統制を強化しようとする。その結果、中国社会はますます歪んだ姿になっていく。

監視社会のメリットとデメリット

日本では、マイナンバーが交付されたのは2016年のことだが、マイナンバーカードを申請して取得した人の割合は、2021年1月現在、24%といわれている。なぜ日本では、マイナンバーカードが普及しないのだろうか。いろいろな説があるが、いまのところ、日頃の生活の中でマイナンバーカードがなくても何の不自由もないからであり、それを入手したからといって、さしたる利便性も感じられないからだという意見が多いようだ。また、多くの人が、自分が「ナンバー」によって一元管理されてしまうと、政府にプライバシーのすべてを握られてしまう、という不信感と恐怖感を伴っているせいもあると聞く。

第3章で述べたように中国では国民全員に身分証（ＩＤ）が交付されている。中国では、銀行で手続きを行うときに、身分証がなければ手続きができない。なお、中国でマイホームを購入するときも同じことだが、役所で登録手続きを行うときも身分証の提示が必須である。要するに、中国社会では、身分証がなければ、何もできないから、成人のすべての人は身分証を持っているということである。中国の身分証にはＩＣチップが組み込まれているので、至るところで身分証を提示するたびに、データセンターのサーバーにある個人情報と照合される。これこそ中国が監視社会といわれるゆえんである。

英国の調査機関 Comparitech の調べによると、中国では、全国に設置されている監視カメラは総人口の半分に達しているといわれている。換言すれば、二人の中国人が一台の監視カメラに監視されているという計算になる。図5－2は世界で千人あたりの監視カメラの設置台数の最も多い10都市

図5－2　千人あたりの監視カメラの設置台数の最も多い都市（2020年）

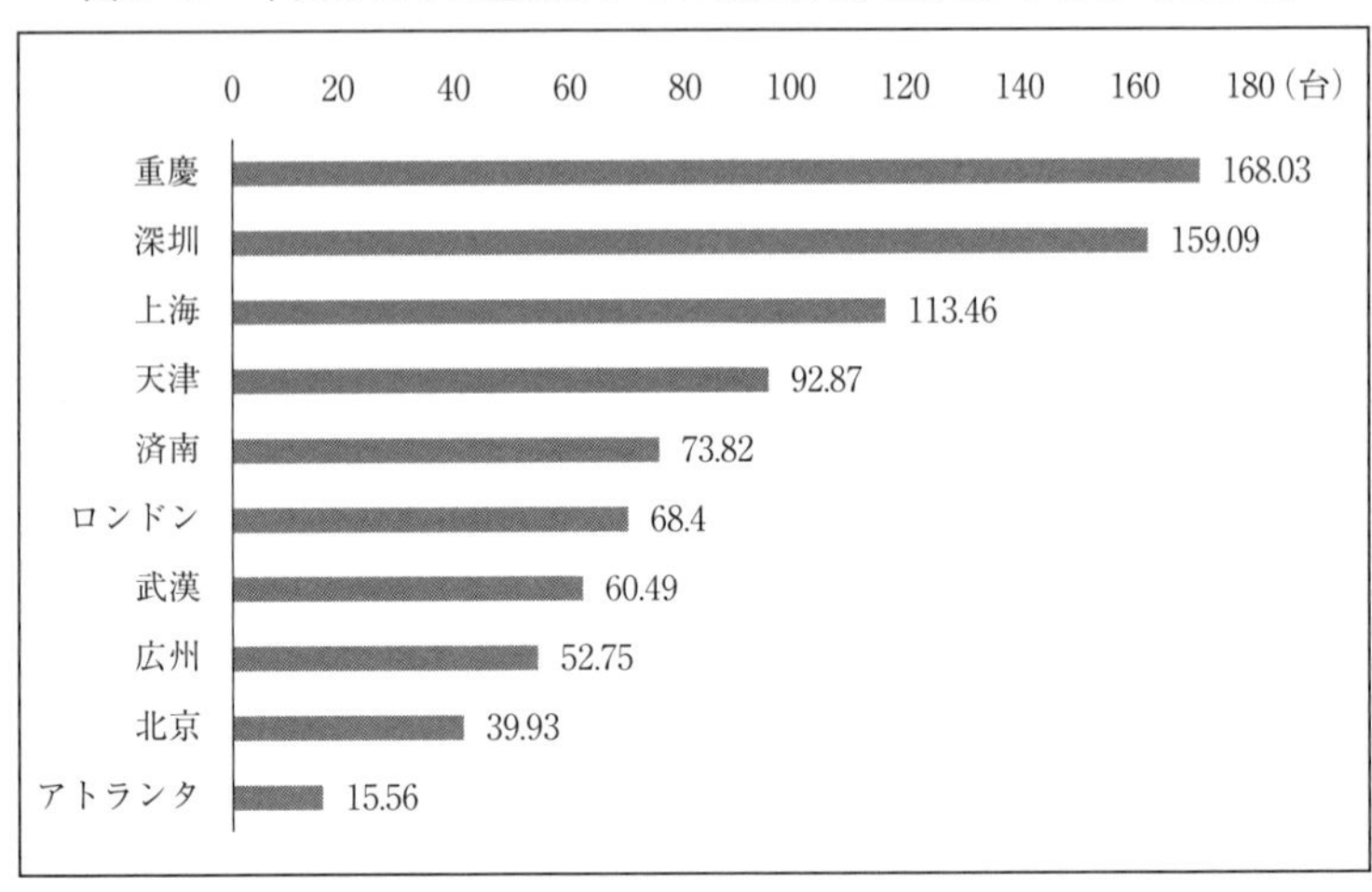

資料：Comparitech

で、そのうちの8つが中国の都市である。

監視カメラをたくさん設置する目的は当然のことながら、テロなどの破壊活動を企てる動きを未然に防ぐためといわれるが、同時に、本来、憲法35条に保障されている言論、結社、デモなどの自由と人権が侵害される可能性もある。こうした監視体制はまさに両刃の剣である。

2　人民の支持を失うリスク

「改革・開放」と万里の長城

毛沢東が死去したあとの共産党指導部の最大の功績は、門戸を閉ざし続けるのではなく、門戸を開放し、「改革・開放」を進めたことだった。ただし、「改革・開放」は完全な自由化を意味するものではない。１９８０年代、鄧小平は「『改革・開放』は新鮮な空気を入れるのが目的であるが、ハエや蚊を入れてはならない。したがって、網戸を設置しなければならない」と述べ、暗に資本主義の思想や価値観は受け入れない姿勢を示した[9]。この発言を受けて、当時、中国で「資産階級自由化に反対する」の政治キャンペーンが繰り広げられた。このキャンペーンの狙いは、中国で台頭した民主化と言論の自由化要求を封じ込めることだった。ある意味では、それは鄧時代の反右派闘争といっても過言ではない。結局、その矢先は開明派指導者の胡耀邦[10]に向けられ、胡は1987年1月に解任された。

しかし、歴史的な観点から中国情勢を俯瞰しながら振り返れば、不可解な点が多い。中国社会と中国経済が活性化したのは自由化のお陰だったにもかかわらず、共産党指導部では、自由化を受け入れない姿勢が示された。換言すれば、アクセルとブレーキを同時に踏んで車を前進させようとしているようなものだった。そして、門戸を開放して中国にとって役に立つ先進技術のみ受け入れ、それ以外の思想や価値観を受け入れないという保守的なやり方では、「改革・開放」が順調に進まない。

歴史的に秦の始皇帝が巨額の歳費を投じて万里の長城を造り上げた[11]のは、北方の騎馬民族の侵入を防ぐためだった。しかし、いつの時代も万里の長城は期待されていたほど役割を果たせなかった。そこから類推すれば、どんな網戸を設置しても、共産党にとって不都合な「ハエ」や「蚊」が外国から入ってくるだろう。だが、このような外国の思想や価値観は、中国社会や国民にとって、果たして本当に有害なものなのかどうかについては、改めて検証する必要があるだろう。

鄧小平からみれば、中国と先進国との格差はひとえに技術力だと思われていたが、果たして本当にそれだけだったのだろうか。

たしかに「改革・開放」開始当時進められた市場開放と外国企業の直接投資を誘致する目的は、主として中国の技術不足を補うためだった。1994年まで中国は、国内の外貨不足を補うために、実質的な二重通貨制を実施していた。二重通貨とは、中国人が使う人民元と外国人が使う外貨兌換券[12]（FEC）だった。

こうしたことを背景に、中国は海外から技術を輸入する外貨がないため、外国企業の直接投資を誘致するとき、「輸出志向型」の直接投資の誘致を優先的に行った。すなわち、外国企業に投資してもらい、中国で作った製品と商品を輸出して外貨を稼ぎ、その外貨を使って、外国から技術を輸入するという思惑だった。

その時代から四十余年経過し、たしかに中国経済は目覚ましく成長はしたが、依然として中国企業の技術力は外国企業に比して大きく立ち遅れている。アリババの創業者・ジャック・マーは、中国のICチップの技術は先進国企業に比較して20年も遅れていると認めている。客観的にみて、中国企業の技術力は40年前に比べ、そこそこ発展はあったが、超一流の技術はほとんど習得できていないのが実情だ。基本的に中国人が得意なのは技術を磨いてさらに深化させるのではなく、カネを稼ぐビジネスモデルを考案することである。アリババはまさにネット販売のビジネスモデルの考案に成功している。

もう一つの弱点は「独創力」の不足

中国が先進国に比較して立ち遅れているのは技術だけではない。近代的な制度構築はさらに遅れている。優れた制度がなければ優れた技術は生まれてこないし、経済成長も持続できない。これまでの経済成長は政府の政策によるものというよりも、中国人の何にもめげない向上心によるものというべきである。日本でも上映された文革のときの人々の生活を描いた映画「芙蓉鎮」の中で最も観客の心に残った言葉の一つが「生きていこう、豚のようになっていても生きていこう」というセリフだったそうだ。この、中国人のたくましくしたたかに生きる力こそ、中国経済成長の原動力になっているといえる。

しかし、人々のマインドが厳しくコントロールされるなかで、いかなる創作活動やイノベーションも思ったより機能しない。中国では、インターネット利用者は８億人を大きく超えているが、国内で使えるのは地場の検索エンジン「百度」[13]のみであり、Googleを使えないうえ、海外の多くのサイトを閲覧することができない。世界のインターネットのなかで最も強力なファイアウォールは、中国が導入しているgreat wallであるといわれている。中国人の若者の一部はＶＰＮをインストールしてgreat wallの制限を突破して、ツイッターやフェイスブックなどの海外のＳＮＳサイトにアクセスしている。同時に、当局はそれに対する取り締まりも強化している。無断にＶＰＮをインストールして海外のサイトにアクセスする行為は違法行為と認定されているため、それによって拘束された若者が多数いるといわれている。しかし、秦の始皇帝の万里の長城と同じように、great wallは本当に共産党の統治を守ることができるのだろうか。

中国の技術力を高く評価する人々も存在し、日本のノーベル賞受賞学者の一人は「あと20年もすれば、ノーベル賞候補や受賞者の大半が中国人科学者になる」とまで語っている。この観測が正しいかどうか、今後の中国の科学技術の発展の進捗を注意深く見守る必要がある。

経済が活力を失う恐れ

繰り返すようだが、中国社会は現在、歴史的な転換点に差し掛かっている。習近平国家主席は強国復権の夢をみているようだが、これ以上統制を強化すれば、中国社会は活力を失う恐れがある。ここで問われるのは、公平な市場経済を構築し、市場競争を促していくかどうかである。国有企業をあくまでも主役として保護していくとすれば、公正な市場競争にはならない。

中国の民営企業はいわゆる隙間産業を中心に成長してきた。アリババ、テンセント、百度（baidu.com）などは、いずれも国有企業が参入していない分野に参入し、急成長を成し遂げた企業である（本章補論を参照されたい）。北京大学の張維迎教授（経済学）は、中国の民営企業のいくつかは、所有制差別を受けながらもそれを克服して成功した、と指摘している。

張教授の指摘通り、ビジネスで成功を収めた民営企業はいずれも市場競争の中で不利な立場に立たされてきた。たとえば、政府調達に入札しようと思った場合、国有企業に勝つことは非常に難しい。国有企業が参加していない競争入札の場合でも、決まって政府の役人に賄賂を求められる。

このような環境下で、中国には長寿企業はほとんど存在しない。中国国内のある調査によると、中小企業の平均寿命はわずか2年3カ月程度といわれている。民営企業にとってのビジネス環境は国有企業と競争できないだけでなく、資金調達、販売、納税などについての政府部門との付き合いは、資本主義諸国における取引形態とはまるで異なった、中国独自色の強い特殊なものだ。

どの企業の経営者も、利益を最大化し企業規模を拡大したいはずである。そのためにコストを切り詰めて経営の合理化を図る。しかし、中国では、民営企業は経営拡大に成功しても、新たな悩みに見舞われる。たとえば地元政府の役人からその子弟の就職を頼まれることがある。あるいは税務署の職員から取引とは無関係な領収書を持ち込まれ、その場合、お金を払ってあげないと、次年度の税務調査は決まって酷い目に遭う。日常的にこういった「雑務」に見舞われる民営企業の経営者は、実際に研究開発や経営の合理化などを考える暇はほとんどない。

習政権になってから、一定規模以上の民営企業（含む外資系企業）に対して、たとえば浙江省など一部の地方では、企業内に共産党の支部を設置したり、地元政府が民営企業に幹部を派遣し、企業行動に対する監督を強化している。

それだけでなく、民営企業の経営者に対する粛清もすでに始まっている。そもそも中国にベンチャーキャピタルがなかったため、民営企業の経営者は創業時、何らかのイリーガル（非合法）な手段でビジネスを起こした人がほとんどだった。もしその責任をつぶさに追及すれば、罪から逃れることができる経営者は皆無に近い。ある青年経営者はインターネットの掲示板に「中国民営企業経営者は全員、牢屋に入っているか、さもなければ、牢屋に通じる道中にいる」と皮肉る書き込みをしている。これは決して大げさな話ではない。

開放された社会と個人崇拝の矛盾

習政権が日々奔走しているのは、習近平国家主席への個人崇拝を高めることである。かつて、江沢民時代や胡錦濤時代において、中国の書店の入り口に並べられたのは大学院のＭＢＡで教える経営の成功術などの本やＤＶＤばかりだった。今や、中国だけでなく香港の書店も習近平理論や習近平思想などの本を並べるコーナーが特設されている。関連書の種類の多さと規模は、かつての毛沢東時代を彷彿とさせる。

一部の中国研究者は毎日のように人民日報の1面の記事をチェックしている。1日でも習近平主席に関連する記事が1面に掲載されていなければ、大騒ぎになる。

日本には人民日報のような官製メディアは実質的に存在しない。それぞれのメディアの報道は基本的に各社が自由に行うことができる。もちろん、各々のメディアの報道はすべて中立的とは限らない。いわゆる右寄り・左寄りなど偏りがあるのは事実である。そのなかで官邸に迎合するメディアもあれば、官邸に批判的な姿勢を取るリベラルなメディアもある。

官邸に迎合するメディアは政府に対して忖度することもあろうが、政府がその記事内容に直接介入することはめったにない。かつて、日本の首相の靖国神社参拝をきっかけに、中国で反日デモが発生したとき、中国のある政府高官は日本の政治家に「なぜ日本政府は日本のメディアをきちんと管理しないのか」と不満を漏らしたことがあるが、このような発言自体が、中国のメディアのあり方の異質性を物語っている。

しかし、21世紀に入り、かつてほぼ鎖国同然であった毛沢東時代とちがって、毎年1億2000万人の中国人が海外旅行を楽しみ、インターネットの利用者は9億人に迫る規模である。為政者にとって、ここまで開かれた社会全体を統制し、個人崇拝を強化することは決して容易なことではない。

歴史的に振り返れば、たしかに中国では賢帝や明君を崇拝する傾向が強い。ただし、皇帝か名宰相でなければ、国民に長期にわたって崇拝されることはない。明君とは民の心を理解し賢明な君子のことであり、反対語は暴君である。暴君に対して人民は恐怖を感じてそれに従う。明君といわれた場合、寛容的な政治のおかげで天下は安定し繁栄する。したがって、国が繁栄する前提は inclusiveness（寛容性、包容性）が必要不可欠である。[14]

改革・開放初期と比べ、習政権になってから中国政府の寛容性が急速に失われた。これまでの40年間の経済成長の蓄えがあるため、いまのところ中国社会と中国経済の繁栄が維持されているようにみえるが、中国経済が減速路線を辿っているのは明白である。したがって、時間が経つにつれ、人民は経済成長の果実を享受できなくなれば、人心が急速に離れていく可能性が高い。これこそ習近平政権が直面する正念場であり、深刻なリスクである。

3　国家資本主義推進と格差の拡大

第二の「南方講話」

1989年6月、北京の天安門広場で、いわゆる「天安門事件」が起きた。その責任を問われて失脚した趙紫陽に代わって総書記に抜擢されたのは、江沢民・上海市書記だった。江は着任早々、保守系長老指導者に忖度し、党内で粛清を行おうとした。しかし、そのまま粛清を行ったら、中国経済はクラッシュしてしまう恐れがあった。

この難局を打開するために、高齢の鄧小平は突然広東省深圳を視察し、深圳の幹部と市民に改革・開放の加速を呼びかけた。しかも「改革・開放を拒むならば、誰でも辞めてもらう」と暗に江沢民を更迭する可能性をほのめかした。それを知った江沢民は改革・開放のほうへ急に舵を切った。その直後、日本が立て続けに天皇訪中、海部首相（当時）の日中首脳会談を遂行し、日本は中国政府のとる政策に表立って口を挟まないというサイン（意思表示）を送った。これをきっかけに、天安門事件を非難し、一致して中国に制裁を加えるべき、としていた西側先進諸国による対中包囲網諸国の結束が崩れた。

2020年、中国経済は89年天安門事件のときよりも厳しい難局に直面した。新型コロナ危機である。これにより、国際貿易が伸び悩み、サプライチェーンが再編されるなかで中小企業の倒産が増え、その結果、出稼ぎ農民工をはじめ失業者が急増し、社会が深刻な不安に見舞われたのだ。このような難局を打開するために、習近平国家主席は深圳開放40周年を記念するための式典に参加するついでに、広東省を視察した。これは鄧小平が行った「南方講話」（南巡講話とも）を真似した「第二南方講話」といわれている。

習近平は深圳で行ったスピーチの中で、深圳市民にさらなる自由化と市場開放を約束した。その心は深圳を、中国経済成長をさらに牽引する巨大なエンジンに育てていくということのようだ。

興味深いのは、この式典に香港の行政長官・林鄭月娥も参加していたことだ。彼女の心中は複雑であったろう。このとき香港経済は深刻な政治不安と経済危機に見舞われており、有効な打開策は見つかっていなかった。地理的にも近い経済発展牽引の担い手としてのライバル・深圳に、国家主席が国家発展のいっそうの推進力となれ、と白羽の矢を立てたのだから、一歩水をあけられたように感じたにちがいない。

さて、ここで問われるのは、習近平の「南方講話」は本当に深圳を起死回生することができるかである。習のスピーチからその危機感と切迫感を読み取れるが、具体的な有効策は示されていない。中国経済をより活性化させるための最も有効な方法は、さらなる自由化を推進することである。しかし、習政権は統制を強化しようとしている。左足でアクセル、右足でブレーキを同時に操作した車はどこに向かうかわからない。大事故につながる暴走もあり得るのだ。

2022年3月の全人代で、習政権は三期目に突入しようとするはずだが、そのためには中国経済を成長軌道に戻す必要がある。したがって、習主席は右足を踏んでいるブレーキから外す必要があるが、その兆しはまだ現れていない。

国家資本主義の限界が見えてきた？

一部の研究者は中国の開発モデルを「国家資本主義」と定義している。ここでいう国家資本主義とは国家が主導する経済開発のことを意味するもののようだ。もともと毛時代の中国では、厳格な計画経済が実行されていた。計画経済は中国経済を破綻寸前にまで導いたため、鄧小平はリアリズムの考えに基づいて部分的な自由化を推進し、その結果、中国経済は高成長を成し遂げた。しかし、共産主義のＤＮＡは常に統制経済のほうへ寄り戻ろうとしている。

しかし、これまでの実験ですでに明白になっていることだが、経済統制を強化すればするほど経済は活力を失ってしまう。習政権が誤って認識しているのは、経済を自由化すればするほど腐敗が横行し、共産党指導体制を維持できなくなる。だからこそ経済を厳しく統制しなければならないという結論になってしまう。

一方、経済統制は逆効果をもたらしている。国家（政府）と企業（主に国有企業）の関係を経済学の「プリンシパル＝エージェントの理論」に沿ってみていく。この関係を中国に当てはめようとすると、政府はプリンシパルに相当する存在だが、国家の利益を最大化するために、エージェントである国有企業に委託する。しかし、国有企業の経営者は自らの利益を最優先しようとする。したがって、政府は国有企業をガバナンス（コントロール）できないというこの食い違いのため、中国では企業ガバナンスがほとんど機能しないのだ。これは社会主義の国のみならず、資本主義の国でも同じことである。かつて日本で電電公社や国鉄の経営が国にとって重荷になり、民営化を実施した。中国では、国有企業体制で経営が活性化できれば、40年前に改革・開放を実施する必要がなかった。

では、なぜ中国政府は経済統制を強化しようとするのだろうか。経済統制強化の出発点は企業の経営活動に対するガバナンスを強化することが目的であったのかもしれない。しかし、政府の権力に対する監督機能が用意されていない中国では、統制する担当官と統制される経営者が結果的に癒着し、むしろ腐敗が横行しがちである。このことは規制の経済学ではすでに実証されている。

改革・開放以降、共産党幹部の腐敗が横行しているのは経済の自由化のせいではなく、それに対するガバナンスが機能していないからである。近年、国有銀行の幹部が多く追放されている。本来なら、銀行は融資が焦げ付かないように借入先の企業に対する審査を厳格に行うはずだが、融資側の銀行関係者と借入企業が癒着し、融資するほうの銀行関係者が借入企業から賄賂をもらう現象が横行している。中国人民銀行（中央銀行）元副行長の呉暁玲は「銀行のバランスシートに巨額の不良債権が現れてこなければ、わが国にこんなにたくさんの富豪が生まれてこないはず」と極論ながら述べたことがある。

こうした制度面の欠陥は、経済が順調に成長している間、水面の上に現れてこない。国有銀行の不良債権も経済成長によって引き当てられる。ただし成長が減速すれば、制度面の欠陥がもたらした負の遺産は一気に浮上してくる。それは中国経済のリスクである。

レーニン主義への回帰

習政権の主要メンバーは文化大革命（１９６６－76年）のときに初等教育を受けていた。当時の学校教育はほとんど廃止され、彼らが受けた基礎教育には、教養を蓄積する手段が悲惨なほど少なかった。よく似ているのが毛沢東である。多くの中国人歴史家が証言していることだが、毛が生涯最も繰り返して読んだ本は中国の帝王学、あるいは国家統治術を教える「資治通鑑」だったといわれている。毛は真面目に資本論などマルクスの代表作をほとんど読んだことがないという証言が多い。それでも毛はよくマルクス＝レーニン主義を口にする。習政権の主要メンバーもマルクス＝レーニン主義をしばしば引き合いに出しているが、本当にそれを学習したことがあるかどうかは疑わしい。

それでも、「紅二代」（赤い二世）と呼ばれる習政権のメンバーたちにとって、レーニンが提唱した「プロレタリアートによる独裁」は、共産党一党独裁体制の堅持と同義語のようになっている。イギリスの共産主義・社会主義研究の泰斗と称賛されるアーチー・ブラウン・オックスフォード大名誉教授は「レーニンはマルクスが提唱した共産主義の実践者」と定義する一方、「レーニンにとって目的は手段を合理化する革命家である」とも述べている[15]。

この「目的は手段を合理化する」という考え方こそ、毛沢東のＤＮＡを引き継いだ元紅衛兵たちにとって、何よりも重要なレガシーである。１９７６年9月9日、毛が死去した。その約1カ月後の同10月6日、江青ら四人組が逮捕された。毛信奉という個人崇拝体制を打破し、社会主義体制を維持存続させるための、実質的なクーデターだった。

もう一つの事例は、２０２０年1月下旬、中国全土で新型コロナウイルスの感染が拡大したのを受けて、ほぼすべての都市が封鎖されてしまった。武漢以外の都市では、武漢から帰ってきたと噂される住民はその近所の住民によって強制的に家の中に閉じ込められる事件が多数起きた。風評被害を抑えて中国の都市は安全であることを表明するために行われた無法な実力行使が正当化されるのが中国なのだ。

これらの事例からわかるように、レーニンの遺伝子を毛が引き継ぎ、さらに、習政権のメンバーたちもそれを見事に継承しているといえる。習政権にとって国家統治の一番の目的は、共産党指導体制の維持であり、そのためにはいかなる手段も辞さないという考えは、理解できなくはない。40年前に鄧小平をはじめとする長老たちは改革・開放を決断し、経済自由化のほうへ舵を切ったが、その結果、民営企業は飛躍的に成長し、中国社会では、世界でもトップレベルの富豪が雨後の筍のように生まれた。

だが、「紅二代」からみると、このような資本家集団は短期的には経済成長を牽引することはできるが、長期的にはマルクス＝レーニン主義が提唱したユートピアを信奉する共産党指導体制の基盤を揺るがしかねない。だからこそ経済の自由化にストップをかけ、経済統制を強化しようとするのである。

振り返れば、２０００年、江沢民元国家主席は資本家たちを共産党に取り込むために「三つの代表」思想を考案した。それらは、共産党は①先進的な生産力、②先進的な文化、③広範囲な人民の利益を代表するもの、という考えである。もともと共産党は都市労働者を中心とする政治団体であると定義されていたが、三つの代表は都市労働者だけでなく、広範囲な人民の利益も代表するといわれ、それに資本家の利益も当然のことながら、含まれる。

「私有財産」の扱い

社会主義体制の一つの悩みは、個人の私有財産を保護するかどうかにある。江沢民政権では、私有財産は保護されなければならないという考えだった。それに対して、習政権になってから、資本家が投獄されることが多発している。共産党幹部と資本家の癒着が助長されたからだった。上で述べたように習政権が考案したのは、民営企業にも共産党支部を設立することで民営企業に対する監督・監視を強化することである。問題は、「民営企業を監督・監視する共産党幹部はその民営企業と癒着しない」という保証がないことである。

要するに、習政権は深刻なジレンマに陥っているのだ。このまま自由化を進めると、中国社会は社会主義ではなくなり、共産党指導体制も崩れてしまう恐れがある。しかし、だからといって経済統制を強化すれば、経済の活力が殺がれ、中国社会は毛時代に逆戻りしてしまうだろう。

オープンな社会において、かつてレーニンが唱えた「プロレタリアート闘争」のユートピアは実現不可能である。研究者によって定義されている「国家資本主義」は存続が不可能となるのではないか。特に、国際社会との共存と競争を考えると、中国は今後、より自由で開かれた社会へと変わっていかなければならない。しかし、共産党主導体制を維持することを考えれば、闘争をもっと強化する必要がある。これからの習政権はこのような自己矛盾の中で不安定な政権運営を強いられるものと予想される。

補論　中国のプラットフォーマーBATHの行方

米国では、GAFA（Google、アップル、Facebookとアマゾン）は経済を牽引するエンジンとして時代の寵児になっているようだ。それと同じように、中国では、BATH（百度［バイドゥ］、アリババ、テンセント、ファーウェイ）は中国経済のさらなる成長を支えている。米国はイノベーションの大国であり、ニュービジネスが相次いで創業されるのは不思議なことではない。しかし、なぜ中国でBATHのような企業が創業され、大きく育ったのだろうか。

登記上、BATHはいずれも民営企業である。彼らのビジネスはいずれも国有企業が参入していない産業である。中国では、国有企業は政府によって保護されているため、新参の民営企業はそうした産業には基本的に参入できない。ＢＡＴＨは中国産業の隙間から芽が出て、その成長を阻む国有企業がいなかったので、すくすくと成長した。同じ時期に家電などの製造業に参入した民営企業もあったが、思ったより成長していない。

基本的に中国人は技術をこつこつと磨いて進化させることよりも、ビジネスモデルを考案してカネを儲けることに長けている。百度、アリババとテンセントはハイテク企業というよりも、ビジネスモデルの考案に成功した企業といえる。しかも、彼らにとって参考になるビジネスモデルはすでにアメリカで頭角を現している。それを比較してみれば、一目瞭然である。

アマゾンが創業されたのは１９９４年だったが、アリババは99年。Googleが98年に創業され、百度は２０００年に創業された。したがって、アリババや百度は完全に独創して作られたビジネスモデルではなかった。彼らは中国の国情にあわせて米国のビジネスモデルを手直しして成功を収めた。

ここでＥコマースを展開するアリババを例にとって考察してみよう。中国では、流通業の発展が遅れていた。古い国営百貨店があったが、品ぞろえとサービスのいずれも消費者のニーズに応えることができなかった。コンビニエンスストアも普及していなかった。中規模スーパーが現れたが、そこでアリババが登場した。誰でもアリババのTmall、淘宝でオンラインの店を開店することができる。消費者は会員登録すれば、気楽に買い物することができる。

届いた商品は気に入らなければ、簡単に返品することができる。代金の支払いについて詐欺に遭わないように、買い手と売り手は直接支払いを行わないようにした。顧客は商品の注文を確定するために、まず、アリババに対して代金をオンラインで支払う。それを受けて、売り手は商品を出荷する。

買い手は商品を受け取って問題がなければ、再度、アリババに対して代金の決済を確定する。そのあとに、アリババは売り手に対して代金を払う。この決済システムはやや複雑なように感じられるかもしれないが、買い手と売り手の双方がそれによって守られる。

この一連のプロセスの中で、宅配業者は重要な役割を果たしている。昔、中国では、郵便局で荷物を発送すると、荷物をなくすことがあった。しかも、サービスも良くない。宅配サービスのデジタル化によって、リアルタイムでそれを追跡することができる。万が一、宅配業者の責任により、商品が損壊した場合、賠償を請求することができる。

今、アリババは存続の分水嶺に差しかかっている。

今のビジネスモデルでは、消費者（顧客）はアリババに買い物代金をいったん預ける。注文した商品が届いたあとに、正式に決済する。その間、数日のタイムラグが生じる。中国のインターネット利用者は8億人以上であり、1年間、のべ数十億人がアリババで買い物する計算になる。すなわち、アリババのアカウントには絶えず巨額の小口資金が滞留することになっている。アリババはその資金をもとに銀行業に進出しようとしている。しかし、中国では、銀行業は国有銀行が寡占している市場である。民営企業のアリババがそれに参入するというのは制度上問題ないが、実際は許されないことである。

2020年、アリババ傘下のアントファイナンス集団が上場手続きを終えたにもかかわらず、その土壇場で止められた。同時に、アリババはテンセントといっしょに、独占禁止法に違反したとして罰金を科された。独占といえば、中国石油、中国電信といった巨大国有企業に罰金を科さないといけないのに、なぜアリババとテンセントに対して罰金を科したのか。

ＢＡＴＨの中で、ファーウェイは政府と良好な関係を構築している。だからこそ米国に制裁されているファーウェイが中国政府によって守られている。むろん、ファーウェイはアリババ、テンセントや百度とちがって、モノづくりのハイテク企業である。

これらの民営企業はこのまま、国有化されるとは思わないが、将来的に「公私合営」の混合所有制になる可能性が高いと思われる。

【第5章・注】

（1）これまでの40年間、経済の自由化は積極的に国有企業を改革したのではなく、市場競争の中で生き残れない小売りや流通といった国有企業は段階的に民営企業に払い下げられた。１９８０年代まで中国にはたくさんの国有または集団所有の百貨店と雑貨店があった。90年代の後半以降、その多くは民営化された。ただし、石油会社や電力会社などの大型国有企業は依然として国有制のままである。

石炭の炭鉱について、民営企業が数多く創業されたが、２００８年リーマン・ショックのとき、胡錦濤政権は４兆元（当時の為替レートでは約56兆円）の財政出動を行い、その多くは国有企業に流れた。国有企業はこのフリーランチのような財政資金の一部を使って、民営の炭鉱を買収した。

（2）共産党保守系長老の一人で、晩年は鄧小平と協力して天安門事件を鎮圧した。「新聞法」の制定に反対し、経済について、政府主導の計画経済を主張し、行き過ぎた自由化に反対した。陳が残した「名言」の一つは、「今の雑誌には美人の広告が多すぎる。われわれは英雄を宣伝しなければならない。このような状況をコントロールしなければならない」。

（3）汪洋は開明派の政治指導者といわれているが、青年団派であるため、習政権の太子党グループと必ずしも意気投合できていない。

(4) 当時の中国経済の実状を踏まえれば、4兆元の財政出動は必ずしも必要はなかったと思われる。2008年の実質GDP伸び率は9・7%だった。09年の成長率は9・4%だった。翌2010年は上海万博が開催される関係で高速鉄道などのインフラ整備の公共投資は目白押しだった。逆に4兆元もの拙速な財政出動によって不動産市場のバブルはさらに膨らんでいった。

(5) 日本でも、一部の中国研究者は中国で「国進民退」がないと主張しているが、実際は胡錦濤政権の後期(2010年ごろ)から「国進民退」はすでに始まり、習政権になってからは、さらに顕著になっている。

(6) Stiglitz, J. (1996).

(7) 劉少奇国家主席失脚のきっかけは、毛沢東の「大躍進」政策を批判したことだった。それは毛と劉の権力闘争に発展した。

(8) 「為人民服務」は毛沢東時代の名残である。北京大学の賀衛方教授は「中国の病院は人民医院、裁判所は人民法院、大学は人民大学、銀行は人民銀行(中央銀行)、政府は人民政府となっているが、いずれも人民と無関係である」と指摘している。

(9) ここでいうハエや蚊などの害虫とは、外国の思想や共産党にとって都合の悪い情報のことである。

(10) 開明派の胡耀邦共産党総書記の最大の功績は、右派分子として打倒された知識人のほとんどを名誉回復したことである。さらに、自由化を進めようとしたところ、保守系長老たちに解任され、追放された。

(11) 毛時代、万里の長城とピラミッドは宇宙飛行士が宇宙から肉眼でみえる奇跡的な建造物といわれ、人民が鼓舞された。のちにそれは偽りだったことがわかった。

(12) 1980年代、外国人の中国来訪者が銀行やホテルで外貨を両替して手に入れるのは人民元ではなく、この外貨兌換券だった。これを使って各都市の友誼商店と呼ばれる土産店での買い物を求められている。友誼商店で売っていたのは掛け軸などの土産物のほか、外国産たばこなどの輸入品だった。友誼商店の外には、外国人から外貨兌換券を買い取るヤミの両替屋が出没していた。公定レートでは1兌換券=1人民元だったが、両替屋は最高値のときには1兌換券=2人民元で買い取っていた。彼らは外貨兌換券を、日本製のカラーテレビなどの外国製家電製品を買いたい中国人の金持ちに転売して利鞘を稼いでいた。

(13) そもそも「百度」の語源は、宋の時代の政治家・詩人の辛棄疾（1140-1207年）の詩「衆里尋他千百度、驀然回首、那人却在灯火闌珊処」（祭りの人ごみのなか、あの人をいくら探しても見つからなくて、ふっと振り返って、彼女は花提灯の合間に立っている）に由来するものといわれている。したがって、「百度」というのは何回も探すという意味である。

(14) アセモグル&ロビンソン『国家はなぜ衰退するのか』（上下）（早川書房、2013年）を参照。

(15) Brown (2009) *The rise & fall of communism*（邦訳：『共産主義の興亡』下斗米伸夫訳、中央公論新社、2012年）。

第6章　IT・先端技術大国化への道

人類の歴史において、なぜたくさん人災がもたらされているのか。人災は人為的に作られた災難のことである。私の結論は、人災は二つの原因によるものである。一つはわれわれの無知による。もう一つはわれわれの無恥による。本質的にいえば、無恥も無知の現れであり、同じことである。

張維迎[1]

一般的に先進国といったとき、多くの人は経済力、すなわち経済規模（名目GDP）などで高度に発展を遂げた国を思い起こすはずである。2021年1月、中国政府は2020年の経済統計を発表した。2020年は新型コロナウイルス蔓延によって世界的に経済や景気が落ち込んだ年となったにもかかわらず、中国の同年実質GDP伸び率は2・3%と、主要国の中で唯一プラス成長の国になっている。国際機関などの推計では、早ければ2028年に、中国の経済規模は米国を追い抜いて、世界一になるとみられている。

一国の経済力は一般的にその国の軍事力に比例する。すなわち、経済力相応の軍事力が備わると考えられる。当然、経済力以上に軍事力を強化しようとすると、その国はだんだんと経済も軍備も持続していけなくなる。その典型例が旧ソ連の崩壊だった。本来なら、軍備は自国民を守るために必要不可欠なものだが、経済力以上の軍備保持・拡張は自国民を守るという目的を通り越し、対外的に圧力をかけたり、脅威と思わせるための方策、ひいては侵攻意欲への温床となる。対外への武力誇示によって他国からエネルギーなどの資源を得られれば、それを通じて軍備資金の一部を調達することができるが、単に一方的に拡張するだけなら、軍備資金を湯水のごとく浪費し、破綻への道を歩むリスクに晒される。

経済と軍事を支えるのは先端技術である。今日の国家間の競争は、極端にいってしまえば、先端技術をめぐる競争であり、科学者などの人材をめぐる競争でもある。前近代的社会では、人材の国際的な移動が少なかったため、それぞれの国の中で人材を育成していた。明治以前の日本と明治以降の日本を比較すれば、教育機構の重要性は一目瞭然である。

グローバル化が進んで以来、世界中で人材の争奪戦が繰り広げられている。世界で最も一流の人材を引き付けているのは米国であろう。第二次世界大戦後、米国は国策として、敗戦したドイツから多くの科学者を戦争責任の免責と引き換えに米国へ移住させた。言い換えれば、ドイツが敗戦したことで一番失われたのはドイツの頭脳だったといって過言ではない。米国の凄さはダイバーシティ（多様性）とよくいわれるが、その多様性の本源は海外から頭脳を引き付ける教育制度と国力であろう。

1949年、毛沢東率いる共産党が中華人民共和国を成立させたとき、最も力を入れたのは海外（主に米国）で研究を行っている中国系科学者の帰国を広く呼びかけることだった。その責任者は毛本人ではなく、周恩来首相（当時）だった。周は知識人の間に絶大な信頼があり、海外在住の科学者に一人ずつ直筆の手紙を送り、新中国の建設に参加していただきたいと呼びかけた。前述した中国の核開発の父と呼ばれている銭学森博士もその一人だった。

しかし同時に、毛時代の中国で最も失敗したことは、知識人政策、すなわち中国の頭脳を大切にしなかったことだった。毛は知識人を信頼せず、あの手この手で知識人を手当たり次第に迫害した。一方で、毛が最も信頼を寄せたのは教育を受けたことがない農民や労働者だった。

それに対して、鄧小平はリアリストであった。フランスに留学したことがある鄧は、技術を進歩させるには、知識人の頭脳が必要不可欠とわかっていた。だからこそ「改革・開放」後の最初の改革は、大学入試による人材選抜の再開だったのである。同時に、日米などの先進国との関係を改善すると同時に、中国人留学生の受け入れを先進国政府に要請した。先進諸国は中国政府の素直な要請を好意的に受け入れた。初期の派遣は国費留学生のみだったが、その後、徐々に私費の留学も解禁された。2018年の統計をみると、海外留学の中国人学生は66万人にのぼり、そのうちの約1割は国費留学生と勤務先および所属機関派遣の公費留学生だった。

国内の研究機関の育成に加え、優秀な人材を海外に留学・派遣することが、現代中国の人材戦略の基本となった。米中対立の中で注目を集めているのは「千人計画」[2]という人材リクルートプログラムである。この計画はもともと海外で学位を取得し研究を続けているエリート科学者を中国国内に呼び戻すためのものだった。さらにその計画の中には、中国人限定ではなく、外国人の一流科学者も招集・招聘の対象になっているといわれている。「千人」とは「たくさんの」という意味で、多数の人材を中国へ吸収するための予算を用意したのだった。

そこで問題となっているのは、在外研究者がその研究成果を個人所有しているかどうかである。もしそうでなければ、この千人計画参加のため帰国したあと、研究成果を中国にもたらすことは、特許権や知財所有権などの関係で、法律上難しくなる。最も悪質なのは、海外の研究機関に在籍しながら、研究成果の一部を中国にもたらすことである。これは愛国かどうかの問題でなく、国際社会のルールに従うかどうかの問題である。さらに、この千人計画は中国系科学者に限らず、国籍を問わずその分野の権威であれば、招聘の対象となる。このような人材を一網打尽にする「千人計画」は当然のことながら、国際社会で脅威とみなされる。本章は、中国がかち取ろうとする技術覇権の内実を明らかにする。

1 中国的ヘゲモニーと既存の国際秩序

習政権が狙うハイテクヘゲモニー

習政権が考えている強国復権の夢は、経済規模と軍事力はもとより、それらを支える技術力を世界一にすることだ。だからこそ、「中国製造2025」計画や上で述べた「千人計画」が考案され実施されているのだ。

その発想は習主席自らが思いついたものというよりも、毛沢東時代の「大躍進」に触発されたものといえる。毛は1950年代、英国を追い越し、米国に追いつくために、鉄鋼生産量を倍増するよう部下たちに指示した。農民出身の毛は工業や科学の知識が皆無だったため、鉄鋼を増産させるための具体的な手法は、すべての人民を動員して原始的な溶鉱炉を造ることだった。鉄鉱石が足りなかったため、まるで戦時下の日本で行われたような、各家庭にあるすべての鉄製の台所道具や仏像などを供出させ、それを溶解して鉄鋼生産量を上積みしたのである。結果的には鉄が増産できなかっただけでなく、農民は農作業に従事できなくなったため、深刻な食糧不足となり、数千万人の餓死者が出たといわれている。

毛時代において経済力の象徴だったのが鉄鋼生産量だった。軍需産業を発展させるためには大量の鉄が必要だと考えられていたからだ。当時、鉄に代わる新しい素材はまだ開発されていなかった。

コラム⑤　廬山会議

１９５９年７月、江西省の避暑地・廬山で共産党指導者たちが集まり、共産党中央政治局拡大会議が開かれた。この会議の趣旨は大躍進の失敗を総括するためのものだった。その前の年（１９５８年11月）、毛は大躍進政策の失敗の責任を取って、国家主席を辞任。代わって劉少奇が新しい国家主席に選ばれ、毛の権威は失墜した格好となった。

廬山会議の会期中、国防部長の彭徳懐[3]は毛に私的な手紙を送った。その内容は、大躍進の路線はトータルとしてはよいものだったが、部分的に性急過ぎた、などと記されていた。それを読んだ毛は激怒し、彭の了解も得ずにその手紙を会議参加者全員に配布してしまった。結果的に、廬山会議は彭徳懐に対する批判大会となった。その後、彭は追放された。

コラム⑥「7000人大会」

1962年1月11日から2月7日まで、毛沢東の同意を得て、北京で中央拡大工作会議が開かれた。参加者は中央各省庁の関係者のほか、省、市、県の地方幹部も含まれ、合計7113人が参加したといわれ、それゆえ「7000人大会」と呼ばれている。

この会議は大躍進と大飢饉を反省するために開かれたもので、共産党中央委員会副主席・国家主席の劉少奇は大飢饉について「3割は天災で、7割は人災だ」と結論づけた。毛は仕方なく、大会で自己批判を行い、表面上、第一線を退いた。歴史家にはこの「7000人大会」こそ文革への布石となったと指摘する者が多い。

毛は実権を劉少奇などに握られるのを危惧して、文革を発動し、劉をはじめとする政敵を打倒した。総括すれば、毛が「7000人大会」の開催に同意した裏の（真の）狙いは、まず自らに対して不満を持つ幹部を浮上させて、のちに彼らを粛清する準備とみるべきである。

大躍進政策が失敗したのは無知の暴君が指示した間違った政策の結果によるものだった。なぜ毛は暴走したのだろうか（コラム⑤を参照）。政策失敗に対する反省後も、中国経済は決して順調に成長しなかった。経済学的に分析すれば、市場メカニズムが機能しないなかで、政府によるトップダウンの計画だけでは、資源配分が歪み、経済は順調に成長しないことは明らかである。

さらに、中央集権的な計画経済において、ある財の生産量を短期間に増やすために、すべての資源を動員してその目標を実現しようとし、それでも目標に達成しない場合、統計数字を捻じ曲げる工作が行われる。これこそ毛時代の大惨事がもたらされる背景だった。しかも、毛は自らに対する批判をいっさい受け入れず、逆に問題指摘者を政敵とみなして徹底的に追放したのだ（コラム⑥を参照）。

しかし、毛の後継者たちは毛沢東の夢を諦めたわけではない。習主席は毛の夢、すなわちハイテク技術のヘゲモニーを実現しようと考えている。前述したように、２０１８年、北京で開かれたフォーラムで清華大学の胡鞍鋼教授は「わが国の科学技術レベルはすでに米国を凌駕した」と豪語した。その発言は北京の多くの指導者をミスリードしてしまった。胡教授の発言は公式統計に基づいた計算結果をもとに展開されるため、あたかも信憑性があるように見せかけている。ただ、ほとんどの場合、彼は元統計を明かすことをしていない。

議論を先に進める前に、胡教授に関するあるエピソードを述べておこう。２００１年、中国が世界貿易機関（ＷＴＯ）に加盟したころ、胡教授が来日した。そのとき、筆者が在籍していた富士通総研に彼を招聘して、70－80人が参加するセミナーを開いた。彼は中国語なまりの英語で40分ほど講演したあと、質疑応答は中国語で行った。そのとき、日中の逐次通訳を頼んでおいた。そのエピソードは質疑のときだった。

まず、一人の参加者から「中国はＷＴＯ加盟に際して、市場開放を約束したが、本当に約束は守られるのでしょうか。中国はどこまで市場を開放するつもりでしょうか」と質問された。それに対して胡教授は「私は昨晩、朱鎔基総理（当時）にホットメールを送った。全面的な市場開放を進言した。どこまで市場開放を行うかについて、武器の製造と紙幣の印刷以外、すべての市場を開放します」と答えた。さすが北京ナンバーワンの big mouth である。[4]

そして、もう一人の参加者は「中国で腐敗が横行しているが、その内実について教えてほしい」と質問した。これについて胡教授は「中国の腐敗のＧＤＰ比は14％である」と躊躇せずに答えた。セミナーの参加者の多くは感銘したにちがいない。セミナーが終わり、筆者は胡教授を駅まで見送ったとき、「腐敗のＧＤＰ比はどのように計算されたでしょうか」と尋ねたら、胡教授は「私の推計である」と答え、それ以上のことを教えてくれなかった。

それ以降、二度と同教授をセミナーに招かないことにした。研究者は自分の研究について最低限の矜持を持っていなければならない。同教授の著書は日本でも出版されているが、個人的に一度も読んだことがない。日本人は人物を肩書で評価する傾向があり、ましてや胡教授が清華大学という一流大学の教授であり、自己ＰＲの巧みな方であるため、みな簡単に信用してしまいがちなのであろう。だが、人の話を聞くときは、常識をもって判断することが重要であり、その人の肩書はたいして重要ではないのではなかろうか。

１９４９年、共産党が政権を樹立し、中華人民共和国が成立したとき、毛沢東は人民に「これから中国人民は立ち上がったのだ」という宣言（約束）をした。立ち上がったというのは、二度と侵略されないように、中国は世界の強国になるという意味である。こうした考えの背景にあるナショナリズムの台頭、すなわち愛国行為こそ中国を強くしていく原動力なのだとみなされるのだ。

習政権も同じ文脈で科学技術立国による強国復権の夢を実現しようと呼びかけている。習政権は２０２１年の経済について８％成長を目標に掲げることにした。このような高成長を続けていけば、中国の名目ＧＤＰは早晩米国を抜いて世界一になるだろう。だが、そのような数字だけを重要視して、誰が世界の覇権を握ったのかに一喜一憂するよりは、世界各国は中国がそうなったときに現れるさまざまな新しいチャイナリスクに対して備えを怠ってはならないのだ。

中国の科学技術の実力

日本人だけではないが、米国人や欧州人は、たとえば、オリンピックで金メダルを取ったら、表彰式のあとのテレビインタビューに対して必ずや、家族や親、監督やコーチ、そして支えてくれたファン（や国民の皆様）に感謝の言葉を述べるだろう。同様にノーベル賞を受賞した人なら、家族と親と恩師、同僚らに感謝するはずである。それに対して、中国人はいかなる賞を受賞しても、テレビカメラの前でまず、共産党と政府に感謝しなければならない。自分がすばらしい成績をあげることができたのは、国家が育成してくれたからだという文脈である。

筆者が日本に来る前、中国にいたとき、スポーツ選手のこうした謝辞を聞いて、何も不思議に思うことがなかった。むしろ、その選手の愛国精神にいつも感銘を受けた。

しかし、日本に来てから、日本人を含む外国の選手の謝辞をたくさん聞いているうちに、筆者の心の中の常識も変わってしまった。すなわち、愛国する前に、家族と親と監督を愛さないといけないと思うようになった。本書でも、たびたび常識について言及しているが、常識はその社会環境によって非常識に変わることがあり得る。

民主主義諸国では、科学者のほとんどは、国を背負って研究に取り組んでいるわけではない。どちらかというと、彼らは個人的にその研究分野が好きで、すばらしい指導者と研究環境に恵まれつつその研究に取り組むようになったのだろう。もちろん研究者には崇高な志がないと、よい研究成果を得られにくいかもしれない。それに対して、中国では、科学者の多くは国に選抜され、国から予算をもらい、国のために研究に取り組むと自覚している。すなわち、科学者は国に対して恩義を感じるように仕組まれているのである。たとえば「千人計画」のような人材リクルートプログラムは、ある研究機関あるいは企業や大学が人材を獲得するならば、大きな問題にはならないはずである。財産権保護の法律に違反した場合、その企業や大学の責任が追及される。しかし、一国の政府が人材リクルートプログラムを作成し実行するようになれば、国際社会で大きな問題になり、脅威とみなされる。

こうしたなかで、習政権は科学技術立国の目標達成を急いでいるようだ。そのために「博士後研究站」(ポスドクステーション)の設立や千人計画のプログラムなど、あの手この手で政府主導での科学技術レベルの向上を図ろうとしている。日本のマスコミを含む海外のメディアの報道をみれば、中国の研究・開発予算のGDP比の大きさや中国の研究機関と企業が取得した特許の件数の多さから、中国のキャッチアップの速さに関する報道が増えている。

中国の経済と産業の発展が著しいことは否定できない事実ではあるが、その一方でその等身大の実力をきちんと捉える必要がある。目下、中国では製造業の技術力を反映する工作機械の技術が最重要視されているが、図6-1に示したのは、中国の工作機械の国産化率の推移である。図からわかるように、ローエンドとミドルエンドの工作機械の国産化率は順調に上昇しているのに対して、ハイエンドの工作機械の国産化率はほとんど上昇していない。この業界の技術者にインタビューしたところ、

図６－１　中国における工作機械国産化率の推移（2014-2018年）

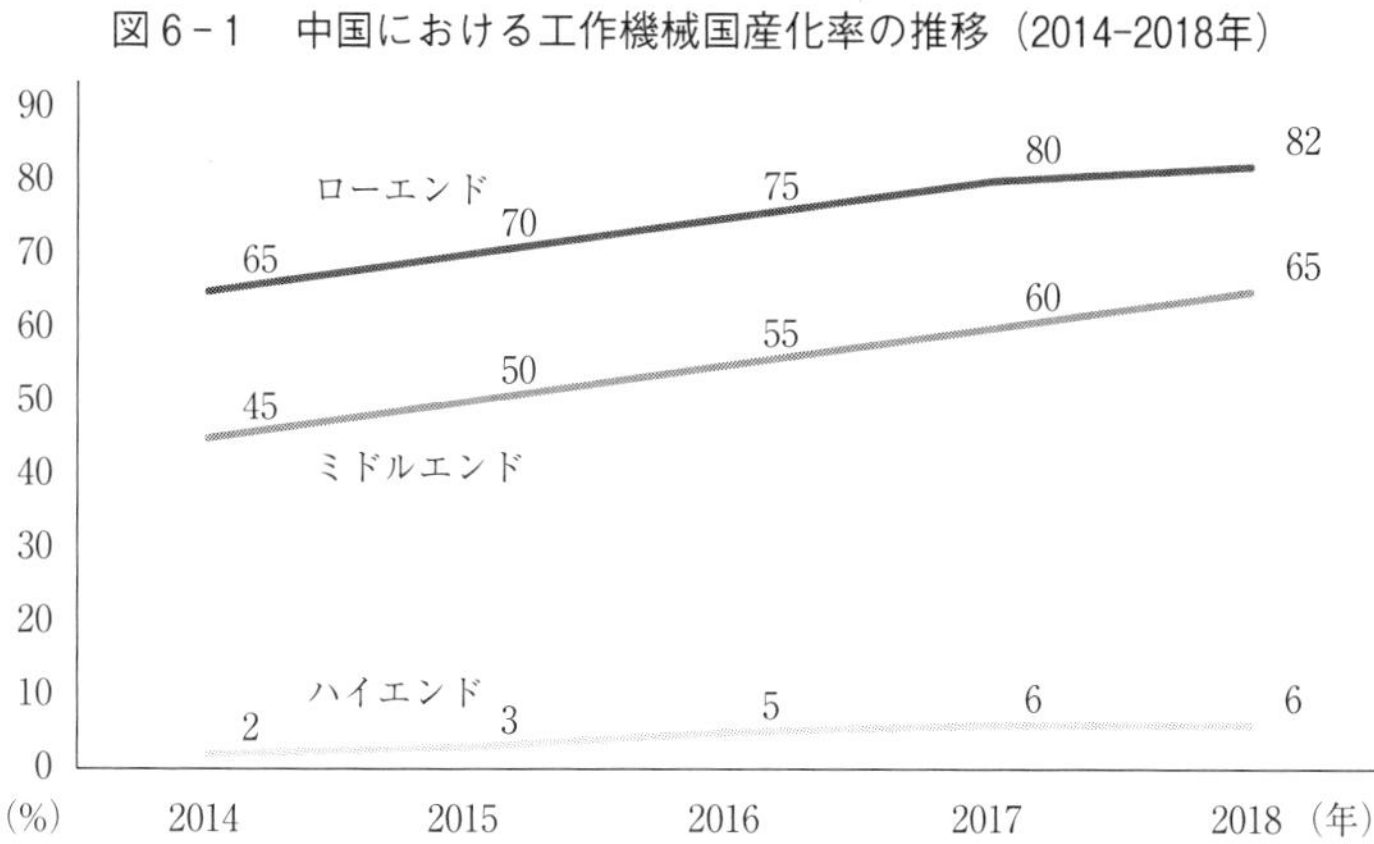

資料：CCID

工作機械の製造技術は専門技術と技術者の技能の結合によるものといわれる。

　中国地場の工作機械メーカーの多くはもともとあった国有の工作機械メーカーが生き残ったものと、外国メーカーの中国人社員が独立して設立したものがほとんどである。ローエンドとミドルエンドの工作機械ならば、新参の地場メーカーでも短期間に作れるようになるが、ハイエンドの工作機械になると、熟練と長年の勘、職人の腕など一朝一夕では培えないような要素が多分に加わり、それらの習得にはかなりの時間と努力が必要になる。

　実は、中国工作機械産業の実状はほぼ全産業の縮図のようになっている。米中貿易戦争がエスカレートするなかで両国の貿易不均衡が問題になっているが、エレクトロニクス産業に限っていえば、67％の輸出は中国に進出している外資系企業によるものといわれている。この、中国のハイテク産業を主導しているのは、いまだ外国企業なのである。だからこそ、習政権は科学技術立国を旗印に「中国製造2025」「千人計画」を考案して実行しているのだ。

問題は科学技術力を強化する原動力と主役である。習政権のやり方は重点産業と重点技術の開発に惜しみなく巨額の税金を投入することだ。もう一つは政府主導で技術革新を行うという手法だ。この二つの取り組みこそ、実は禍根を残している。すなわち、巨額の予算をつぎ込んでいるが、それが適正に使われているかどうかについてはガバナンスが機能していないため、資金を使う効率が悪い。もう一つは、技術革新の主役は民間であり、政府はあくまでも脇役である。軍事技術なら政府主導で取り組んでもよいかもしれないが、普通の科学技術のイノベーションは民間のほうが効率的と思われる。

ダイバーシティ（多様性）の欠如

既存の研究では、19世紀までのイノベーションは単発的に行われていたのに対して、20世紀以降のイノベーションのほとんどはグローバリゼーションが進むなかで、グローバルネットワークによって実現されたものといわれている。特に、1990年代以降のIT革命を受けて、バーチャルイノベーションによって技術進歩が実現されている。その特徴としては、グローバルネットワークを通じたダイバーシティ（多様性）の結合がイノベーションの成功に大きく寄与していることである。

このような観点から、本来ならば多民族国家である中国は、イノベーションに長けているはずである。黄河文明あるいは長江文明はまさに中国国内のダイバーシティに立脚して実現されたものと思われる。問題は1949年以降、前述したように言論が封じ込められ、国家が主導する技術革新のみ行われ、その結果ダイバーシティの比較優位を完全に失ってしまったことである。やはり自由のないところには創造性など現れない。

改革・開放以降、言論統制が完全に解除されたわけではないが、毛時代に比べ、輸入図書の翻訳、外国映画の輸入、留学の自由化、外国旅行の自由化など、海外との人的・文化的な交流に加え、情報の伝達もかなり自由化された。このような自由化の動きはこれまでの40年間のイノベーションに大きく貢献したといえる。この点について中国の産業分布をみれば、一目瞭然である。

これまでの40年間の経済発展は産業と地域ごとの一人あたりＧＤＰの拡大のいずれも、「北低南高」と「西低東高」になっている。中国の近代的産業基盤は、もともと旧満州時代に日本が東北部で鉄鋼や機械などの製造工業地帯を構築したのが嚆矢だった。中華人民共和国が成立したあとも、旧ソ連の経済支援を受けて、自動車と石油精製などの産業が経済成長の土台になっていた。

だが、改革・開放以降、東北と黄河以北の経済・産業は経済成長の潮流に乗り遅れてしまった。若手の人材は広東省や上海市に移住するなど南東部へと流失している[5]。また、毛時代、台湾と米軍の攻撃に備えるために、沿海部にあった機械などの重点工業が内陸の山間部に移転させられた。このことは俗に「三線建設」といわれている。改革・開放以降、西部地域の経済成長も大幅に立ち遅れ、江沢民政権のとき西部大開発に取り組んだにもかかわらず、西部地域の経済はキャッチアップできていない。

１９７８年の改革・開放以降、東北部と内陸部の経済発展は大きく立ち遅れた。その代わりに、南部沿海部の経済がすばやく離陸した。中国をドラゴン（龍）に喩えれば、龍の頭は高く上がったが、その尻尾はなかなか上がってこない。中国国内の地域格差は縮まるどころか、むしろますます拡大する一方である。

何人かの経済学者は、香港華僑と台湾企業の資本と日本企業の技術が結合したからこそ、広東省や福建省の経済が順調に離陸したのだ、と指摘している。この総括は間違っていないが、１９９０年代後半、広東省の自動車と機械の産業クラスター形成に加え、ＩＣＴ産業も急速に台頭した。それは単に香港や台湾資本と日本企業の技術のお陰だけではない。重要なのは、深圳を中心とする広東省の産業基地の発展は、中国の対外経済のゲートウェイである香港からさまざまな文化（アイデアと情報）の流入があったから飛躍したのだということである。これらのアイデアと情報が深圳の若者の向上心と結合して、半導体、ネットサービス、移動通信機器などの新しい産業が促されたのだった。

しかし、今は、深圳経済は深刻なチャレンジに直面している。というのは、習政権が経済統制を強化しているからである。経済統制を強化することでせっかくのダイバーシティが阻害されてしまいかねない。２０２０年10月に開かれた共産党中央委員会の五中全会で新しい長期経済計画などが採択され、これからそれに向けて邁進する意気込みのようである。たとえば、習政権は２０３５年までに一人あたりＧＤＰを現在の1万ドル程度から3万ドルへと、実質的に先進国入りレベルにまでの拡大を目指すとしている。

中国社会と中国経済のファンダメンタルズからみて、この目標はいつかは実現できると思われるが、現状の「経済統制を強化するやり方」のままでは、自分の手足を縛って走ろうとするような愚かな発想といわざるを得ない。これでは、どんなに現実的に実現可能な目標も実現できなくなる。

中国経済をさらに発展させる方法はきわめて簡単である。政府による干渉を最小化し、国有企業と民営企業を公平に扱い、人民に自由を与えれば、中国社会に現存するポテンシャルが華僑のネットワークと結合し、そのダイバーシティから生み出される原動力はさらなる経済発展を生み出すことができるだろう。

2 中国の「三つの世界」理論

政治改革の停滞と経済自由化の逆戻り

中国政府は自らの発展をpeaceful rise（平和的台頭）[6]と性格づけている。このコンセプトを最初に発案したのは、胡錦濤政権時代の中国共産党大学校[7]の鄭必堅校長だといわれている。胡錦濤国家主席（当時）によると、平和的台頭とは「中国の発展が世界の発展に利するものであり、中国はいかなる外国とも軍事衝突を望んでいない」というメッセージだった。この平和的台頭のコンセプトは最高実力者だった鄧小平によって提起された韜光養晦（とうこうようかい）を踏襲したものとされている。韜光養晦とは実力を覆い隠し、時期を待つことという意味といわれている。

鄧のこの言葉は中国の外交政策の神髄とされているが、問題は、いつまで実力、すなわち国力を覆い隠しておくのか、そして、待つ時期（タイミング）をどのように判断するか、である。この判断については、指導者個人の主観的な判断になりがちである。鄧の世代は戦争をよく知る世代だった。そのうえ、彼本人は毛沢東時代に、繰り返し迫害を受けた人生だった。言い換えれば、鄧の人生そのものが韜光養晦の人生だったといえる。

江沢民と胡錦濤は戦争こそ経験していないが、毛沢東時代の文化大革命の残忍さを十分にわかっているはずである。問題は、習近平指導部のほとんどが文革大革命（1966－76年）のとき、毛沢東思想教育を受けた元紅衛兵世代であることだ。元紅衛兵は毛沢東が引き起こした政治キャンペーンの被害者であると同時に、加害者でもある。彼らは造反有理の信条を信奉し、権力に崇拝する傾向が強い。特に、現在60代後半の習近平世代は中等教育を終えないまま、毛沢東の号令によって農村へと下放されてしまった。習近平自身も、副総理だった父親が文革のとき追放されたのを受けて、貧しい西北の陝西省の農村に下放された。その後、推薦で「工農兵学員[8]」として清華大学に進学したが、正規の教育を受けていないといわれている[9]。

客観的にみれば、向こう数世代の指導者は、おそらくいずれも元紅衛兵世代から選ばれる可能性が高い。この歴史的な偶然性と重なって、中国では民主主義、自由と人権に関する国民の啓蒙活動がほとんど行われていないため、中国社会の空気は文革時代に逆戻りしているのではないかといわれている。

元紅衛兵の指導者たちは毛沢東時代を彷彿とさせるイデオロギー教育を強化しようとしている。2019年5月4日は反帝国主義の「愛国五四運動」の100周年にあたる記念だった。習近平国家主席は談話を発表し、若者に「愛党愛国」（共産党を愛し、国家を愛する）を呼びかけた。このコンテキストにおいて「共産党＝国家[10]」というロジックになっている。

このように歴史的にみれば、中国の台頭とは、一貫してナショナリズムの高騰と相乗的に高まるムーブメントである、といってよい。昔から欧米諸国において、中国の台頭を警戒する動きがあった。現在でも、中国の経済が発展して国力が強化された場合、欧米諸国を敵視するナショナリズムが台頭するのではないかと懸念されている。特に、かつて欧米諸国による中国に対する侵略行為を清算しようとするナショナリストたちは世論の支持を得て、今後、欧米諸国と対立する可能性があるのも事実である。

２０１９年4月、パリのノートルダム寺院が火事に見舞われ、歴史的な文化財の一部が焼失した。そのとき、中国のウェブサイトで「それはかつて北京の円明園を略奪したフランス帝国主義者に対する天罰だ」との書き込みが少なからずあった。本来、ノートルダム寺院の火事と１００年以上も前の列強の中国侵略行為とはまったく無関係のことだが、ナショナリストたちはむりやりそれを関連づけて、火に油を注ぐように愛国（ナショナリズム）のムーブメントを煽っている。

ここでの暫定的な結論として、冷戦時代、欧米諸国にとって、中国は旧ソ連の覇権を抑制するバランスの役割を果たすため、中国に対して経済協力を行ってきた。その象徴として、２００１年に中国は念願の世界貿易機関（ＷＴＯ）加盟を果たした。米国を中心とする先進国の賛同がなければ、中国はＷＴＯに加盟できなかっただろう。

先進国が中国に経済協力を行った狙いとしては、経済発展とともに、中国が徐々に民主化していくであろうという期待があったからである。しかし、米国とＥＵが毎年取りまとめる人権報告をみるかぎり、中国の人権状況は期待外れのものだった。中国は中国自身の道を歩み、先進国の期待通りにはならないことが濃厚となってきている。

中国外交にみられる変化

中国の外交政策の基本的な枠組みは、毛沢東時代に提起された「三つの世界」である。それによると、米国とソ連（当時）の二大超大国は第一世界であり、中国などの発展途上国は第三世界である。それ以外の「中間派」、たとえば欧州先進国、日本、オーストラリア、カナダなどは第二世界とされる。

現在、中国の一人あたりＧＤＰはすでに９０００ドルを超えている（２０１８年）が、中国共産党は依然として中国のことを「発展途上国」と定義している。

三つの世界の枠組みが提起される背景には、１９７０年代当時、中国共産党指導部は米ソの二つの超大国の板挟みとなり、孤立感が日増しに強まったことがある。毛沢東は自らが執筆した論文「中国社会各階級の分析」において、「誰がわれわれの敵なのか、誰がわれわれの友なのか。この問題は革命における最も重要な問題である」と指摘している。要するに、当時、国内の経済建設が行き詰まった中国にとって、外交上の孤立感も強まり、その閉塞感を脱却するために、国際社会で一国でも多くの同盟国を作る必要があった。この「三つの世界」理論が世界に対して発表されたのは、１９７４年の国連大会で鄧小平によって行われた演説の中だった。

振り返れば、当時、中ソ関係が冷え切っていたため、米中が急接近した。米中が接近するきっかけは、旧ソ連の覇権を抑制するためだった。70年代、中国にとってソ連（当時）との関係悪化を受けて、それまで敵国だった米国との関係改善が外交戦略上、効果的・現実的なオプションとなった。同様に、米ソの対立が先鋭化するなかで、米国にとって中国を取り込むことはソ連との覇権争いのバランスとして重要だった。つまり米中の国益が一致したため、両者は急接近したのである。

長い間、多くの米国人にとって、中国はあくまでも貧しい発展途上国であるのに対して、ソ連は米国の真の脅威だった。だからこそ最高実力者だった鄧小平は１９７９年1月訪米したとき、米国民から熱烈に歓迎された。当時、米国からみると、中国は米国の脅威であり得ないということを意味する。

歴史的にみて、中ロは同床異夢の関係にあった。スターリンは社会主義陣営のリーダーだったが、スターリンが死去したあと、毛沢東は自分こそ共産主義陣営のリーダーであると自負していた。当然のことながらソ連はそれを認めない。毛沢東が死去する１９７６年まで中国新華社通信と人民日報は、ソ連のことを「修正帝国主義」と定義していた。この状況下で、外交戦略の必要性からも、中国は米国との関係を改善する必要があった。特に毛が死去したあと、最高実力者・鄧は「改革・開放」というプラグマティックな戦略へと方針を転換させたが、鄧にとっては経済成長を実現するには、米国の協力が不可欠だという思惑があった。

鄧およびその後継者たち（江沢民と胡錦濤）は、中国の経済発展には平和な国際環境が必要であることを十分に認識していた。１９８９年の天安門事件のときには国際社会、とりわけ先進国から経済制裁を受けたが、あれは中国共産党のリスク管理上、最大の失敗といえる。西側諸国が最も大事にしている「民主化」を求める学生と市民に対して発砲したということは、とりもなおさず、西側の重要事項に反旗を翻したと受け取られてしまったからだ。

不幸中の幸いだったのは、その後、中国が「改革・開放」路線を継続したことだった。鄧小平の韜光養晦の考えを継承した江沢民政権と胡錦濤政権は、なんとか国際社会と協調しながら、経済発展を図った。特に、WTO加盟（2001年）、北京オリンピック・パラリンピック（2008年）、上海万博（2010年）は中国経済と社会がグローバル化する推進力だった。

では、中国の外交政策は変化したのだろうか。

2013年3月の全国人民大会で、習近平国家主席とその指導部が正式に選出された。そのとき、中国経済はすでに日本を超えて世界二番目となっていた。元紅衛兵の習近平主席は天安門の上に立って天下を見下ろして、自らが崇拝する偶像毛沢東といくらか錯覚したにちがいない。毛は社会主義陣営のリーダーになるという夢を実現できないまま世を去ったが、習はいま、自らの夢を実現しようとしている。それは「中華民族の偉大なる復興」という中国の夢である。この夢を実現するツールとして、一帯一路の巨大なプロジェクトの推進と中国製造2025プロジェクトの実現を目指す。このとき習近平国家主席およびその取り巻きを勇気づけたのは世界銀行が試算した購買力平価で再計算された中国のGDPであり、すでに米国を超えているという試算が出たことだ。

習近平国家主席の「第三次革命」

習近平国家主席自身は中国で「紅二代」と定義されている。それは革命世代の二世という意味である。二世としての使命感は、親の世代が命を賭けてかち取った政権をこのまま維持していくこと、つまり共産党の統治体制をこのまま続けていくということである。

ここ数年、米国の対中政策に最も影響を与えた一冊の本『China 2049——秘密裏に遂行される「世界覇権１００年戦略』[11]は世界でベストセラーとなった。著者のピルズベリーは元ＣＩＡ情報分析官として中国関連の情報収集と分析を担当していたといわれている。同氏の洞察力に基づくわかりやすい描写は、中国を詳しく知らない読者に強い印象を与えるものである。２０１８年、ワシントンの保守系シンクタンク、ハドソン研究所でペンス副大統領（当時）が行った、中国に宣戦布告するような演説にも、この本が強く影響したといわれている。

この本の長所はわかりやすい描写であるが、短所は中国覇権戦略を過大評価しているところである。本の前半はＣＩＡでの情報収集と分析の経験を踏まえ、コンパクトに書き上げてわかりやすかったが、後半はやや材料不足気味の感があり、「世界覇権１００年戦略」との結論づけには、若干無理があったといわざるを得ない。

むろん、習近平国家主席が中国建国１００周年を意識して共産党統治基盤を固めているのは間違いない。そのために、習政権は内部統制を強化しているが、グローバル戦略は未成熟なものといわざるを得ない。

習政権の一番の弱点はその正統性を証明できないところである。だからこそ、習政権は自らの理論武装を行うために、習主席を「核心的な存在」と位置づけ、「毛沢東思想」「鄧小平思想」に続く「習近平思想」を打ち出したのである。

習近平政権の一期目（５年間）は、政敵を粛清するための反腐敗に全力を尽くした。反腐敗で粛清された政敵は共産党中央委員会元常務委員の周永康や元中央委員会委員・重慶市党書記の薄熙来といった大物ライバルが含まれている。

しかし、いまだ権力基盤が十分に固まっていないなかで、この先いかにして世界覇権を実現するというのだろうか。中国の政治指導者は内政が行き詰まったとき、外交政策で点数を稼ごうとする傾向がある。まず習主席は自らへの求心力を強化するために「中華民族の偉大なる復興」を呼びかけた。米国の中国研究の権威的な存在である米国外交評議会のシニアフェローであるエリザベス・エコノミーは、習主席が主導する中華民族の復興をThe Third Revolution（第三次革命）と定義している[12]。「中華民族の復興」とは「強国復権」の夢である。これは明治時代の日本の「富国強兵」と「殖産興業」と同じ文脈といえる。ポイントは、中華民族の復興が既存の国際社会のルールに則って行われるかどうかにある。

習近平政権になってから、軍備の増強と海洋拡張戦略の強化が進んだ。このことで、先進国を中心に、世界のあちこちから、中国の発展は脅威につながるとみなされるようになった。本来ならば、中国の経済発展は世界経済を牽引する新たなエンジンと期待されていたが、なぜ世界にとって脅威となったのだろうか。アンガス・マディソンの研究[13]によると、中国は清王朝まで、経済規模（ＧＤＰ）において世界一を維持していた。

なぜ清王朝の末期に、中華文明は成長力を失い失速したのだろうか。本書ではこの設問に答える紙幅の余裕がないが、列強に侵されたのは、清王朝が弱かったからなのか、それとも列強に侵されたから、清王朝が弱くなったのか、という因果関係を明らかにする必要がある。一つの事実として認識いただきたいのは、清王朝の末期、政権が腐敗し、同時に鎖国政策によって西洋諸国で起きた産業革命の波に乗り遅れたことが、国力を失う原因だったということである[14]。今の中国共産党幹部の腐敗は習近平政権一期目の反腐敗の「成果」からその一斑を窺うことができる。

3　習政権の国際戦略のあり方

不可解な「捨近求遠」政策

もし日本人に、日本外交の柱とは何ですか、とたずねれば、10人中9人が「日米同盟」と答えるのではないだろうか。それに対して、中国外交の重要な柱の一つはアフリカ外交である。これはいま始まった話ではなく、中国自身がまだ貧しい途上国であった毛沢東時代から、すでにアフリカの一部の国への経済援助が実施されていた。今日では、経済援助の対象をアフリカ全域に拡大している。筆者は小学校のとき、中国援助隊がタンザニア、ザンビアの鉄道建設を援助していることを教わった。それに参加した技術者の一人を学校に招いて、アフリカとはどんなところかについて講演してもらった。ただし、なぜタンザニアとザンビアという、小学生にとってはアフリカのどこにあるかも知らない国に鉄道建設を援助しなければならないかについては、誰も教えてくれなかった。

一般の中国人民の目線でみると、アフリカとの外交関係の重要性はほとんど認識されていない。実感として、近年中国のあちこちに、アフリカ系の商人らしき人々の姿が増えたな、と感じる程度であろう[15]。

当然、外交は人民の目線からの評価であってはならない。だがそれでも、アフリカ諸国との関係強化については、中国にとっての損得勘定を勘案する必要がある。中国の古いことわざに「遠親不如近隣」すなわち、遠い親戚よりも近い隣人のほうが大事という教えがある。だが、このアフリカ外交に関しては「捨近求遠」すなわち、近隣や目の前の利益よりも、遠い友人との関係を大事にしていることに特徴がある。

アフリカ諸国との関係を大事にするのは、一般に、中国の国連対策の一環として必要な措置であるからだと解釈されている。しかし、そうであるからといって、「捨近」をあえて行う必要性はないと思われる。中国の経済発展にとっては周辺諸国との平和的な環境の構築が何よりも重要であり、国際社会で協調姿勢を強化することが不可欠である。

にもかかわらず、習政権になってから、アフリカ諸国以外の多くの地域および国とさまざまなトラブルを引き起こしている。「三つの世界」の枠組みからすれば、中国は途上国の兄貴分と自負している（アフリカ諸国への経済援助はそのためのコストと認識されており、アフリカ諸国からの要求に惜しみなく応えている）が、見返りとしてアフリカ票を味方につける国連以外の外交は、スムーズに行われているとは必ずしもいえない。南シナ海の領有権をめぐる東南アジア諸国とのトラブルなど、国際外交は大いにぎくしゃくしている。その結果、グローバル社会において中国は必要もないのに孤立しているようにみえる。しかも、孤立化に追い込まれているがために、世界主要国に対する態度はますます硬直化し、まったく妥協する姿勢をみせない。これが前述した「戦狼」外交の正体なのだろう。

近隣諸国の中で中国が良好な関係を保っているのは北朝鮮だけである。もし中朝国境が西側同盟国（韓国）との国境となった場合、軍事戦略上、非常に危険な状態に陥ることは間違いない。現在その間に北朝鮮が緩衝地帯となって存在していることで、軍事均衡が保たれているのである。

しかし、中国にとって北朝鮮の独裁政権に加担することは、決してプラスに働かない。総合的に判断すれば、習政権の外交は民主主義社会との協調外交への脱皮を拒否しているようにみえる。結局のところ、毛時代の途上国の兄貴としてのプライドと自尊心を持ち続けようとしているだけである。しかし、このまま続けていけば、グローバル社会における中国の存在はますます孤立化してしまいかねない。

国際社会で最も注目を集めている懸案は、上でも述べた南シナ海と東シナ海への中国の海洋進出戦略である。これまで「平和的に」台頭してきた中国が、今後既存の国際ルールに従うかどうかが課題である。中国政府の言い分は「目下の国際ルールは先進国が作ったものであり、途上国にとって不利なものが多い。したがって、既存のルールは逐次改定されなければならない」という主張である。だが、たとえそれが変えられることになったとしても、中国が望むような枠組みになるかどうかは、まったくわからない。むしろ、今の中国の実力からして、国際社会のルールを変えるまでの説得性を持っている段階に達しているとは到底思えない。

習政権外交の真髄は途上国を巻き込んで、先進国の内政干渉に反撃し、絶対に妥協はしない姿勢を貫く戦法である。米国の同盟国でも国力の弱い国に対しては、経済制裁のカードを惜しまずに切っていく。習政権がこのような強気の「戦狼」を展開できるのは、強い経済力を背景とする自信からである。現在、世界の主要国の経済のほとんどが中国の工場と中国の市場に依存しているといっても言い過ぎではない。中国と喧嘩して中国に制裁されれば、これらの国の経済は深刻なダメージを受けることになる。かつて「米国がくしゃみをすれば日本が風邪をひく」と言われた時代があったが、いまは「中国が咳をすれば、世界の多くの国も体調が悪くなる」と、少なくとも北京はそう考えている。鄧小平の韜光養晦の外交戦略はもはや歴史的なものであり、現実的なものではなくなった。

世界の中心国になる条件

歴史家によれば、「中国」という国名は「世界の中心」という意味のようである。だが、歴史をさかのぼると、元(げん)王朝のチンギスハンのヨーロッパ遠征以外、中国歴代王朝は外国を侵略した記録がほとんどない。古代中国王朝の国力からすれば、朝鮮半島やベトナムなどインドシナ半島を支配しようと思えば、何も難しいことがなかったはずである。

なぜ中国の歴代王朝は外国を支配しようとしなかったのだろうか。最も可能性が高いのは、歴代王朝が、中国は世界で最も豊かな中心国であり、外国を「夷」、すなわち野蛮民族と呼んで、彼らを支配するインセンティブがなかったからだと考えられている。中国の歴代王朝は周辺諸国でも直接支配するよりも、朝貢関係を結び、一種の集団的自衛権のような関係をつくる道を選んだ。周辺諸国の特使は定期的に中国の首都を訪れ、それぞれの国の特産品を中国の皇帝に「進貢」(贈呈)していた。この関係は華夷秩序とも呼ばれている。華夷関係にある周辺諸国が外国に侵略された場合、中国の王朝は出兵し、侵略戦争を平定した。

前述したように、中国では自国文化に関する研究が、外国問題に関する研究よりも遥かに熱心に行われている。その背景には、まさに中国人の強い自意識があるからである。2019年まで毎年、中国で開かれた中国アフリカ協力フォーラムはその好例といえる。習主席は大国の元首として、数百人ものアフリカの元首および特使ならびに各種団体の代表と会見して、その雰囲気を存分に味わい、満足する様子をみせる。このフォーラムで習主席は６００億ドルもの経済支援を約束した。アフリカのエリートの人たちは巨額の経済支援を手に入れることができるため、中国のいかなる要求あるいは要請にも喜んで応える。そのうちの一人が世界保健機関（ＷＨＯ）事務局長のテドロス・アダノム・ゲブレイェスス（エチオピア）である。

中国とアフリカ諸国のエリートとは、いろいろな意味でウィンウィンの関係を構築しているようにみえる。たまたま、このフォーラムのときに、筆者は出張でその会場となった杭州に訪れた。同じホテルにたくさんのアフリカ人参加者が泊まっていた。朝ごはんのとき、周りのアフリカ人はみんなファーウェイやシャオミなど中国ブランドのスマホを手に持っていたのが印象的だった。

もともと毛沢東はスターリン死去後、自らが世界社会主義陣営のリーダーと自負していた。だが、スターリンの後継者のフルシチョフやユーゴスラビアのチトーなどは毛の指導的立場を認めなかった。同じ文脈からして、習主席は毛と同じ夢を見ているが、現時点では中国が世界の中心（覇権強国）になっているとはいい難い。

途上国に対する経済援助を惜しみなく行えば、途上国のリーダーたちは喜んで北京に「朝貢」しに来る。しかし、世界のリーダーになるには、世界中にカネをばらまくだけでは不十分である。世界と共有できる価値観、文化、文明がないと、世界のリーダーにはなれない。この点については拙著『中国「強国復権」の条件――「一帯一路」の大望とリスク』で詳述したので、ここでは詳しく述べないことにする。

中国が世界の中心国になろうとする夢については、否定的に考える必要はない。しかし、そうなるためには中国が世界に信頼される存在にならなければならない。目下、習政権はG7をはじめとする世界主要国との関係改善に手こずっている。原因の一つは、習政権は中国が民主化するというレジームチェンジを拒否しているからである。習政権は先進国から、優れた科学技術は習得したいと思っているが、民主主義の制度と枠組みは受け入れるつもりがないからだ。

元紅衛兵たちのヘゲモニー

1960年代、毛沢東は文化大革命を発動するために、幾度も天安門の上から赤い指導者の擁護を使命とする紅衛兵たちと会見した。中国の建築家によると、天安門はその上からそれに一番近い眼下に立つ人をみると、その大きさは実際の18分の1以下にしか見えないように設計されているそうである。なぜならば、それは皇帝に、自分が天下[16]を支配していると思い込んでもらうためといわれている。毛も同じように、自分の「衛兵」を観察しながら、彼らと会見したにちがいない。

文革が始まった1966年から数えれば、2021年現在、実に55年の歳月が経過した。当時、毛を心から崇拝する紅衛兵たちは今やほとんど60代後半になり、中国各界の指導者、すなわち大黒柱になっている。少なくともこれらの元紅衛兵たちは毛の強権政治の思想について共鳴しているはずである。

このような強権政治は毛の専売特許というよりも、中国人の遺伝とも関係するものである。具体的にいえば、毛の思想は古代帝王学を教える『資治通鑑（しじつがん）』[12]とレーニンの思想をハイブリッドしてできたようなものである。中国人が最も嫌がるのは、面と向かって面子（メンツ）を潰されることである。自らを厳しく批判する相手に対して、中国人も容赦なく反撃する。米中貿易戦争を仕掛けたトランプ大統領に対して、習近平国家主席は「わが国の文化と習慣は、やられたら必ずやり返す、歯には歯」と述べ、国内向けの演説で人民に反撃を呼びかけた。同時に、前述したが、朝鮮戦争に参戦した中国人民解放軍の壮絶な物語を描いた映画が連日のように中央電視台（ＣＣＴＶ）で再放送された。このような考えとやり方はまさに毛のＤＮＡを如実に受け継いだものといえる。

それに対して、中国人は自らをほめる相手に対して、たとえそれが嘘であっても、それに対して倍返ししようとする。改革・開放以降、中国とうまく向き合った外国人のほとんどは、どんなことがあっても、中国のことをひたすらほめる者ばかりである。その代表の一人が米国の元国務長官キッシンジャー博士である。キッシンジャーは中国で「友好人士」と定義され、北京を訪問すれば、国家主席か首相と会見できる。これも中国政府のある種のお返しといえる。

だが、最高レベルの外交政策といえば、敵を友に変えていくことのはずである。この点は中国外交の一番の弱点なのだろう。すなわち、敵をますます敵対させてしまうのが中国外交の特徴である。逆に、友に対しては、受けた恩恵以上に優遇し、まるで親族のように取り扱う。中国人のこのような距離感は外国人にとって一番理解しにくいところである。この判断を誤ると、身に「チャイナリスク」が降りかかる恐れがある。

結果的に、中国のこのような外交政策は、おのずと将来世界を二分してしまうことになる。それは中国にとっての友好国と敵対国の二者択一になる。しかし、世界のリーダーになろうとする大国は敵対国とも会話できるようにしなければならない。リーダーとして、もっと寛容にならなければならないということである。

中国経済が発展しているうちは、中国に工業製品などを輸出しようとする国は中国に対して忖度・迎合するだろうが、中国経済が減速した場合、これらの「友好国」はおのずと離れてしまう可能性がある。それについて習政権はもう少し冷静になる必要がある。

【第6章・注】

(1) 北京大学教授（経済学）。

(2) 米中貿易戦争の中で中国の「千人計画」が外国からハイテク技術を盗むための枠組みとして問題視されている。もともと海外から一流人材を招致するための花形政策のはずだが、2020年4月18日を境に、中国国内のウェブサイトで「千人計画」を入力して検索しても、検索の結果が表示されなくなった。

(3) 彭徳懐は朝鮮戦争の司令官であった。毛は長男・毛岸英の朝鮮入りを認めた。彭にとって国家主席のプリンスともいえる岸英の取り扱いは難しかった。岸英の仕事は文書係兼ロシア語通訳だった。1950年11月25日の朝、岸英は卵チャーハンを食べようと思って、司令部のある洞窟を出て、炊事用のテントでチャーハンを炒めていたところ、薪を燃やす煙が米空軍の爆撃機に見つかり、爆死した。毛は長男を失ったことを彭の責任にすることはできなかったが、彭に対する怨恨が残ったともいわれている。

(4) 北京の big mouth は一人や二人だけではない。中国人民大学の金灿栄教授（政治学）は中国国内のSNSに自らの動画をアップし、そのなかで、「これから地球上には二カ国しか存在しなくなる。一つは中国、もう一つは外国。中国と外国がウィンウィンになるゲームというのは、中国が二回勝つということである」と意気込んだ。

（5）何回も深圳へ出張で行ったことがある。深圳は広東省であるが、広東語はまったく聞こえてこない。平均年齢の低い深圳人は標準語を話す人も少ない。四川なまり、湖南なまり、山東なまりなどさまざまななまりのマンダリン（北京語）が聞こえてくる。きわめて不思議な体験だった。

（6）２００３年、ボオアウ・アジアフォーラムではじめて提起されたもの。

（7）共産党大学校は共産党幹部を再教育するための機関である。本校は北京にあり、各省・市に分校が設置されている。その教育の内容はイデオロギーなどの哲学や思想が中心である。筆者は北京本校のキャンパス内にある小さな書店を覗いてみたことがあるが、意外なことに『連邦制に関する考察』など、普通ならば、許されない研究書が並べられていた。

（8）「工農兵学員」とは、文革のとき、大学入試が廃止されたため、国営企業の労働者、農民と人民解放軍の兵士のなかから、共産党への忠誠心の強い若者が共産党幹部の推薦で大学に進学した大学生たちのことである。彼らの多くは学力がなかった。

（9）毛沢東元秘書の李鋭は、習近平が浙江省の幹部だった時代、共産党中央組織副部長として中央政府の幹部に抜擢するかどうかについて習の適正審査を担当したとき、習を抜擢するよう推薦した。その理由が「習の父親の習仲勲元副総理の人柄がよかったから」だったと証言している。

（10）トランプ政権下、ペンス副大統領やポンペオ国務長官をはじめとする高官たちは、たび重なる演説で、中国と中国共産党（ＣＣＰ）を区別するように論を展開している。

（11）Pillsbury (2015) *The Hundred-Year Marathon China's Secret Strategy to Replace America As the Global Superpower*, St. Martin's Griffin（邦訳：野中香方子訳『China 2049――秘密裏に遂行される「世界覇権１００年戦略」』日経ＢＰ社、２０１５年）。

（12）Economy, Elizabeth C. (2018) *The Third Revolution Xi Jinping and The New Chinese State*, Oxford University Press.

（13）Maddison, Angus (2004) *The World Economy: Historical Statistics (Development Studies)*, OECD.

（14）拙著『中国「強国復権」の条件』（慶應義塾大学出版会、２０１８年）も参照されたい。

（15）広東省の広州にリトルアフリカともいえるアフリカ商人が集中して住んでいる地区がある。彼らは中国の安い商品を調達し、本国に送る。現代版のシルクロードを彷彿とさせる。

(16) 中国社会科学院アメリカ研究所元所長資中筠によると、中国人はよく愛国を口にするが、中国人は近代まで国の概念がなく、あるのは天下である。したがって、古代中国の皇帝はいつも天下を取るといっていたといわれている。

(17) 宋の司馬光が1065年の英宗の詔により編纂して、1084年に完成した歴史書である。この書は帝王学を教える政治の書であり、毛が生涯最も愛読する書の一つである。ちなみに、毛が愛読するもう一つの書は『紅楼夢』だった。

第Ⅲ部

取り残される旧態部分

第7章　二極化で置き去りにされる階層

世界各国で非常に多くの人々が、社会の仕組みによって政治的自由と基本的な市民的権利享受することを拒まれている。このような権利を与えないほうが経済成長を刺激するのに役立ち、急速な経済発展にとっては「好ましい」のだという主張もある。権威的な政治が実際に経済成長の助けになるという証拠はほとんどない。（中略）貧困は単に所得が低いということではなく、基本的な潜在能力の欠如である、とみなすことには十分な理由がある。

アマルティア・セン[1]『自由と経済開発』

経済学的には、所得格差は所得分配の不公平によって生じるといわれている。所得分配を平準化するためには富裕層に対する課税を行い、低所得層に対する生活保障を強化し、所得分配の平準化を図ることが有効とされている。しかし、現実には、民主主義の国でも所得格差が拡大している。その原因はグローバリゼーションの広がりやＩＴ革命の結果にあるとも指摘されている。実際に富裕層の一部はその住民票を所得税率の低い国や地域に移し、節税ないし脱税に奔走している。特にデジタルビジネスに携わる富裕層に対しての課税が不十分である。トマ・ピケティは、所得分配の平準化は一国の努力だけでは不十分であり、それに対する国際課税制度の再構築を提案している[2]。

グローバリゼーションの進展が所得格差の拡大をもたらす可能性として、グローバリゼーションの潮流に乗れない低所得層がますます落ち込んでしまうことと、グローバリゼーションが進展するなかで途上国の資源が略奪される結果、地域格差がますます拡大するといわれている。また、IT革命が所得格差をもたらすメカニズムは、質・量ともに情報の格差が原因といわれている。

筆者の見るところ、これらの指摘はそれぞれ一理あるが、完全ではないように思える。長年、世界銀行をはじめとする国際機関は途上国の開発を推進するために、制度の構築を中心とするキャパシティ・ビルディングを提言してきた。しかし、日々激化する国際競争の中で、途上国は先進国と同じルールで競っても、結果は最初から自明である。

一方、社会主義体制を堅持する中国では、今日までマルクス＝レーニン主義が信奉されている。マルクスの考えでは、所得格差の原因は資本家とブルジョア階級による搾取にあるとされる。レーニンは貧困を撲滅し、格差を消滅させるには、武力を行使して、資本家とブルジョア階層を弾圧しなければならないと主張する。毛沢東が率いる中国共産党はマルクスとレーニンの主義主張を実現するため、プロレタリアート革命を引き起こした。

毛時代の27年間（1949－76年）、経済成長が停滞していたこともあり、所得格差の拡大はなかったようにみえた。しかし戸籍管理制度によって都市と農村の格差は拡大する一方だった。当時、農民の生活と都市部の住民の生活との間には月と鼈（すっぽん）ほど大きな格差があった。むろん、都市の住民の生活も決して楽ではなかったが、政府によって最小限の保証が一応提供されていた。

改革・開放以降、鄧小平は人々のやる気を喚起するために、「先富論」すなわち、一部の人だけでも先に豊かになれるようにインセンティブを付与した。その結果、中国経済は順調に離陸した。しかし、経済成長の果実を享受できたのは先に豊かになった一部の人だけであり、貧困問題は一向に解決されていない。中国社会では誰が先に豊かになったのだろうか。それは共産党高級幹部とその周りに群れる経営者たちだった。富の分配は共産党を中枢として同心円に行われているため、それとの距離によって分配される富の量が大きく異なる。その同心円の中心に最も遠い存在となっているのが農民である。マルクスの理論を当てはめれば、社会主義中国で労働者と農民を搾取するのは、資本家ではなく共産党幹部とその周辺の経営者たちだということになる。

習政権は2020年に貧困問題を完全に解決すると公約した。しかし、序章でも言及したが、同年5月に開かれた全国人民代表大会の記者会見で李克強首相は「わが国には毎月1000元（約1万6000円）で生活する人は依然6億人いる」と述べた。李首相の発言が正しければ、中国には現代においても2億人ないし3億人の貧困人口がいると推計されている。2019年、中国の一人あたりGDPはすでに1万ドルを超えたといわれている。それなのになぜ社会主義中国の貧困問題はいまだ解決されないのだろうか。

1　格差拡大の制度的背景

社会主義体制下の「格差問題」とは

毛沢東時代の中国人は、学校で「米国の人民はみな苦しい生活を強いられ飢餓している。いつかわ

コラム⑦「編集部の物語」

1990年代、中国全土で大ヒットした「編集部の物語」というコメディ・テレビドラマがある。この物語の一シーンで、職場でいつも資本主義を痛烈に批判する編集者の一人（中年女性）が娘を米国に留学させようとする。それを知った同僚たちは、わざと「なぜ自分の娘を、貴方がいつも罵っている、あんなひどい資本主義の国に行かせようとするの？」と聞いた。するとこの編集者は「私の娘が米国に留学するのは、米国の資本家たちの墓場を掘り、米国のプロレタリアートを解放するため」だと答えた。

れわれは彼らを解放しに行こう」と教えられ、ほとんどの生徒はこの教師の言葉を信じ込んでいた（コラム⑦を参照）。

改革・開放以降、1980年代初頭、中国人の国費留学生としてはじめて米国に行った者のほとんどは、仰天して自分の目を疑った。苦しい生活？　飢餓している？　そのような米国人は皆無ではないが、中国と比べれば、米国はまるで天国のようにみえたにちがいない。ニューヨークやシカゴの摩天楼はもとより、地方の小さな都市の田園風景はのどかでたいへん魅力的である。地下鉄にいる浮浪者はたしかに米国の影の部分だろうが、それをもって米国の繁栄と栄光を否定することはできない。なによりもこの国は自由な国であるということだ。米国人は自分の大統領をテレビなど公の場で批判することができる。それに対して、中国人は指導者批判はもとより、不満をいうことすらできない。

改革・開放によって、80年代以降の中国人は世界や米国社会の実状をある程度は知るようになった。何よりも改革・開放の祖・鄧小平が78年、中国の首脳としてはじめて米国を公式訪問し、先進資本主義国の国力を目のあたりにした。鄧がボーイングの工場を視察した記録映像は、中国国内の映画館などで放映された[3]。

90年代に入ると、中国人は海外のことをかなり知るようになったが、この制限された事例からもわかるように、政府共産党がつくり上げたプロパガンダは、事実と大きく乖離し、大きくねじ曲げられている。それでも、表面的にそれを信じるふりをせざるを得ない中国人は少なくない。当時、露骨に英米に憧れる人は「崇洋媚外」、すなわち外国（主に先進国）に媚びる売国奴と批判される対象になりかねなかった。

問題は、中国社会の実態が、学校教育や官製メディアがつくり上げたプロパガンダと大きく乖離していることにある。当時、ねじれた社会で生活する中国人はどこまで政府の宣伝を信じていたのだろうか。具体的な割合は定かではないが、それを信じない者がいても不思議ではない半面、それを信じる者も大勢いたことも間違いなかった。信じる人の多くは、ハンナ・アーレントの言葉を援用すれば、ソートレスネス（thoughtlessness）すなわち「思考欠如」の人たちだったにちがいない[4]。

また、鄧小平は中国人に働く意欲を喚起するため「先富論」を提唱したが、このことから鄧を筋金入りの共産主義者と定義することにも無理があるといえるのではないか。前述したが、鄧は合理主義者であり実用主義者だった。毛時代に鄧は「右傾機会主義者」と認定された。この認定はおおむね間違っていなかった。改革・開放後の政治学者と歴史学者には鄧をリアリスト、実務主義者と定義する者が多い。彼をいかに定義しても、彼が「筋金入りの共産主義者」でないことは明らかであろう。

改革・開放以降の中国社会は、公有制の農地を家庭単位の生産請負責任制に移行した。同時に、小規模民営企業も現れた。農業に成功した農民の一部は村の若者を雇用し小規模製造企業を創業し、資本家へと変わっていった。都市部では、卸しや小売りを行う零細企業が現れた。これらの小規模ビジネスは国有経済を脅かす存在にはならなかったため、その存続が認められた。

90年代に入ってから、都市再開発に伴う不動産開発ブームが起きた[5]。国有の建設会社の多くは橋梁、油田、鉄道、高速道路などのインフラ建設を担っていたため、不動産開発に民営の建設会社が参入し、急速に成長していった。その後、不動産デベロッパーは国有と民営が入り混じった状況にあるが、民営企業は原価管理や販売に長けているため、国有企業よりも有利な立ち位置にあった。

改革・開放以降の中国の経済発展を振り返れば、中国社会は明らかに古典的な社会主義の平等の原則と公有制に反するようになった。そもそも資本家による搾取に関する定義について、中国社会では、ある言い伝えがある[6]。資本家が8人以上の労働者を雇用すると、それは搾取になる。これは逆にいうと、7人以下の労働者を雇用しても、搾取にはあたらないことになる。この考えはきわめて荒唐無稽であるが、長い間、中国社会ではそう信じられてきた。それは、搾取と認定されたら、反革命分子になり、監獄行きになる可能性が高いからである。

「三つの代表」

江沢民政権（1989－2002年）は、中国社会に存在するこうした矛盾とねじれを解消するために、「三つの代表」の考えを自らの思想として発表した。「三つの代表」とは、「共産党は①先進的な社会生産力を代表し、②先進的な文化を代表し、③最も広範かつ根本的な人民の利益を代表する」という思想である。わかりやすくいえば、マルクスとレーニンが定義した共産主義の主人公（すなわち共産党）は、都市労働者である。しかし、改革・開放以降の中国社会では、民営企業とその経営者がより重要な役割を果たすようになった。現実問題として、民営企業の経営者は共産党員になれるかどうかが問われている。この「三つの代表」の考えが発表され、共産党は最も広範かつ人民の根本的利益を代表しているといわれているため、必定、資本家の利益もそれに含まれているということになる。

これで中国経済はさらに発展できるようになったが、所得の平準化を図る制度的枠組みが依然用意されていないため、所得格差は日増しに拡大するようになった。鄧小平をはじめとする長老たちによって始められた改革・開放は経済成長を推進しているが、その富を公平に分配する制度的枠組みの構築は、いまだにできていない。その結果、中国社会は所得格差の拡大とともに不平等な社会になっている。

共産党指導者の特権

中国の首都北京の中心部に「中南海」という要人たちの執務室兼住居のエリアがある。筆者はその中に入ったことはないが、目抜き通り長安街に面している新華門の内側の壁に「為人民服務」という毛時代から広く言い伝えられているスローガンが書かれている。その草書体も毛の直筆のものである。毛はこのスローガンをもってその幹部たちに人民に奉仕するよう呼びかけている。むろん、共産党幹部が人民に奉仕するかどうかについて毛のスローガンはそこまでの威力がない。論を先に進めるために、毛自身が人民に奉仕したかを明らかにする必要がある。毛は生涯、5冊の『毛沢東選集』[7]を出版した。日本人の研究者でも毛の「矛盾論」などの論説に感銘を覚える人が少なくない。しかし、「毛沢東選集」に収録されている文書のほとんどは毛自身が執筆したものではない。この点は毛の周りで仕事していた秘書などが多く証言している。たとえば、毛沢東の知恵とされているゲリラ戦の戦い方は朱徳元帥（当時）の発明だったといわれている。

問題は、毛は自らの「選集」の出版で巨額の印税を手に入れたことである。具体的に毛がどれぐらいの印税を手に入れたかについて、長年、中南海の警備責任者を務めた汪東興（実質的に毛の執事のような存在）が、毛が死去したとき、人民銀行中南海出張所の定期預金の口座（その名義は毛が支部長を務める共産党中南海支部だった）に7000万元以上の残高があり、そのほとんどは印税収入であると証言している。

毛はさらに同出張所にもう一つの個人名義の普通預金口座を持っており、80万元あまりの残高があったといわれている。当時、中国の都市労働者の平均月給は30元前後だった。汪の証言が正しければ、毛の個人金融資産は普通の都市労働者の年収の20万倍に相当する。

ここで簡単に類推してみよう。今日の日本の一人あたりGDPは3万ドル以上だが、新卒社員の年収を300万円と仮定すれば、その20万倍は6兆円という計算になる。このようにみれば、毛の個人財産は共産主義国のリーダーとして、巨額すぎるといわざるを得ない。しかも、それ以外に毛が住む家や日々の生活費はすべて国が負担していた。そしてこのことについて異議を唱える者は誰一人としていなかった。

中国では、共産党幹部の特権が認められる文脈として、「共産党のお陰で中国人民が解放され、みな幸せな生活を送れるようになった。共産党幹部は命を賭けて中国人民を解放した偉大なリーダーである。したがって彼らは多少の特権を享受しても問題視されるべきではない」という暗黙の前提がある。建国後、共産党は国家主席から事務員まで合計24等級に分け、報酬を設定した。国家主席の月給が５６０元だったのに対して、一番レベルの低い事務員（24級）の月給は18元だった（いずれも１９５５年）。両者の格差は31倍にのぼる。給料の格差以外に、一定レベル以上の共産党幹部（大臣および副大臣以上）は食料品などの特別供給サービスを享受することができる。

共産党幹部と国営企業従業員の給料と、共産党高級幹部向けのこのような特別供給システムが確立されたことで、全国的にその影響が思わぬところに出てしまった。政府の幹部と職員から国営企業（改革・開放後、名称は国有企業に変わった）の従業員までその給料が等級制によって縛られているため、個人の努力によって昇進することはほぼなかった。そこで国営企業は従業員のための福利厚生を名目に、種々の実物支給を行うようになった。たとえば、夏には瓶詰の炭酸飲料、中秋の名月には月餅、年末には日本のお節料理に相当するさまざまなご馳走が配給される、などである。

むろん、国有企業の規模が大きければ大きいほど福利厚生は充実するが、小さな国有企業にはそれほど余裕がない。それに集団所有制の企業の場合、福利厚生など実物支給を行う余裕もほとんどない。その結果、若者は、就職するならば国有企業に限る、という考えが主流となり、国有企業の従業員は花形職業になった。この習慣と傾向は今も続いている。

もちろん今日では、国有企業は絶対的な優位性を失いつつあり、大型民営企業の給料と福利厚生のほうが充実している場合が多い。それよりも、共産党高級幹部の特権と政官財の癒着のほうが、上層階級により多くの富をもたらすようになった。

政官財の癒着

前の章で述べたように、中国でビジネスを行うならば、最も重要なのは「関係」(Guanxi)、すなわちコネクションである。「関係」が成立するかどうかは共産党の上層部に便宜を供与できるかどうかにかかる。これは一種のディールといえる。

中国が大きな市場であることは間違いないが、外国企業にとっては、決して参入しやすい市場とはいえない。中国社会で複雑に張り巡らされている「関係」は、川や池の中の水草や藻のようなもので、うっかり水中に飛び込んでしまうと、それに絡まれて命を失う危険性がある。それが「関係」の怖さといえる。外国人や華僑はこういった「関係学」をきちんと学んでから、あるいはしっかり学びながら、中国市場に慎重に参入すべきである。

中国では「関係」を結成する元締めは、いうまでもなく共産党の高級幹部およびその子供、すなわち二世・三世である。彼らは自らの権力・権限をもって企業とディールする。両者の利益が一致すれば、そのビジネスも順調に運ばれる。

問題はこういった「関係」が明文化されたルールによって規定されているわけではないことだ。両者のバーゲニングも中国人と中国社会の独特な暗黙知によって行われている。両者が協力して、その成功報酬として何割を協力してくれた共産党幹部の家族に払えばよいかなどの明確な基準がないため、ときには両者がもめて命とりになることがある。これらの共産党幹部の二世・三世は自らもビジネスを間接的・直接的に行っているケースがほとんどである。彼らのビジネスの多くはグレーなものが多い。その加減を把握することは外国人にとって至難の業といえる。一歩間違えば、法を犯すことになる。

一方、日本では、「長者は三代まで」という言い伝えがあるが、中国も例外ではない。中国の最後の王朝は清王朝だが、その権力構造は「八旗」[8]、すなわち八つの組からなっている。「八旗」のトップはいわば貴族であるため、当たり前のことだが、さまざまな特権を享受していた。しかし、清朝末期になって、満州人のはずだった「八旗」の子孫は馬すら乗れなくなったといわれている。「八旗」の子孫は急速に退化してしまった。今でも、中国社会では、「八旗」の子孫が馬すら乗れない、というフレーズは、向上心のない若者に対する戒めになっている。

同様に、共産党の革命世代はたしかに命を賭けて天下を取った。しかし、今の習政権指導部のほとんどはその二世である。革命世代の二世のごく一部は指導部に入っているが、それ以外の多くは金儲けに走っている。今、その三世もすでに台頭しており、彼らは際限なく富を支配しようとしている。

共産党幹部の三世はすでに清王朝の「八旗」子孫の気配をみせている。たとえば習政権によって追放された薄熙来の子息・薄瓜瓜は米国の名門ハーバード大学に留学していたが、彼が米国で赤いフェラーリに乗っているのを目撃されていた。ナイトクラブで豪遊していた写真もネットにアップされている。薄熙来は、追放される前の最後の記者会見で「瓜瓜は赤いフェラーリに乗っているといわれているが、まったくのフェイクである」と否定した。

習政権は反腐敗キャンペーンで同じ二世と三世の貪欲さを抑制しようとしているが、中国社会の複雑な構図と世相が政官財の癒着是正を阻んでいる。腐敗防止関連の制度が整備されていないことで権力が国民による監督・監視を受けないため、反腐敗の効果は限定的となってしまうのだ。

2　中国社会における格差拡大の性格

地域間の格差

現代中国社会にはさまざまな格差が存在するが、なかでも一、二を争う深刻な格差は地域間格差と階層間の格差である。まず地域間格差をみていこう。

歴史的に経済発展が立ち遅れがちな内陸山間部で、山賊や匪賊が軍閥に発展し、群雄割拠の情勢になってしまう傾向がある。孫文と蔣介石の時代には、いかに軍閥を取り込むかに苦労した。

中国社会は地域性が強い。一つは食習慣が大きく異なる。たとえば中国の四大料理[9]（山東料理、広東料理、揚州料理、四川料理）は、それぞれの味や好みがまるで異なる。山東料理は濃厚な味でこってり、広東料理は素材の味を引き出してさっぱり、揚州料理はやや甘い、四川料理は激辛、と一般には言われている。これに、四川より辛いといわれる湖南料理やら、東北地方の羊肉料理、北西山岳部の刀削麺、ウイグルなどの民族料理などを加味すれば、地域特性は千差万別に等しい。そして料理以上に、方言も互いに通じないぐらい地域ごとで異なる。したがって、中国を統治する難しさは、単に異なる地域をいかに統合するかという以上に、民族性や文化・価値観の相違をどうまとめるかが重要な課題である。

紀元前２２１年、秦の始皇帝が中国を統一する前、中国はまさに諸侯による群雄割拠の情勢だった。その後の歴史をみても、中国が実際に一つの王朝に完全に統一された期間よりも、ばらばらになっていた期間のほうが長い。『三国志』の最初の言葉は「天下合久必分、分久必合」（天下は長く統合されると、必ず分裂する。長く分裂したままだと、必ず再び統合される）とあるが、中国の歴史を如実に記している。なぜ三国志が広く読まれるかについて、おそらくそれは中国数千年の歴史の縮図だからではなかろうか[10]。

中国政府にとって階層間の所得格差（たとえば、農民と都市部住民の格差）よりも、地域間格差の拡大が心配される。たとえば、上海や広東などの沿海部の経済は飛躍的に発展しているが、内陸の貴州省や甘粛省などの経済発展は大きく立ち遅れている。地域間格差は固定化しやすいのが特徴である。これをそのままにしておくと、内陸部で再び山賊と匪賊が出没し、将来的に「諸侯」となり、地域を支配する可能性がある。この不満が昂じて独立へと向かう省が現れ、その運動が連鎖すれば、中東・アフリカで起きたジャスミン革命のような動きにまで広がりかねない。そうなると台湾はおろか、香港、新疆ウイグル、チベットなどがたちまち中国の領土から切り離され、失われるという悪夢が現実味を帯びてくる。

ここで、まず、階層間の所得格差についてみてみよう。現代中国における階層間の所得格差は、事実として避けられないものである。なぜならば、共産党の統治体制によってもたらされたものだからである。たとえば、1949年に中華人民共和国が建国した直後の1951年に、中国公安部は「都市部戸籍管理条例」を公布した。それをきっかけに中国で戸籍の移転が自由にできなくなった。さらに58年、「中華人民共和国戸籍登記条例」が公布され、すべての戸籍について「農業戸籍」と「非農業戸籍」に分けられた。これは封建時代の身分制度の固定化にほかならない。

戸籍管理が厳格に行われたのは、毛沢東が進めた、農業を犠牲にして工業の発展を優先する「大躍進政策」のためである。それをきっかけに中国は深刻な食糧不足に陥り、その克服のために、都市戸籍を有する住民に対して食糧の配給制が実施された。一方食糧の生産元である農民には何の保障もなく、自分でやりくりするしかなかった。結果的に、毛時代に数千万人が餓死し犠牲になった。

問題は自国の農民を差別する悪名高いこの戸籍管理制度が今も続いていることだ。習政権になってから、李克強首相は都市化の推進を宣言したが、目立った成果は現れていない。なぜ戸籍管理が自由化できないのだろうか。

中国では、農民にとって都市戸籍を取得する方法は、大学に進学し、都市部で就職することに加え、人民解放軍に入隊し、退役してから都市部で就職することが必要条件となっている。これをクリアすれば、都市戸籍を得ることができる。これまでの20年間、市町村合併が進められ、大都市周辺の農村が都市部に組み入れられ、そこの農民も都市戸籍に転換することができた。

図7－1に示したのは、中国の都市人口と農村人口の推移である。1949年、建国当初、都市人口の割合はわずか12％だった。78年、改革・開放が始まったとき、都市人口の割合は18％に増えた

図７－１　中国都市部人口と農村部人口の推移

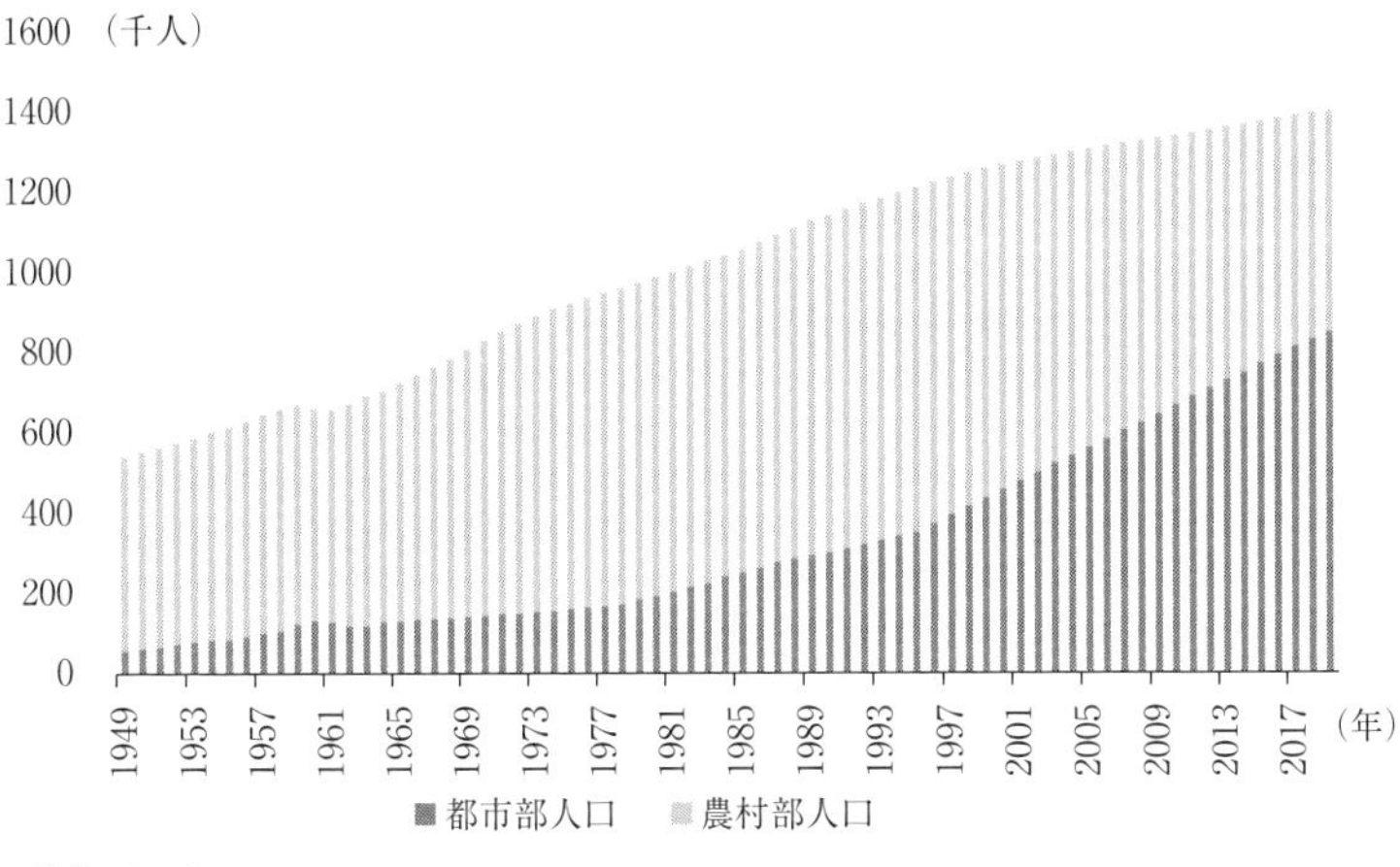

資料：CEIC

が、全体的に都市化が大幅に遅れている。２０１９年、中国の都市化率は60％に達した。しかし、依然40％の中国人は農村戸籍になっている。

中国政府では、戸籍管理を完全に解禁すると、北京や上海などの大都市に人口が集中する人口爆発現象に陥り、社会サービスが追いつかないという心配があるとして、戸籍管理の全面解禁に反対する声が多い。李克強首相は、出生率の低下を受けて、人口ボーナスの減少を補う政策として都市化を進め、都市化のボーナスによって経済成長をさらに押し上げていく考え方を示したことがある。しかし、都市のキャパシティを増やすことはそれほど簡単ではない。なによりも、都市化は都市空間を増やすだけでなく、新たな雇用を創出しなければならないからだ。

階層間の格差

本来ならば、社会主義の中国では、階級闘争を繰り返した結果、身分制は存在しないはずである。平等を究極的な目標に政権を運営してきた共産党は、階層間の格差の拡大を看過しないはずである。しかし、社会主義になる前に、中国には少なくとも2000年以上、身分制が存在していた。日本も江戸時代には士農工商という身分制度があったとされるが、そのような制度の起源は中国の春秋時代（紀元前770－同221年）といわれている。

古代中国では、士は武士ではなく、知識人を意味するものだった。清朝末期の学者・趙翼はその著書『陔余従考』の中で、社会階層を「一官、二吏、三僧、四道、五医、六工、七匠、八娼、九儒、十丐」と分類した。九番目の儒はまさに知識人である。1949年、社会主義中国になってから、毛沢東は趙翼のこの分類を援用し、知識人を「臭老九」すなわち臭い九番目と呼んで、中国社会の最下層に位置づけた。

1978年の改革・開放以降、大学受験が復活し、知識人が再び重要視されるようになった。問題は今、どういう人が中国社会を主導しているかである。中国には9000万人前後の共産党員がいるといわれているが、彼らが人民を代表して中国社会を運営しているわけではない。中国社会をコントロールしているのは彼らの一部である共産党高級幹部である。それに、前述したように、彼らと癒着している官僚と財界人である。これらの特権階級が実質的に中国社会を支配しているのだ。

しかし、いかなる社会でも階層の低い層は上の階層の行いを真似しようとする。上層部の特権こそ手に入れることができないが、下層のグループは自分の権限の範囲内で資源を支配しようとする。結局のところ、階層間の資源の奪い合いは社会と経済をどんどん弱体化させている。

皮肉なことに、前述した通り、共産党は「為人民服務」（人民に奉仕する）をスローガンにしていることである。言っていることとやっていることがあまりにも乖離しているから、人民に信用されなくなった。

中国の小学校の教科書には、明王朝の学者・顧炎武の「天下興亡、匹夫有責」、すなわち「国家の盛衰は、一般の庶民にも責任がある」という言葉が記されている。これは中国の愛国教育、ナショナリズムの出発点といえる。しかし、顧炎武のもともとの文章には、もう一言がある。それは「天下興亡、匹夫有責、肉食者謀之」だった。「肉食者謀之」とは、肉を食べる人、すなわち権力者はそれを実行しなければならないということである。小学校の教科書にはその部分が記されていない。現在の中国の最大の問題は、肉を食べる人は肉を食べるだけで、国のために働かないことである。

小括すれば、中国社会は一つの同心円とみることができ、その中心は共産党の超高級幹部である。その中心との距離によって富の配分が行われている。たとえば農民は、その中心から最も遠く位置しているため、富の配分において不利である。この基本的な構図は数千年の歴史においてほとんど変わったことがない。古代中国では、その中心は皇帝とその一族であった。だからこそ農民の生活が苦しくなり、不満が溜まれば一揆が起き、革命となってしまう。これは中国社会に存在する「歴史の周期律」（前述）である。

毛沢東は「歴史の周期律」を教えてくれた黄炎培に対して、「われわれは『歴史の周期律』を免れる秘訣を見つけた。それは民主主義である」と述べた。もし中国で民主主義が本当に実現していれば、ここで述べている階層社会と所得格差と不平等は生じなかったはずである。結局、皮肉にも、共産党超高級幹部のグループは特権階級となり、かつての皇帝と何ら変わらない存在になっている。

とはいえ、共産党は中国社会で完全に支持を失ったわけではない。図7－2に示したのは中国人口センサスによる年齢層別人口の推移である。このうち50代以上の世代と40代後半の世代は、しっかりした愛国教育を受けていたはずである。彼らにとって、中国が民主化するというのはまさに奇想天外のことである。生活的に貧しくても昔（毛時代）に比べれば、すでに十分に豊かになっている。腐敗は一部の共産党幹部個人の道徳的な問題であり、所得格差も将来的には必ず平準化する、と信じられている。

この世代の見識は改革・開放初期の状態にとどまっており、ほとんど進化していない。ここで重要なのは、日々の生活の中で接する情報の質と量である。

まず、情報の質とは何か。それはその情報が真実かどうかである。これまでの40年間、経済の自由化こそ進められたが、情報統制は一度も解除されたことがない。

ここで一つの実体験を紹介しておこう。いくぶん前のことだが、筆者が香港と上海に出張したとき、まず香港に行った。香港の空港で毛沢東の秘書・李鋭の回顧録を買って、機内で読んだ。そのあと上海空港に着いて、まさか入国時の荷物検査で、その本が問題になった。検査員はその本を持って、検査台の後ろの小さな部屋に入った。なかなか出てこない。到着ゲートのところで知り合いが待っていることを考えて、検査員に急ぐよう要請した。しかし、検査員はイエスもノーも言わない。だいぶ待たされたのち、その本を返され解放された。

何が問題だったのか。実は、彼らには輸入禁止の印刷物のブラックリストがあって、この本はその

図7-2　中国人口センサスによる年齢層別人口の推移

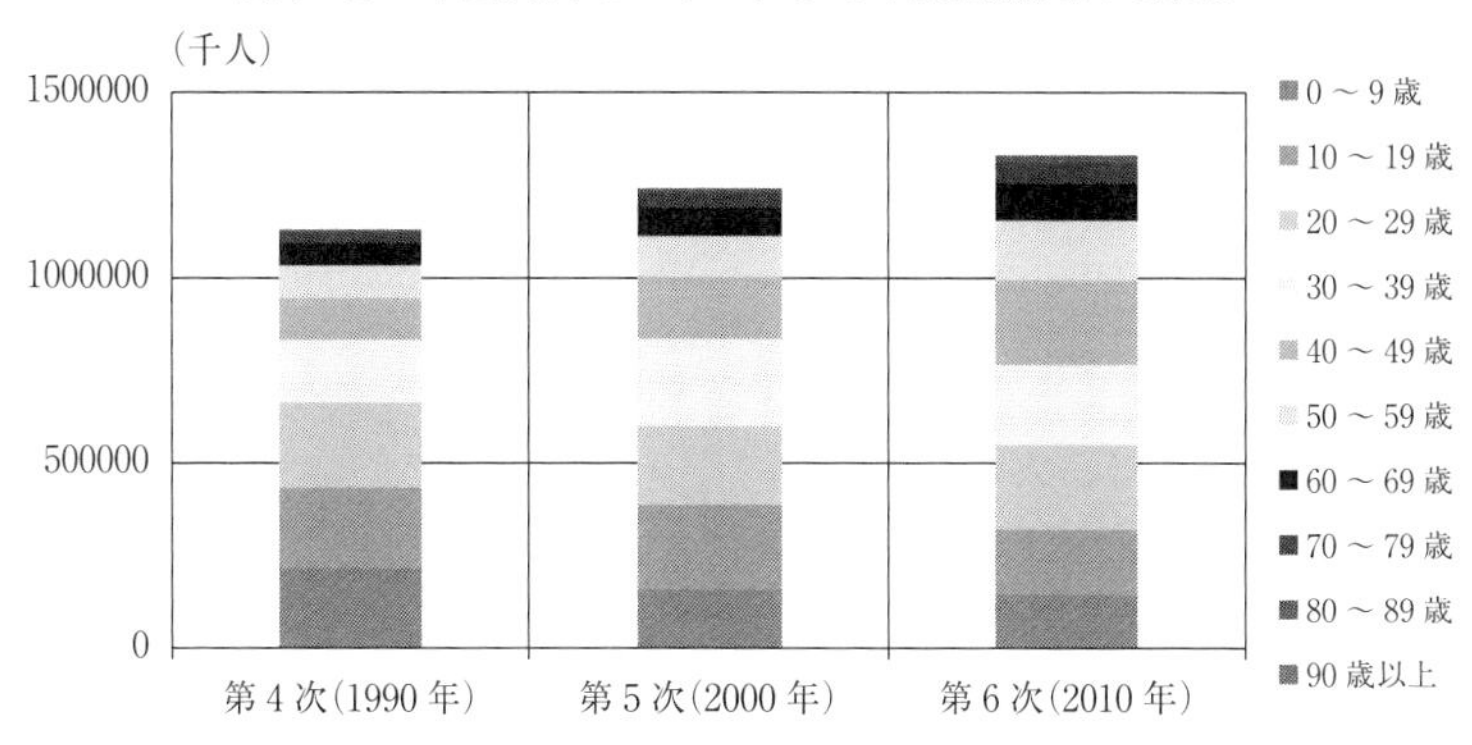

資料：CEIC

リストに載っているかどうかを照合していたのだ。ちなみに現在では、この本は輸入禁止になっているといわれている。

情報管理を徹底するのは共産党への求心力を強化するためであろう。全体の傾向として、上の年齢層ほどマインドコントロールされている傾向が強い。愚民教育あるいはマインドコントロールを有効に進めるための条件は、政府の政策に異議を唱える多様な情報が入らないようにすることである。

年齢層の若い世代ほどインターネットを通じて海外の情報に接する機会が増える。現在、中国のインターネットは海外のニュースサイトやSNSなどにアクセスできないようにファイヤーウォールが設けられている。一部の若者はスマホやパソコンにVPNをインストールして、そのファイヤーウォールを通り抜けて、海外のニュースサイトとSNSにアクセスしてさまざまな情報を入手している。要するに、今の中国は北朝鮮とちがって、情報を完全に遮断することができなくなった。特に、新型コロナ危機が発生する前、毎年約1億6000万人の中国人が海外旅行している。彼らは海外に行って、中国国内では自由に閲覧できない海外の中国サイトを自由に閲覧する。

少し前のことだが、日本で開催されたある国際フォーラムに招かれた北京大学のある教授が、フォーラム中に眠たそうな顔をしていた。コーヒーブレークのとき「昨晩、よく眠れなかったのですか?」と尋ねたら、その教授は苦笑いして「時差ボケ」と答えた。筆者は不思議に「時差ボケ?」と聞き返した。北京と東京では時差はほとんどない。すると、その教授は「ホテルで中国国内では閲覧できないサイトを見続けて、朝になった」と答えた。なるほど、そういう意味の時差ボケかと思った。

結論をいえば、中国で実施されている愚民教育はまったく効果がないわけではない。長年それが繰り返されてきたため、最近では徐々に自己完結するようになった。前述のハンナ・アーレントのいうソートレスネス（思考欠如）の人が一番マインドコントロールされやすい。特に高い年齢層の世代にはその効果が依然として顕著に残っている。

これまでの40年間、少なくとも3～4億人の中国人が大学を卒業した。その多くは多様な情報に接して、その親の世代に比べ、かなり目覚めていると思われる。むろん、その一部は現状が理想的とはいえないが、かといって、大きな変革があった場合、社会が混乱する恐れがあり、今の生活に慣れているという。結局、今の60歳以上の世代が引退し、若い世代が主人公になるまで待つしかないのである。

3　格差拡大の社会的リスクと展開

分税制の改革とその限界

中国共産党はこれまでの歴史から、階層間の所得格差よりも地域格差拡大をより懸念しているようだ。毛時代の計画経済において、上海を中心とする裕福な沿海大都市に対して、より多くの財源を吸い上げていた。その富の大部分は経済発展の遅れた内陸地域に補助金として当てていた。だが、いくら計画経済で政府による所得再配分政策を行っても、地域間格差は縮小しなかった。発展が遅れている地域では、産業が育たなかったからである。

鄧小平の「先富論」によって、沿海地域の経済特区などは飛躍的に発展し、内陸部の地域との格差はいっそう拡大した。このプロセスの中で、地域間格差のさらなる拡大をもたらす深刻な問題が発生した。沿海都市部は経済特区に指定されたため、外国企業が大挙して進出した。外国企業にとって、これらの経済特区に工場を設立すれば、法人税の減免優遇措置を享受することができる。これら外国企業の優れた技術と中国の廉価な労働力とを融合させて、製品の価格競争力がいっそう強化されたのである。

１９８０年代から90年代にかけて、中国に進出した外国企業のほとんどは労働集約型の製造企業だった。しかし、沿海部には労働力が不足していたため、内陸部から数億人の出稼ぎ労働者が沿海部へ押し寄せた。しかし前述したように、中国では戸籍管理制度により人々の移動が厳しく制限されているため、これらの出稼ぎ労働者は都市部の戸籍を手に入れることができず、都市部での出稼ぎが認められる暫定居留証を入手した。

本来ならば、出稼ぎ労働者は沿海部で稼いだ所得の大部分を故郷に送金することから、所得格差の縮小に寄与すると考えられていた。出稼ぎ労働者の家族はその送金によっていくらか生活水準が上昇したが、内陸部全体をみれば、一番生産性の高い若年層の労働力が沿海部へ流出してしまったため、内陸部の産業は発展するチャンスを失った。しかも、都市に出稼ぎに行った者たちの多くは内陸部に帰ってこない。内陸部残留組は高齢者と未成年者が多い。

このような現象は中国に限らず、たとえばフィリピンの若者の一部は東南アジアなどへ出稼ぎに行き、稼ぎの一部を故郷の親族に送金している。しかし、このような出稼ぎ経済がフィリピンの経済水準を押し上げているとはいえないだろう。フィリピンには有望な産業が育っていないからである。

江沢民政権下で朱鎔基首相は分税制の改革に着手した。表7－1に示したのは分税制前後の中央と地方の歳入と歳出の比較である。

1994年に分税制改革が行われた。その前の中央と地方の歳入と歳出をみればわかるように、中央政府の歳入と歳出のいずれも2割台に縮小してした。中央政府がコントロールできる財源が少なければ、所得再配分機能が弱くなると考えられる。中央政府は経済成長が遅れている地方の経済を支援するために、ライフラインなどインフラを整備する必要がある。また、貧困層の生活を保障することも重要である。したがって、中央政府は安定的な財源を確保することが必須である。

一方、地方政府は地方の目線から都市再開発などに取り組む必要があり、そのための財源も必要不

表７－１　中国における分税制改革の効果

年	1980	1990	1993	1994	1995	2001	2002	2003	2004
歳入									
中央	24.5%	33.8%	22.0%	55.7%	52.2%	52.4%	55.0%	54.6%	58.6%
地方	75.5%	66.2%	78.0%	44.3%	47.8%	47.6%	45.0%	45.4%	41.4%
税制階層に伴う税還付分を地方の歳入として計算した場合									
中央	24.5%	33.8%	22.0%	21.1%	26.9%	38.1%	38.0%	37.9%	41.0%
地方	75.5%	66.2%	78.0%	78.9%	73.1%	61.9%	62.0%	62.1%	59.0%
歳出									
中央	54.3%	32.6%	28.3%	30.3%	29.2%	30.5%	30.7%	30.2%	28.4%
地方	45.7%	67.4%	71.7%	69.7%	70.8%	69.5%	69.3%	69.8%	71.6%

資料：中国財政部、大西靖（2007年）「中国財政・税制の現状と展望」財団法人大蔵財務協会

可欠である。要するに、中央と地方のバランスが重要ポイントになるということだ。

中央政府の財源が大きく減少した背景には、中央政府と地方政府の税収がどんぶり勘定になっていたことと、中央政府は徴税を地方の税務局に委託していたからであった。委託を受けた地方の税務局は地方税収の確保を優先にしていたため、中央政府の税収はコンスタントに減少した。

分税制改革の重要なポイントは税項目ごとに、中央税（国税）と地方税に分けられた。そのうえ、徴税について、国税局が新設され、地方税務局への委託が取りやめられた。結果的に中央政府の歳入が大きく増え、経済発展が立ち遅れている内陸部の省と市への補助金（地方交付税）が増額された。

ただし、これで地域間格差、地域経済の不均衡が是正されるとは限らない。内陸から沿海への人手の流失が止まっておらず、内陸地域での産業育成が進んでいないからである。

新たな身分制の出現

前述したように、古代中国社会では、民は士農工商と「四民」に分けられていたが、この「士」は、武士ではなく、誤って「官吏」と解釈されることがある。しかし実際は知識人も含まれていたようだ。というのは、そもそも勉強する目的は科挙試験に受かって官吏になりたいからである。

それに対して、社会主義の基本原則は万民平等主義のはずである。しかし、数千年の王朝の歴史が続いた中国社会は、ある日突然、社会主義に移行すると宣言されても、社会の基盤と基礎はそれによってすぐには変わらない。毛沢東時代の27年間、共産党への忠誠心によって人々、あるいはその家族が「革命家族（紅家族）」か「反革命家族（黒家族）」かに分けられた。たとえば、かつて資本家や地主だった家族は一律「黒家族」に分類された。それに対して「貧農家族」は革命的な「紅家族」と分類されている。

「黒家族」に分類された場合、その子供たちの就職はもとより、婚活も難しくなる。結局のところ、これら「黒家族」の子供の多くは辺鄙な農山村へ下放された。これは毛が提唱した人間改造プロジェクトともいえるものだった（コラム⑧も参照）。本来ならば、都市部では、労働者家族の地位が最も高いはずだが、実際は、毛に追随して革命に参加した革命家の家族が人一倍優遇された。その多くは高級幹部家族と呼ばれていた。北京では、中学校と高校でも、このような高級幹部家族の子弟が多く進学する名門学校がいくつもあった。それは普通の労働者家庭の子弟とは無縁な存在である。

ここで一つ明らかにしておくべきことは、毛沢東時代の中国社会では、すでに特権階級ができていたということだ。貧しい労働者や農民家族はメディアなどで持ち上げられ、優遇されているように感じさせられていたが、彼らの実際の生活はほとんど改善されなかった。共産党がつくり上げるプロパガンダの一つは、全人代（全国人民代表大会：日本の国会に相当）に労働者と農民の代表を少し増やし、彼らをメディアで大きく取り上げさせるという手法だ。その結果、大多数の労働者と農民は自分

コラム⑧　愚民化教育と「雷鋒に学べ」

毛時代の洗脳のもう一つの常套手段は、殉職した解放軍の兵士などをヒーローに仕立てることだった。その最たるモデルは雷鋒（らいほう）という22歳で殉職した若い解放軍兵士だった。（余談だが、筆者も小学校のとき、毎週のように毛沢東の呼びかけ「雷鋒に学べ」に呼応して、さまざまな奉仕活動に参加していた。毛沢東は筆者が13歳になるまで存命）。

当時、雷鋒が軍の宿舎で寝る前に毛沢東語録を学習する写真が広く出回っており、みなその姿勢に学べというのが呼びかけの主旨であった。だが、1960年代の中国で、軍の最も下級の兵士を、どうやって写真に収めることができたのか、さまざまな疑問が提起されている。

雷鋒が行った奉仕活動の一つは、横断歩道などない道路を渡る老人の手を携えていっしょに渡ることといわれていた。中国の全国の小学校で、毛が「雷鋒に学べ」を呼びかけた3月5日に、生徒たちに課外活動として奉仕活動に参加させている。まったく漫才のジョークのような話だが、毎年この日には、年寄りが不足する事態に陥る。もともと道路を渡らない老人でも、小学生たちにむりやり引っ張られ、道路の横断歩道を行き来させられる事例があるといわれている。

が国家の主人公になっている錯覚を起こす。

改革・開放以降、中国社会の風潮は急速に変わっている。毛時代の貧しい生活に見切りをつけて、まるで全国民が一斉に金儲けに走っているような異常現象になっている。現代中国では、拝金主義が横行してしまったのだ。しかし、権力は依然として共産党が握っており、官と経済界の癒着は日増しに深刻化している。その結果、共産党幹部の腐敗が横行している。

昨今では急速に新しい階層化が進み、新たに「官－商－士－工－農」という五層の社会になっている。官は、許認可権を持っているため、中国のすべての資源を支配している。商人は官との人脈をもとにビジネスを展開している。士の知識人は公務員試験を通じて官になることもあれば、自らが起業することもある。工の都市労働者は相変わらず共産党の支持母体だが、その上の階層に跳ね上がる可能性は低い。最下層に位置するのは農民、あるいは農家である。向こう20年、あるいは30年、このような階層化された社会が固定化するものと思われる。

ショックアブソーバーの中国階層社会

マルクスが定義した階級の社会は、中国で本当に実現できるのだろうか。レーニンが定義したプロレタリアートを中心とする平等の社会は、今後出現する可能性があるのだろうか。少なくとも、中国社会の現実をみた場合、平等な社会など一度も実現したことがない。中国の数千年にわたる王朝の時代でも、比較的平等になった時代はほとんどなかった。鄧小平が提起した「先富論」は中国社会、あるいは中国人の気質にぴったり合う考えといえる。つまり、共産党はすべての中国人を平等に豊かにすることなどできないのだ。

　習政権の「２０２０年までに貧困を完全に撲滅する」という未達成の公約に対して、２０２０年の年末に、各地方政府は、貧困を完全に撲滅できたかどうかをもう一度チェックするよりも、習主席のリーダーシップに則ってそれを達成したと宣言するかどうか、迷っていた。特に、貧困人口の多い内陸の省や自治区にとっては、仮にそう宣言してしまうと、２０２１年以降、貧困人口の生活補助金が中央政府から支給されなくなるのだ。

　重要なのは各地方政府が貧困撲滅について勝利宣言を出すかどうかではなく、中国社会で本当に貧困を根絶できたのかどうかである。習政権が平等の社会を実現しようと思えば、租税権や政府に対するモニタリングシステムなど一連の制度づくりを行っていかないといけないはずだが、それには着手できていない。ここに大きな矛盾とリスクが潜んでいる。

　実は、かつての王朝時代と同様に、統治者はその権力の中枢をしっかり固めようとするだけであり、堀、とりわけ外堀を固めるのは二の次になる。この政治論理は日本人読者にとって、とりわけ理解しにくいものかもしれない。日本は自然災害の多い国である。こうした災害に見舞われると、国を挙げてそれを乗り越えようとする。日本ではオールジャパンの考えがすでに定着している。

　中国も災害の多い国である。自然災害に加え、人災も多い。しかし、中国では、オールチャイナの考えはない。また、災害が過ぎ去れば、その教訓を汲み取ることもほとんどない。中国社会が災害を乗り越える秘訣は、それを忘れ去ることである。だからこそ、中国社会で弱者層が常に犠牲にされる心配があるのだ。

首都北京は地方の若者にとって、チャイニーズ・ドリームを実現する夢の地である。地方からの移民は年々増え、学生もいれば、ちょっとした飲食店で働く者も少なくない。時間が経つにつれ、彼らは北京の風景の一部と化している。

しかし、習政権になってから、蔡奇・北京市共産党書記は、北京の住宅街に点在する小さな飲食店とそこで働く北京戸籍を有しない地方移民を「低端人口」と称して、彼らをいきなり排除することに乗り出した。まるで首都北京に住み着いたネズミを撲滅するようなキャンペーンだった。

習政権下の中国社会はマルクスとレーニンが定義した社会主義に向かっているわけではなく、急速に王朝政治と化している。歴史の逆行という大きなリスクとともに。

【第7章・注】

（1）ハーバード大学教授、1998年ノーベル経済学賞受賞。

（2）ピケティ『21世紀の資本』（山形浩生訳、みすず書房、2014年）。

（3）当時、中国ではテレビはまだ一般家庭には普及しておらず、映画館で放映される映画の本編の前に5分ほど国家ニュースが流れる。鄧小平訪米のニュースはそこで放映された。

（4）アーレント『人間の条件』（志水速雄訳、中央公論社、1973年、のち、ちくま学芸文庫所収、1994年）。

（5）不動産開発ブームのとき、日本の定期借地権制度を見倣って都市の再開発も始めたが、不動産ビジネスが急成長したもう一つの背景は、賃貸市場が発達していないため、マイホームを購入する人が多いからである。なぜ賃貸市場が発達しないかというと、中国社会で契約をきちんと履行しなければならない意識がまだ定着していないからである。

（6）この定義はマルクスに由来するものといわれている。

（7）毛の存命期に正式に出版されたのは、『毛沢東選集』のほかに、そのエッセンスを抜粋した『毛沢東語録』がさまざまなサイズと仕様で発行され、国営企業や学校などに配布された。『語録』に比べて、『毛沢東選集』の発行部数は遥かに少なかった。労働者や学生は『語録』の暗記を義務づけられていた。当時、毎日のラジオ放送の始まりに、必ず『毛語録』を一つ引用してからニュースなどを始めなければならなかったほどである。新聞の巻頭も『毛語録』を赤い字で書かないといけなかった。『毛選集』と『毛語録』はまるで聖書のようなものだった。

（8）清王朝の支配階層である満州人を編成する制度と組織は「八旗」だった。「八旗」の旗はその色によって等級が決まる。最も等級の高いのは「正黄」の旗だった。言い換えれば、清王朝の貴族であった。

（9）順に魯菜、粵（えつ）菜、准揚菜、川菜と称する。

（10）日本では、幅広い年齢層の人が『三国志』を愛読している。それは複雑な物語がわかりやすくリライトされているからである。しかも、漫画やゲームの三国志まで創られているほどである。中国では「少不読水滸伝、老不読三国」という言い伝えがある。すなわち、若者は水滸伝を読むべからず、年寄りは三国志を読むべからず、ということである。水滸伝は不満分子の集まりで、殺人や強盗など平気に行う。若者は水滸伝を読むと、同じように犯罪に走る心配がある。それに対して、三国志は謀略の本であり、時間がたっぷりある年寄りは三国志を読むと、毎日、謀略を考えるからだという。

第8章　自由なきところに文化は育たず

卑劣は卑劣な者どもの通行証
高尚は高尚な者たちの墓碑銘
見よ、あの金メッキされた空に
逆さに漂い満てる死者たちの湾曲した影を
北島[1]

2020年11月24日、中国が人工衛星嫦娥5号を打ち上げ、月面着陸に成功したと報道されている。その目的は前人未到の、月の裏側への着陸と、月の土を採集し地球に持ち帰ることといわれている。

これを受けて、習主席は国内向けの談話を発表し、「われわれはすでに宇宙強国になった」と豪語した。振り返れば、中国が最初に人工衛星を打ち上げたのは1970年4月24日だった。当時の中国は極端なモノ不足にあったにもかかわらず、人工衛星の打ち上げにできるだけの財力を投入した。その人工衛星は「東方紅」と名づけられた。もともと「東方紅」は毛沢東を讃える歌の名前である。要するに、人工衛星の打ち上げは毛に対する個人崇拝を煽ることが目的だった。

1978年に採決された共産党の文献を援用すれば、中国経済は破綻寸前にあったといわれているため、1970年の中国経済は非常に惨憺たる状況にあったことがわかる。それでも、人々は飢えに耐えて、国あるいは共産党の快挙を誇りに思った。思い起こせば、それは今日、北朝鮮が核実験を行うのと同じ次元のことだったのであろう。

当時、7歳だった筆者はその光景をかすかに覚えている。「東方紅」は毛を讃える讃美歌であるため、人工衛星が打ち上げられたあと、宇宙から毛主席を讃える「東方紅」の音楽が聞こえてくると大人たちにいわれ、夜、人々が広場に集まった。「東方紅」が聞こえたかどうかはまったく記憶にないが、すごく鼓舞された気がして、それまで以上に心から「わが国はすごい」と国を愛するような気がした。今般テレビ番組で北朝鮮の様子をみると、あのころの中国を彷彿とさせる。

かつて米国人ジャーナリストのエドガー・スノーは共産軍の本拠地・延安を訪問し、毛沢東にインタビューしたあと、*Red star over China*（邦訳：『中国の赤い星』）というルポを著した。その後の中国はスノーの予言通り、赤い星に照らされた。

習主席のいう「中国の夢」がもし実現すれば、そのとき誰かがおそらく新しいルポ *Red star over the World*（世界の赤い星）を著すかもしれない。世界の覇者としての名乗りは、習政権がみる中国の夢である。

本章では、専制政治による強国復権の現実性とリベラリストの主張を照らし合わせて、これからの中国社会の行方を展望することにする。

1　狭まる経済の自由化

計画経済か市場経済かの選択

日本では、学者たちはマルクスやレーニン、あるいは共産主義・社会主義を議論するとき、その体制を、目的というよりも手段として位置づけて考えることがほとんどである。それに対して中国では、政治のコンテキストから、学者や評論家たちはこうしたイデオロギーを社会主義の教義と位置づけ、手段ではなく目的と捉えている。たとえば、１９８０年代の国有企業改革や民営企業の市場参入について、それは社会主義なのか、資本主義なのかが問われていた。合理主義者かつ実利主義者の鄧小平はこのような無意味な論争を止めさせるために、リアリズムの考えから「黒猫だろうが、白猫だろうが、ネズミを捕れる猫であれば、よい猫である」と主張した（のちに左派の保守系学者たちは、鄧小平は黒猫と白猫ではなく、黄色猫と白猫と言っていたなどと無意味な議論を展開していた）。重要なのは猫の色ではない。鄧は複雑が嫌いでシンプルな人だった。

鄧がこの問題を提起したきっかけは、１９８０年代、中国であらゆる改革を行おうとすると、保守系の政治家とその論客は必ず、それが社会主義か資本主義かと問いかけたからである。結局、多くの改革が先送りされざるを得なかった。89年の天安門事件以降、西側諸国による制裁の包囲網を突破し、国内の計画経済に逆戻りする風潮を食い止めるために、鄧は突如として深圳を視察し、改革・開放の加速を呼びかける、いわゆる「南方講話」を行った。晩年の鄧が残した重要なスローガンの一つは「発展是硬道理」、すなわち、発展こそこのうえない理屈であるというものである。

振り返れば、中国が毛の路線と決別し、市場経済に向け邁進するようになったのは決して容易なことではなかった。ソ連と東欧諸国はマルクス＝レーニン主義と完全に決別し、民主主義の道を歩み始めた。それに対して中国共産党は、リアリストの鄧小平が実権を握っていたときでさえ、毛路線を完全に否定しなかった。政府共産党にとって毛の亡霊が依然として国家を統治するうえでモルヒネのような重要な役割を果たしたのである。モルヒネと喩えたのは、毛に対する崇拝は人々の自律神経を麻痺させる効果があるからである。

毛時代、鄧自身は毛路線の被害者[2]だったにもかかわらず、改革・開放以降の鄧は毛に対する評価について3割の過ちと7割の功績と定義したといわれている[3]。それでも、毛の立場はまったく動揺することがなかった。すなわち、毛が共産党の創始者と中華人民共和国の建国の父としての存在が固められた[4]。

一方、リベラル派知識人の代表である茅于軾は「毛を神棚から降ろして普通の人間に戻すべき」と主張している。茅の主張は、毛沢東に対する個人崇拝は依然として中国社会の民主化の妨げになっているという認識である。

当然、このようなリベラル派の主張は、今日の中国社会では公式には許されない。現在、中国国内のSNSなどで茅による発言と書き込みはすべて禁止されている。鄧の考えは政治改革を一切認めず、経済の自由化だけ穏便に進めるということである。穏便に進めるとは、社会主義の基礎たる国有企業体制を動揺させないことが前提とされている。それゆえ、中国の市場経済は社会主義市場経済と呼ばれている。

習政権になってから、党による市場への関与はいっそう強化されている。一つの事例を挙げるとすれば、中国で最も成功を収めた民営企業といえば、ＥコマースのアリババグループとＳＮＳサービスを提供するテンセントである。この二社に対して、中国政府は突如として独占禁止法に違反したとして、罰金刑を言い渡した。周知の事実として、中国で最も市場を独占しているのは中国石油や中国電信などの巨大な国有企業グループである。しかし、国有企業の市場独占は罰せられることがなく、大成功を収めた民営企業が罰せられるのはなぜなのか。民営企業の大規模化は共産党の指導体制を脅かす恐れがあると思われているからであろう。

振り返れば、これまでの40年間、中国経済は市場開放と経済の自由化により高成長を成し遂げた。仮に、政府共産党が市場への関与をこれ以上強化すれば、中国経済は失速する可能性がある。民営企業は経済成長を牽引する力を失えば、経済成長が減速するだけでなく、雇用が難しくなり、深刻な社会不安に見舞われることになる。これこそチャイナリスクといわれるゆえんである。

「改革・開放」政策の終焉――巨大民営企業の国有化の可能性

経済の自由化は政府から民間への権限移譲を意味する動きである。かつて、計画経済においては、すべての権限は政府に集約されていた。当時、民営企業は存在しなかった。国有企業は従業員の人数、生産量、資材の調達と出荷後の販売などはすべて、政府が策定する経済計画に従って実施しなければならない。たとえば、製鉄所はトラクター工場に鋼材を供給すること、と政府によって決められているとすれば、それ以外の工場に鋼材を供給することは許されなかった。

「改革・開放」以降、経済の自由化が進み、政府による企業経営への干渉が大幅に減退した。しかし、問題は、政府共産党が国有企業の人事権を移譲しなかったことである。中国社会に潜んでいる矛盾の一つは、独裁政治を継続しているのに対して、市場経済の企業経営と人事権の行使は基本的に民主主義でなければならないということである。政府が恣意的に企業経営に介入すると、資源配分が歪んでしまうことが多い。だからこそ、1980~90年代、中国では、国有企業の改革として、政府機能と企業経営機能を分離することが進められたのだった。習政権になってから、政府による企業に対する干渉が急増している。しかも、国有企業への干渉だけでなく、民営企業への干渉も強化されている。

習主席は、これから国有企業をより大きくより強くしていかなければならないことを目標に掲げた。国有企業を大きくすることは比較的簡単である。それは同業種の国有企業を吸収・合併させれば、その規模は拡大するからである。一つの事例は中国の主な鉄道車両メーカーが「南車」と「北車」の二つになっていたが、今、それを合併させ、中国車両集団という一つの巨大車両メーカーグループになった。同様に、上海宝山製鉄所は武漢製鉄所を吸収して、中国一の鉄鋼グループが誕生した。

巨大国有企業集団というよりも、国有財閥の誕生といったほうがよいかもしれないが、この動きは時代に逆行するものといわざるを得ない。なぜならば、国有企業の吸収・合併によって、それによる市場の独占がさらに強化されているからである。その結果、中国経済と中国産業の生産性は、長い目でみると、むしろ低下すると予想される。
かつて日本では、国鉄を民営化して、ＪＲになった。電電公社が民営化され、ＮＴＴが誕生した。国民生活に直接関係するサービスなどの公共財を安定して供給するために、国有企業体制はやむを得ないという主張もあることはたしかだが、やはり市場経済の基本は市場競争である。国有企業による市場独占は基本的に排除しなければならない。

本来ならば、経済が成長すれば、共産党の統治を強固にすることができる。民営企業の成長は間違いなく経済成長に大きく寄与する。しかし、共産党にとって、民営企業が巨大化すれば、中国経済は社会主義体制ではなくなり、資本主義体制になってしまう。だからこそ、それを許すことはできないのだ。民営企業と個人の私有財産はほどほどの規模であれば、その存在が認められるが、それが共産党の統治を脅かすほど大きくなってしまえば、解体される運命になる。今のアリババやテンセントなどがまさにその岐路に立っているといえる。

繰り返しになるが、中小民営企業の存続は大きな問題にならないが、巨大化した民営企業は究極的な選択を迫られている。解体され、空中分解するか、このまま国有化されるかである。巨大民営企業の国有化は、資本の国有化ではなく、人事権の国有化から始まると思われる。だからこそ、アリババの創業者・馬雲（ジャック・マー）、テンセントの創業者・馬化騰は相次いで引退した。否、引退したというよりも、引退させられた。このことは「改革・開放」政策の終焉を象徴する出来事である。

では、なぜ習政権は中国経済を減速させるのだろうか。これは自分の首を著しく締める行為といえる。おそらく本人たちからみると、これは自分の首を締める行為ではなく、民営企業と市場を掌握する行為であり、政権の統治能力をより強化することができると考えているはずである。

彼らの認識と現実とのギャップが生じた背景には、権力の維持を急ぐあまり、現実に目を向けることができなくなったことがあろう。そもそも鄧小平などの長老が改革・開放に舵を切ったとき、やはり毛体制のままでは政権を維持することができなくなるとわかったからであろう。幸か不幸か、習政権にとって、浪費できる財源がたくさんある。だからこそ自然の摂理を無視して、進むべく道から逆戻りしているのである。

内循環経済モデルと鎖国政策の再始動

2020年、新型コロナウイルスによる災禍は世界を一変させた。最初に新型コロナウイルスの感染が確認された中国も例外ではなく、環境は大きく変わってしまった。少なくとも、40年間続いた改革・開放に終止符を打ち、再び鎖国的な政策へと方針転換するきっかけになり得る。コロナ禍はその勢いを助長しているといえる。コロナ禍以前、習政権は対外的に大きく大きく開いていた中国の扉をゆっくり閉じようとしていたが、コロナ禍によって鎖国の口実ができたため、その勢いはいっそう早まっている。これこそコロナ禍が中国に残す禍根といえる。

具体的にコロナ禍をきっかけに、中国では、ウイルスの感染を封じ込める大義名分の下、監視カメラやスマホの専用アプリによる、人民に対する監視が急速に強化されている。平時のときならば、リベラルの知識人はそれに異議を唱えることができるが、コロナ禍の中で、それに異議を唱える者は誰一人いない。否、仮に誰かがそれに異議を唱えるとしても、すぐさま治安を攪乱する罪に問われ、連行されるだろう[5]。これは中国版『１９８４』といえる。科学と技術は人類に富をもたらすことができるが、使い途によっては、禍いとなることもある。

日本では、安倍前首相が国会で桜をみる会の資金の支出について虚偽の答弁を行ったことについて、インターネットの書き込みをみると、安倍に対する個人攻撃が激しいものも少なくない。このような書き込みは中国であれば、すぐさま削除されるだけではなく、投稿者が特定され、当局に拘束されるだろう。日本人にとって中国で起きていることはあまりにも恐ろしいことで、想像もできないだろう。

２０２１年は、中国共産党創立１００周年の節目の年である[6]。習主席は共産党創立１００周年にあたり、貧困を撲滅し、全中国で「小康生活」（そこそこ豊かな生活）を実現するという短期目標を掲げていると同時に、長期目標として２０４９年、すなわち中華人民共和国成立１００周年に中国を世界一の強国にすることを目標に掲げている。

ここで浮上するのは、鎖国的な政策を推進しながら、中華民族の偉大なる復興など本当に実現できるのだろうかという疑問である。これまでの40年間を振り返れば、中国経済躍進の原動力は、国家による統制ではなく、民営企業の参入による市場の活性化であった。にもかかわらず、習政権はビジネスに成功した民営企業を封じ込めようとしている。

最も成功した民間企業であるアリババとテンセントは、いずれもネット関連ビジネスの企業である。電波は中国電信（チャイナテレコム）、中国移動（チャイナモバイル）と中国聯通（チャイナユニコム）によって支配されているが、ネットサービスは民営企業が主役だ。アリババとテンセントに対する締めつけはネットサービスにおける新たな「公私合営」の第一歩となる可能性がある（第5章補論を参照されたい）。しかし、考えてみれば、ネットサービスのビジネスを国有化した場合、政府としてネットの統制については安心できるのかもしれないが、そのサービスレベルの後退は避けられず、消費者離れを起こしかねない。

筆者が中国国内の研究者と意見交換したとき、彼らは「中国国内で研究を行う際、一番不自由を感じるのは検索エンジンのグーグルを使うことができないことだ」と口をそろえて嘆く。中国地場の検索エンジンの百度（バイドゥ）があるが、同じキーワードを入力しても、表示される検索結果の数はグーグルなどと比べて比較にならないほど少ない。これは研究者にとって大きな障害になっている。

結論をいえば、電力や通信設備など公共性の高い分野について、国有企業は国の財政による支援を受け、そのビジネスはさらに大きく強くなる可能性があるかもしれないが、ネットサービスを含むサービス分野が国有化された場合、そのサービスレベルは低下するにちがいない。なによりも、鎖国政策を続ければ、国力を弱体化させ、中華民族の偉大なる復興を実現できなくなるリスクが高まると思われる。

閉ざされる国際交流

1978年にスタートした改革・開放について、よく考えれば、改革が先か、開放が先かの選択は、間違いなく開放が先である。もっといえば、開放なくして改革なし、ということであろう。

中国は共産党一党独裁の政治体制であり、改革を進めるには、国民を巻き込んで、党内の支持を得ながら進めないといけない。40年前の中国を振り返れば、社会主義か資本主義かのイデオロギーをめぐる論争があった。対外的に市場を開放することは共産党一党独裁の政治体制を脅かすことになると思われていた。しかし、鄧小平という人の知恵は、いきなり市場を全面的に開放するのではなく、経済特区を指定して、限定的な市場開放を進めるというものだった。それをきっかけに、市場開放のメリットを味わう人が増え、開放の度合いは徐々に広がっていった。

中国の開放は、１９８０年代から外国企業の対中直接投資の自由化、私費留学の解禁、株式市場の設立と外国人によるＢ株投資の許可、経常取引に関する人民元取引の自由化、中国のＷＴＯ加盟（２００1年）と、少しずつ門戸が開かれていった。中国共産党が最後まで自由化しなかったこと、それはマスコミの自由化である。中国の知識人は１９８０年代からマスコミに関する法整備を求めてきたが、「新聞法」（メディア法）はいまだに制定されていない。

小括すれば、限定的な市場開放により、改革が徐々に深まっていった。１９９０年代、朱鎔基首相の時代、市場経済に関する法整備が進められた。２００1年、ＷＴＯ加盟をきっかけに、多国籍企業を中心に外国企業の対中進出が活発化し、中国は世界の工場に加え、世界の市場としての役割も期待されるようになった。「開放→改革→開放→改革」のスパイラルが続けば、中国経済が徐々にグローバルコミュニティに組み入れられると思われていた。

だが、残念なことに胡錦濤政権（２００３－12年）の10年間は改革がトーンダウンし、中国版「失われた10年」となった。さらに習政権になってから、改革を深めるどころか、開かれていた門戸が急速に閉ざされつつあることはすでに何度も述べた。改革が偶然性によるものか、必然的に起きるものかを考えれば、マクロ的には改革の必然性を認めるべきであろうが、ミクロ的に、すなわち具体的にどのように改革を進めるかは、多分に偶然性によるところが大きい。鄧などの長老たちが複数の候補者の中から胡錦濤を後継者に示したのは、ある意味では偶然性によるものである。むろん、凡庸な人が指名される可能性を考えれば、必然性も認めざるを得ないが。

こうしたなかで、米中対立とコロナ禍をきっかけに、中国と諸外国との人的な交流も途絶えようとしている。習政権が力を入れて取り組んでいるリクルートプログラムの「千人計画」は先進国から先端技術を不正に入手するためのものと思われ、米国を中心にそれが阻まれている。それを受けて日本では、中国の「千人計画」に関わっている研究者が調べ上げられている。新聞報道によると、日本では、少なくとも44人の研究者が「千人計画」に関わっていたといわれている。

中国にとって「千人計画」のようなリクルートプログラムを制定し、実施することによって、海外から一流の科学者を招聘し、科学技術のキャッチアップを図ることができる。「千人計画」に問題があるとすれば、知財権保護に関する既存の国際ルールに抵触する可能性が少なからず発生するという問題である。

長い将来を見通しても、先進国は中国人研究者を受け入れることについて、かなり警戒すると思われる。これには二つの理由がある。一つは中国の知財権侵害による経済的損失、もう一つは民主主義の国によって知財権が侵害されるのとちがって、社会主義国中国に知財権が侵害される場合の国家安全保障上の危険性である。

かつての冷戦時代と比較すれば、米ソの対立によって形成された東西陣営が互いに牽制を繰り返していた。今日では中国が突出して米国とぶつかっている。米国の同盟国のほとんどは中国に対して警戒を強めている。結果的に中国は国際社会で孤立しつつある。国際交流のチャネルが閉ざされてしまえば、中国のさらなる発展にとって大きな障害になる。

2　恐怖の政治と強化される管理・監視

権威主義体制復活のきざし

毛沢東時代（１９４９－76年）の教訓として、毛に対する個人崇拝は禍となったというのが今日の定説である。毛の失政については、中国国内の研究者・楊継縄[7]が『墓碑：中国１９６０年代大飢荒紀実』で詳述している。海外の研究者としてはフランク・ディケーター[8]による *Mao's great famine, the history of China's most devastating catastrophe, 1958–1962*（邦訳：『毛沢東の大飢饉』中川治子訳、草思社文庫）という名著がある。

鄧小平は復権したとき、毛の過ちについては「毛に対する行き過ぎた個人崇拝によるもの」と総括している。それゆえ、毛の過ちを二度と犯さないために、集団指導体制が提唱された。中国国内の歴史学者と政治学者によって、鄧の功績の一つと指摘されているのは、指導部の若返りを進めながら、指導部の集団指導体制が構築されたことだといわれている。集団指導体制とはその額面通りに受け止めれば、いかなる政治決断でもある指導者個人によるものではなく、指導部の多数決で決められなければならないということだ。だが、それが現実に行われるとすれば、それは共産党指導部執行の「限定的な民主主義」ということになるのではないか。

しかし、鄧小平が提唱した集団指導体制には、透明性がなく、それを定義する基本的根拠もないため、現役の共産党中央委員会委員と常務委員に加え、すでに引退した顧問・長老たちについて、どこまで発言権が含まれるかは明確ではなかった。1993年初め、すでに引退したはずの鄧小平は深圳を視察し、「南方講話」を行ったが、その前に「改革・開放を邪魔する者がいるなら、代わってもらうしかない」と周囲に述べたとの証言が残っている。これは当時の党の総書記に就任したばかりの江沢民に対する不満であり、江の首を切ることを示唆する発言だったといわれている。

そもそも政治的に集団指導体制は現実的にあり得るものだろうか。

少なくとも中国の数千年の歴史上、たぐいまれな暴君・毛沢東によって27年間も君臨されたあと、いきなり半ば民主主義的な集団指導体制に転換するのは、どのように考えても無理がある。鄧小平には毛ほどの権威がなく、李先念[9]、葉剣英[10]、陳雲[11]などの長老とディールしながらの政権運営を強いられていた。鄧の策略の一つはこれらの長老の影響力を排除するため顧問委員会を設立し、長老たちを顧問に任命すると同時に、徐々にその権限を剥奪した。

結局のところ、集団指導体制が形骸化し、鄧小平は名実ともに最高実力者となったのだった。天安門事件のとき、鄧は要人たちを自宅に呼んで秘密会議を開いた。そのなかで、誰が軍に発砲を命じたのかはいまだに公式な認定は行われていないが、実際には鄧が軍の発砲を認めたといわれている[12]。鄧小平は毛よりも長生きしたため、直接君臨しなかった代わりに、しっかりと院政を敷いたということである。鄧は中国政治の中央集権の脈を断ち切ることができなかったため、習政権になってから、再び権威主義体制へと逆戻りしているのである。

中国の権力闘争の性格

「論語」には、「君子は和して同ぜず、小人は同じて和せず」という教えがある。その意味は、君子たるものは人に礼儀正しく接するが、迎合しない。小人はその逆である。

「論語」のもう一つの教えは「君子は矜にして争わず、群して党せず」である。すなわち、君子は誇りが高いが、争いごとはしない。群れをなすが、徒党を組むことはしない、という意味のようである。

日本では、最近、忖度という言葉は流行語のようになっているが、忖度とはまさに権力者に迎合する行為である。権力者にとって君子になることは至難の業といえる。一般的に権力者は自らに対して迎合する者を好んで取り立てる傾向があるが、それと裏腹に、ではその者に対して信頼を置いているかというと、かなり割り引いてみる必要がある。

特に、独裁者はその権力の座を守る手段として、正規のルートから報告される情報を補正するため自らの腹心を使って別ルートで情報を集め、複数の情報源からの情報を突き合わせて策略を決めることをよく行う。上で述べたように、天安門事件のとき、鄧小平は軍の発砲を認めたが、のちに、それは当時の北京市長の陳希同が間違った情報を鄧に報告し、鄧をミスリードしたと李鵬元首相などが証言している。それに対して陳は「私みたいな者が鄧小平同志をミスリードできるでしょうか。鄧同志は北京市から報告する情報よりも、独自で情報を集めていらっしゃる」と証言している。

コラム⑨　毛沢東と周恩来と鄧小平

毛沢東も周囲をまったく信用していなかった。極論すれば、毛は生涯、読書以外、周恩来を含む部下たちが毎日何をしているかの情報収集しかやっていなかった。特に、軍部を掌握するために、その責任者たちを始終入れ替えたりした。ときには言いがかりをつけて、長年の戦友を迫害することも辞さなかった。

指導部の中で毛が最も信頼を置いていなかった三人は、劉少奇、林彪と、意外に思えるかもしれないが、あと一人は周恩来だった。国家主席だった劉少奇は文革のときに迫害され亡くなった。副主席だった林彪も劉と同じように暗殺されるのを恐れて、先手を打って軍用機で海外（ソ連）に逃亡しようとしたが、モンゴルに墜落して死亡した。

一方、首相だった周恩来は死ぬまで毛に服従した。毛周囲の秘書や警備担当者の回顧録によれば、毛の住居で使う水洗トイレの新しい便座でさえ、周は自ら座ってみて、冷たいかどうかを確認したぐらいだったといわれている。トータルしてみると、周は中国の首相というよりも、毛の執事だったといえる。それでも毛は周を信用しなかった。

晩年の周は膀胱がんを患って、治療を受けたが、毛は手術を認めず、漢方薬による治療を医師団に命じた。毛は周が自分より長生きするのを恐れていたのだった。毛はスターリンになりたくなかった。ソ連では、スターリンの死後、徹底的に批判したのは変わってトップの座に就いたフルシチョフだった。中国のフルシチョフになり得る第一候補はまさに周恩来だったのだ。

もう一人、毛が信頼を置けない指導者は、元帥だった朱徳だった。朱は劉少奇と仲がよかった。しかし、周恩来は1976年1月8日に亡くなり、朱は同年7月6日に亡くなった。毛は同年9月9日に死亡した。

この順番はまったくの偶然だったのだろうか。皮肉を込めていえば、毛は周と朱の死亡をみて、安心してあの世に行ったにちがいない。しかし、人一倍ずる賢い毛沢東でも予想できなかったのは、自分の夫人・江青らが自らによって三度も打倒した鄧小平という背の低い男に拘束され、投獄されたことだった。[13]

コラム⑨の一連の流れをみても、中国政治の権力構造が非制度的なものであることは一目瞭然であろう。いかなる国の政治でも、権力闘争の性格が含まれるが、民主主義の国では、そのパワーゲームは一応選挙などの制度的・民主的なプロセスを経る、すなわち、ルールに基づいてパワーゲームが繰り広げられるのである。それに対して、中国の権力闘争は権力に君臨する指導者がそのつどルールを恣意的に変えることができる。この基本的な構図は秦の始皇帝（紀元前２５９年２月18日―紀元前２１０年９月10日）以降、一度も変わったことがない。

したがって、中国権力構造に関する考察は、伝統的・組織論的な分析だけではその真相を突き止めることができない。中国社会と中国政治において、ガバナンスやコンプライアンスといったコンセプトは無意味なお飾りでしかない。現役の指導者を制御できる長老がいれば、状況はいくらか変わるだろうが、有力な長老がいなければ、権力者が暴れる可能性が高い。これこそ中国政治の本質的なリスクであろう。

専制政治において、権力者は権力の座を守るために、国民に対する監視を強化する必要がある。たとえば、学校教育の基本は独立思考力を育てることであるが、専制政治では、権力者への忠誠心を強要し、学校教育の中でそれを植えつける。毛時代の学校教育はその典型といえる。当時の中国では、中学校に入ってから英語教育が始まるが、英語の授業の第一課は Long live Chairman Mao（毛主席万歳）だった。正直に言って、何の役にも立たない内容だった。しかし、当時の中国では、毛に対する個人崇拝が徹底されていたのである。

毛時代の中国では、監視カメラといったハイテクのツールがなかった。代わりにすべての成人に一生涯を付きまとう「档案」というものがある。「档案」とは個人のプロファイルである。個人の学歴や職歴はもとより、その政治姿勢などについて、詳しく記録されている。怖いのは本人の「档案」を自分では閲覧することができないということだ。たとえば、勤務先の上司との関係が悪い場合、往々にして年末の考課や評価がよくならない（おそらく上司が低い評価をつけたのだろうが、それらが全部「档案」の中に記録されてしまうからだろう）が、確認したくても自分ではできないというのが実情だ。

中国社会では、個性の強い人は出世しにくい。凡庸な人ほど出世しやすい。この点については、日本社会でもよく似ているかもしれないが、異なるのは、日本社会では個性の強い人を制度的に迫害することがあまりないという点ではなかろうか。

今日の中国社会でも「档案」というものが存在している。それは個々人の歴史である。一方、権力者にとって、個々人の歴史から読み取る情報も重要だが、今現在何が起きているかを予知することが、なお重要になっている。中国の情報社会では、人々の行動をリアルタイムで察知し、政治にとって不都合なことを予知することを最重要視している。前の章でも述べたが、中国はすでに世界一の監視社会になっている。その手段として伝統的なアナログの監視システムに加え、近代的なデジタルの監視システムも重要な役割を果たしている。

中国の行政サービスの中で最も整備されているのは、戸籍管理制度である。毛時代の中国では各家庭に戸籍簿というものが必ずあり、ときどき警察が深夜に戸籍をチェックしに来ていた。警官が戸籍簿をみて、家の人数を確認するのだ。当時の戸籍簿には写真がなかったので、顔認証はできなかった。

１９８０年代に入ってから、従来の戸籍簿に加え、身分証明カード（ＩＤ）が配布された。日本のマイナンバーカードに似たようなものだが、日本のマイナンバーカードの取得率は２０２１年1月現在わずか24％だといわれている。中国の成人は全員ＩＤカードを持っている。さもないと、高速鉄道に乗れないだけでなく、マイホームを買うことすらできない。銀行で口座を開くときも、あるいはすでに開設された口座の個人情報を更新するときも、必ずＩＤカードの提示が求められる。

しかし、自由を味わったことのない中国人は、監視されても強く反発しない。あるいは、反発しても、逆効果であることがわかっているので、従順になる。それよりも、反発してそれが「档案」に記録されれば、そのあとの暮らしはより苦しくなる可能性がある。

政府が監視を強化する口実として、犯罪を未然に防ぐためといわれている。監視システムにはそういった効果があることは否定できないが、政府によって監視システムが政治的に悪用されるのではないかとの心配がある。しかし、独裁政治の国では、そういった議論はまったく浮上してこない。

3　疲弊する文化力――文化力なきところに覇権は芽生えず

商品化する文化の行方

歴史教科書を開くと、そこに「世界に四大文明がある。メソポタミア文明、エジプト文明、インダス文明と黄河文明である」と記されている。中国の学者と政治指導者がいつも口にするのは、四大文明のうち、唯一、今も脈々と受け継がれているのは中華文明、すなわち黄河文明であるということだ。こう断言される理由は、ほかの三大文明はいずれも歴史的に断絶されているからといわれている。たとえば今のイランやイラクは、メソポタミア文明のDNAを受け継いでいないのではないか。同様に、今のエジプト人は古代エジプト文明と無関係ではないか、といった指摘である。それに対して、今の中国人は黄河文明の子孫であり、そのDNAをしっかり受け継いでいると言いたかったようだ。

人類学的にみれば、今の中国人はたしかに黄河文明を築き上げた中国人の子孫であろう。しかし、中華文明と中国古代文化がきちんと継承されているかどうかについては、もう少し考察して結論を出さなければならないはずである。

2019年は前にも述べた「五四運動」百周年記念だった。この運動は抗日、反帝国主義を訴える学生を中心とした愛国運動だが、実は「五四運動」の意義はそれだけではなく、封建社会の基盤である孔子を打倒し、科学と民主の新文化運動を展開しようという側面も持っていた。その背後にある文脈は、中国が列強に侵略されたのは国力が衰弱したからであり、その原因は封建主義を支えてきた孔子の教え＝儒教にある、という論理だ。そのなかで、特に左派の知識人たちが台頭した。そして「五四運動」の２年後の１９２１年７月、中国共産党が創立された。両者はまったく無関係ではなかった。

それ以降の中国の近現代史は、日中戦争と共産党対国民党の内戦のあと、ほぼ一貫して旧体制と古い中国文化の破壊に終始したといえる。特に、中国の古い文化を破壊するプロセスで、政治家と知識人は自らが新しい体制と文化を創造する代わりに、マルクス＝レーニン主義を標榜した。そうして中華人民共和国という社会主義体制が生まれたのだった。

前著『中国「強国復権」の条件』でも述べたが、筆者は、文化と文明が発達する条件として、自由がなければならないと思っている。改革・開放以降、知識人たちは毛沢東支配の暗黒時代と決別し、自由に創作活動ができると勘違いした。学生と知識人たちの勘違いは共産党指導部と対立し、１９８９年には天安門事件にまで発展してしまった。それでも、80年代、天安門事件前に、傑作ともいえる何本かの映画や文学作品が発表されてはいた。日本でも上映された「芙蓉鎮」はその代表といえよう。

しかし、天安門事件以降、人々の記憶に残るような映画や文学作品がほとんど生まれなくなった。代わりに、茶番のような反日ドラマなどが量産化された。茶番というのはピストルや手榴弾を空を高く飛ぶ日本軍戦闘機に命中させるなど、誰がみても荒唐無稽で低俗なものだからである。

反日ドラマが量産化されたのは、中国社会での反日感情の高まりとナショナリズムの台頭に迎合する動きといえる。しかし、低俗的な反日ドラマはすぐさま人気を失い、忘れ去られた。

問題としてもっと深刻なのは、文化を商品化する動きである。2000年代に入ってから、中国経済は不動産バブルとＩＴバブルによって全般的にバブル化していった。カネ余りのなか、投資家は文化財に目をつけた。本来、真実を追求し、政府をガバナンス・批判する役割を果たす文化は、単なる飾りもしくは商品となり、投資家たちはより多くの利益を追求するようになった。習政権になって情報統制が強化されて以来、知識人たちは政府に対して異議を唱えることがほとんどできなくなった。中国の文化力は急速に衰退している。

映画と文学作品の審査制度

以前筆者が香港に出張したあと上海へと飛び、そこである本に絡んだトラブルに巻き込まれた話を書いたが、それを思い出していただきたい。毛沢東の秘書だった李鋭の『李鋭回顧録』を持っていたために足止めを食らったのだが、結局は放免された。そのとき税関職員は本を返しながら、私に「リストになかった（否、ブラックリストといったほうがよいかもしれない）」と告げた。そこではじめてわかった。海外から持ち込んではいけない本のリストがあり、李の本はそのリスト入りしている疑いがかけられていたのだ。リストに載っている本と確認されれば、即、没収される。

実は、あとで知ったのだが、李鋭のもう一冊の回顧録『李鋭口述歴史』をまとめた娘の李南央（米国在住）は、親族訪問のため北京に帰国したとき、その本を知人にプレゼントするために、トランクに何十冊か入れて入国しようとしたが、すべて没収されてしまった。李南央は本を取り戻すために、北京で裁判を起こしたが、返してもらえなかったという。

李鋭は毛の秘書だった。回顧録の中で、自らが立ち会った権力闘争などを詳しく述べている。これらの史実は中国国内で公開されていないものが多い。あるいは、共産党の公式見解に抵触する史実が多いため、輸入禁止処分になったと思われる。

もう一つの事例を挙げておこう。20年前に筆者は、中国の金融制度改革を調査するために、出張先の郵便局で中国人民銀行（中央銀行）が発行する「金融参考」というジャーナルを2冊ほど買った。帰りの飛行機の中で読もうと思ったため、手持ちの鞄に入れて、出国審査を受けた。そのときに、まさかのことが起きた。鞄を調べられ、この2冊が出てきた。検査官は「これは持ち出し禁止」という。「郵便局で買ったのだ」と返しても、相手にしてくれず、没収されてしまった。最後に「郵便局で買ったものでも、表紙に内部参考の文字があるものはすべて持ち出し禁止！」と叱責された。

当時、人民銀行は2冊の雑誌を発行している。一つは「金融研究」である。これは主に研究論文を掲載するジャーナルであり、海外に持ち出しても問題ない。もう一つは「金融参考」である。その中身はほとんど地域の金融機関の支店のリスク管理などの調査レポートである。機密文書などまったくない。しかし、税関職員は金融のことなど知らない。彼らがチェックするのは、「内部参考」という文言が書かれているかどうかだけのようである。

中国政府が海外で発行された書籍などの輸入を厳しく制限しているのは、中国国内で実施されている出版審査制度の存在によるところが大きい。その審査を受け、出版不許可になることを恐れて、一部の共産党幹部などは香港など海外に原稿を持ち出し、回顧録を出版しているからである。あるいはそれらの内容の一部が、中国政府が公式に認定している歴史教科書などの内容に抵触しているからである。

もちろん、海外で発行されている暴露本がすべて真実とは限らない。しかし、中国国内の共産党幹部にとって、上層部の人事動向や権力闘争の動向を知る重要なチャネルになっているのは事実である。習政権になってから、香港から暴露本を大量輸入し閲覧したとして追放された幹部もいる。

では、中国国内で出版審査制度はどのようになっているのだろうか。

中国では、書籍の審査を担当するのは国家新聞出版署である。映画やテレビドラマなどの審査を担当するのは、国家新聞出版広電総局傘下の映画審査委員会と映画複審委員会である。映画審査委員会が審査するのは中国国内で制作される映画だけでなく、海外から輸入する映画が中国国内で上映できるかどうかチェックすることもその仕事である。したがって、中国の映画審査委員会は日本の映倫とはまったく別物といえる。一方、書籍の出版について、国家新聞出版署はその内容を審査したうえで図書コード（ISBN）を付与するかどうかを決める。

上述したように、中国では「新聞法」（メディア法）が制定されていないため、書籍や映画などに対する審査の基準は普遍的なものではなく、その時どきの政治情勢に深く影響を受ける。習政権になってから、出版物と映画は基本的に共産党と共産主義を謳歌するものでなければならないと求められているため、リベラルな作品のほとんどは発禁処分となっている。これが中国国内でコピー商品や海賊版、偽造物を大量発生させ、ひいては国際的に知的所有権侵害問題などを引き起こす温床を育てている。国際的にもかなりリスキーである。

自由なき中国社会の将来

習政権は権力基盤を固めるために、言論統制や報道規制を強化しているが、今後これが何の反発も招かず続くとは思えない。なんといっても、これまでの40年間、中国人は限定的ではあるが、毛時代よりも遥かに幅広い自由を味わってきた。人間は一度自由を味わうと、その自由が奪われることに対して、本能的にも猛反発し抵抗するはずである。

それについて、習政権は依然として古い論法を展開している。すなわち、経済発展を成し遂げられれば、すべての人民はより豊かな生活を送ることができる。それは共産党のお陰で実現される幸せである、と。

しかし、国連が毎年作成する加盟国幸福度（Ranking of happiness）をみると、２０１７－19年、中国は世界の94位に位置する。決して幸せな国とはいえない。その計算の中身をみると、中国の幸福度を大きく下げているのは、①生活の不自由さ、②寛容度のなさ、②腐敗の深刻さなどである。これらの変数はいずれも意外感のないものである。

要するに、統制されたメディアを使って「われわれの生活は幸せだ」と無理してプロパガンダを作り上げても、説得力がない。短期的には、人々はこれまでの蓄えでこれまで通りの豊かな生活を送ることができるかもしれないが、経済成長が次第に減速していけば、貯蓄率が下がり、逆に住宅ローンや自動車ローンは重荷となって重くのしかかる。

そのときの最悪のシナリオは、住宅バブルの崩壊である。日本人の読者にとって不動産バブル崩壊の怖さは記憶に新しいので、ここで詳述する必要はないだろうし、対岸の火事的には、米国のサブプライムローン破綻事件を見ている。中国社会に限ったことを考えれば、住宅バブルが崩壊した場合、投資目的で住宅を買った個人は、家計のバランスシートが壊れてしまうリスクが高い。その影響を受けて、銀行へのローンの返済も滞るようになる。中国でも、家計の住宅ローンは巨額な債務の連鎖を引き起こす可能性があるということだ。

現時点での習政権の政治運営は、ますます内向きにならざるを得なくなってきている。政権運営について自信が喪失している証拠の一つは、いかなる批判をも受け付ける耳を持たなくなってしまったことだ。リベラルな教授たちの建設的な政策提言なども、「政権転覆罪」に問われることが起きている。香港の若者の民主化要求も、安易に「外国の反中勢力の仕業」と決めつけ、若者との対話を拒んでいる。短期的には、このような高圧的な統制は人々を黙らせることができるが、しかしそれとともに、人心も離れてしまう。むしろ、逆効果である。

習政権にとって、外交的必要性からアフリカなどの途上国との友好関係を維持する重要性は認められるが、G7を中心とするメインストリームの国々との関係修復は待ったなしである。しかし、ここ数年来の習政権の政治外交をみて、これらの国々は習政権に対する不信を募らせている。要するに、習政権が自由、人権と民主主義といった人類共通の価値観を受け入れるかどうかにかかっている。

【第8章・注】

（1）中国の朦朧派詩人。

（2）毛は生涯、鄧を信頼してはいなかったが、その能力は評価し、困難なときに鄧を起用した。毛にとって鄧は必要な人材だが、信用できる人ではなかった。

（3）1980年10月25日、鄧小平が「建国以来、党の若干歴史問題に関する決議」を起草し、そのなかで、「毛沢東同志は晩年、確かに思想が一貫性を欠き、一部の談話は自己矛盾する。たとえば、文化大革命時の毛沢東同志の評価について、3割は過ち、7割は構成といえる」との文言が盛り込まれた。

（4）最近の中国人歴史家たちの研究によれば、『毛沢東選集』に収録されたゲリラ戦など毛沢東思想と呼ばれる理論の多くは毛のレガシーではなく、実際は朱徳などの元帥や将軍たちに著作権があるといわれている。鄧も同じである。改革・開放の総設計師と称賛されている鄧は復権した直後、改革・開放に反対していたといわれている。そのあと、経済が成功裏にキャッチアップしたため、それはすべて鄧の知恵によるものといわれるようになった。ただし、鄧は自らに対する個人崇拝を必要以上に煽らなかった。鄧が重視したのは実権を掌握することだった。

（5）一例を挙げれば、コロナ禍の真実をネットで伝えた公民記者・張展（女性）は当局に拘束され、治安を攪乱した罪に問われ、4年間の実刑判決を宣告された。習政権では、いかなる個人も政府に異議を唱えることができなくなった。しかし、毛時代に比べれば、中国社会はやはり進歩したといえる。毛時代であれば、張記者は最低でも無期懲役を宣告されたであろう。

（6）1921年7月、コミンテルン（国際共産主義組織）の主導の下、上海で陳独秀、李大釗、毛沢東らが中国共産党を創立したのがその始まりとされている。

（7）楊継縄はもともと新華社通信の記者であり、2003年よりリベラルな歴史ジャーナル「炎黄春秋」の副社長を務めた。同誌は共産党の歴史観に異議を唱える寄稿文を多数掲載したため、2016年発行停止処分を受けて、実質的に廃刊になった。

楊は大飢饉を調査したときのあるエピソードを振り返っている。当時、地方で餓死者の人数を調べたある幹部を1980

年代、楊は訪ねた。「あのとき、いったいどれぐらいの人が餓死したでしょうか」と聞いたら、その人は「あなたはなぜそんなことを聞くの」と返した。あとでわかったことだが、この幹部は餓死者を集計した資料を周恩来に報告しに行くと周はそれを見て、一瞬にして顔の表情が変わってしまった。「すぐにこれを焼きなさい。しかも、君は自らこれを焼却したまえ」と指示した。周の言葉の真意は秘書にやらせるのではなく、自分で焼却するのだということである。

（8）ロンドン大学東洋・アフリカ研究学院教授、香港大学人文学院講座教授、香港在住。『毛沢東の大飢饉』は２０１１年、ノンフィクション分野の本に与えられる、英国で最も権威のあるサミュエル・ジョンソン賞を受賞した。

（9）１９８３年に国家主席に選出。

（10）中国人民解放軍元元帥。

（11）１９７９年、国務院副総理に任命された。経済問題を担当。

（12）鄧小平宅で開かれた秘密会議の一部始終について、香港で出版された『李鵬六四日記』と北京市長だった陳希同市長の『陳希同２０１１－２０１２年談話記録』の中で詳述されている。陳希同は天安門事件後、江沢民政権によって追放・投獄されたが、２００４年病気療養のため、出所した。

（13）中国では、背の低い人は性格的にずる賢いとされている。むろん、それは荒唐無稽な偏見にすぎない。

第9章　「改革すべきでない改革」とは何か

一つの都市の文明度をみるには、彼らが障碍者、弱者をどのように扱うかをみればよい。一つの国家の文明度をみるには、この国が移民、マイノリティをどのように扱うかをみればよい。文明国家は異議を唱える人々を包容し受け入れなければならない。私の夢はどこでも言いたいことが言えるようになり、私たちの子供は恐怖を免れる自由を有することである。

龍応台[1]

「改革」という言葉は、その中身を言わずして、いつもポジティブに受け止められると思われ、とりわけ政治指導者はそれを乱発しがちである。それゆえ日本では「改革」の語呂合わせで「改悪」というニュアンスが新たに作られている。

おもしろいことに、中国の政治指導者が全人代や党大会で行う演説で最も多用する言葉は「改革」である。しかし、この十数年来、中国では改革が大きくトーンダウンしている。否、逆戻りしているようにみえる。

振り返れば、毛沢東時代、共産党指導者が最も強調した言葉は「改革」ではなく「革命」だった。その次に強調された言葉は「闘争」だった。毛が仕掛けたすべての「革命」は、自らの権力基盤を脅かし得るほかの指導者を一網打尽にして打倒するための「闘争」だった。それを手助けしたのは周恩来首相[2]（当時）と江青女史をはじめとする四人組などだった。

毛の革命の特徴は、司法手続きに則って政敵を倒すのではなく、人民を巻き込んで、社会主義・共産主義を実現する大義名分の下、政敵を次々と倒す手法を常道としたことだ。したがって、毛の政敵のほとんどは「反革命分子」と断罪された。

1978年以降、中国では「革命」が行われていないが、権力闘争は続いている。ただし、鄧小平は政敵をほとんど投獄していない。この点は中国社会の「進歩」といえるかもしれない。77年、鄧が復権したあと、81年に共産党主席だった華国鋒[3]が解任されたが、それ以上の処分は下されなかった。同年、胡耀邦は華国鋒のあとを継いで党主席になった。その翌年、党主席制が廃止され、胡は党総書記に就任した。

87年、胡は知識人たちの民主化要求に理解を示したことで、党総書記辞任へと追い込まれた。しかし、それ以上の迫害はなかった。胡のあとを継いだのは趙紫陽首相（当時）だった。趙は天安門事件のとき、学生と市民への発砲に反対し、学生たちの民主化要求に理解を示したため、事実上解任された。その後、趙は自宅で軟禁されたが、肉体的に迫害されることはなかった[4]。

これまでの40年間の共産党中央委員会の文献を検索しても、「闘争」という言葉はほとんど使われなくなった。「革命」という言葉も、もはや歴史的な事件を記念するときに使われるだけで、現実的な政策文書の中ではその文字を見ることはほとんどなくなった。その代わりに「改革」「発展」や「創新」（イノベーション）などが提起されるようになった。

中国の一部の歴史学者は鄧小平のことを「改革の総設計師」と讃えている。しかし、改革・開放の初期段階で、鄧は決して積極的に改革・開放を推進する姿勢をみせなかったといわれている。毛を全般的に否定しなかった鄧にとって、毛の路線から逸脱してしまうと、党内で批判されるのではないかということを恐れていたのだ。逆に、広東省などの沿海地方の幹部は、中央政府に首を切られるリスクをとって経済の自由化を進めた。その勢いが出てきたところで、鄧はそれに乗ったということだった。ある意味では、ブリッジが好きな鄧のゲームは後出しじゃんけんだったといえる。鄧は見事に改革・開放の果実を摘み取ったのである。

また、毛によって迫害された共産党幹部と知識人の多くが名誉回復できたのは、胡耀邦が奔走した結果だった[5]。特に、鄧は反右派闘争に加担した中心人物の一人だったため、鄧が右派として迫害した知識人の名誉回復について、鄧は一貫して慎重な姿勢を崩さなかった。経済の自由化と市場経済改革を推進したのは、1980年代の趙紫陽首相（当時）と90年代の朱鎔基首相（当時）だった。

それなのになぜ歴史学者は、これらの功績を全部鄧小平に帰属させているのか。本章では、40年間続いた「改革・開放」政策を総括し、これからの中国の針路を展望することにする。

1 「改革・開放」の40年間の総括

改革が先か、開放が先か

毛沢東時代の中国で、産業が最も発達していたのは東北三省（黒竜江省、吉林省、遼寧省）、および渤海湾（北京市と天津市）だった。これらの地域では、石炭、石油、鉄鋼、機械などの重厚長大産業が発達していた。その産業基盤は旧満州時代に築き上げられたものに加え、1950年代、ソ連（当時）が援助してくれたものだった。

一方、もともと長江デルタ地域（上海市、江蘇省と浙江省）では機械、アパレル、石油化学、造船などの産業が発達していたが、それらは中央政府が策定した経済計画によって抑圧され、発展も次第に立ち遅れていった。なかでも珠江デルタ地域（広東省）の経済はほとんど発展しなかった。福建省は台湾に近く、いつも臨戦状態にあったため、まともな経済建設が行われなかった。

毛は経済についての知識に乏しかったにもかかわらず、世界の覇権を求めるあまり、欧米に追いつき追い越す「大躍進」を急性に推進し、大惨事となった。経済建設に失敗した毛は国内で政敵を粛清すると同時に、ソ連との関係をこじらせてしまった。内憂外患に悩まされた毛は再び外国から「侵略」されるのを恐れていた。

こうしたなかで、毛時代に進められたもう一つの「措置」が、前述した「三線建設」だった。米国が台湾（国民党）と組んで攻めてくるのではないかという妄想から、沿海部にあった鉄鋼工場や機械工場などを内陸山間部に引っ越させた。たとえば、日産自動車と提携している第二汽車集団の工場はなぜ湖北省の山の中につくられたのだろうか。それはまさに「三線建設」の産物なのだ（コラム⑩を参照）。

「改革・開放」以降、「三線建設」時の開発地をはじめとするこれらの国有重厚長大産業基地は、急速に衰退していった。なぜ国の産業政策的な支援を受けながら、国有の産業基地は衰退していったのだろうか。

第一に、経済合理性の観点からみると、これらの旧態依然の大型国営企業は政府の経済計画に則って経営を続けているため、市場のニーズを無視していくら古い機械や鉄鋼などを拡大再生産しても、発展することはできない。

第二に、市場開放とともに、日本をはじめとする外国企業が進出してきたため、古い国営企業はそれに立ち向かうことができない。

第三に、中国政府が優先的に外国に開放したのは広東省や福建省の経済特区だった。東北地方や渤海湾の対外開放が大幅に立ち遅れている。このなかで人材資源は北方から南方へ急速に流れていっ

コラム⑩　所在番地なき工場

「三線建設」という巨大プロジェクトに着手するのに、事前の準備はほとんど行われなかった。一例を挙げておこう。四川省に攀枝花製鉄所という国有企業がある。何もない山間地に建設された。山を平らにしてその上に工場を建てたが、住所番地などなかったため、所在地登録すらできなかった。そこでどのような住所にすればよいかについて、国務院の周首相に報告して指示を仰いだ。周首相も「そんなところは知らない。どういうところなのか」と周囲に聞いた。「山を平らにして工場を建設した」と周囲は報告した。すると、周首相は「では、弄弄平にしよう」と指示した。「弄弄平」とは、平らにするという意味である。この事例からわかるように、戦略的に重要な「三線建設」は、きわめて恣意的に行われていた。

た。時間が経つにつれ、古い産業基地では、人材不足は次第に深刻化していった。

以上の三点の背景にあるのは、旧態依然の大型国営企業が市場開放の波に晒された場合、それに耐えられなかったことがある。中国に進出した外国企業に比べ、地場の国営企業は、技術の優位性がなく、経営ノウハウもなく、総合的な競争力がまったく比べものにならないほど弱かった。このような苦境に陥った原因は、市場開放を先行させたのに対して、改革が立ち遅れていたことにある。

80年代初期、中国政府にとっての選択肢は、改革を先に進めてから市場を開放したほうがよいのか、それともその逆かという悩みがあったはずだった。しかし、市場開放よりも、改革の推進のほうが現場と政府部内からの抵抗が強かった。経済の活性化を目的とする改革といえば、経済の自由化しかない。それに対して、資本主義的な改革といって猛反発する勢力があったのだ。

結局のところ、改革を漸進的に進めると同時に、市場開放を試験的に行うことが現実的だと判断された。市場開放を試験的に行うというのは首都北京から遠く離れている広東省と福建省で経済特区を指定し、そこに外国企業（台湾企業と香港・マカオ企業を含む）を誘致するやり方だった。80年代の中国にとって非常に欠如していたのは外貨と技術と経営ノウハウであり、外国企業は中国進出とともにこれらの経営資源を持ち込んでくれたのだ。

WTO加盟の裏にあった内政改革調整

結局のところ、改革は中途半端な様相を呈し、遅々として進まず、そのつど市場開放の荒波に晒される国営企業は、政府の計画よりも市場のほうへ顔を向けざるを得なくなった。ここで特筆しておかなければならないのは2001年に中国が念願の世界貿易機関（WTO）加盟を果たしたことだった。朱鎔基首相（当時）は1994年から金融制度改革に着手して、国有銀行を国有商業銀行に改組するとともに、政府機関による銀行融資への関与を断ち切るため「中国人民銀行法」（中央銀行法）、「商業銀行法」、「証券法」[6]などの法律を制定した。しかし、それ以上の改革を進めることはできなかった。そこで彼が思いついたのは、外圧をもって改革を推し進めることだった。

WTO加盟交渉に際して、米国および欧州の一部の国は、中国にさらなる市場開放を要求し、まったく譲歩しなかったという。当時の中国の担当大臣・呉儀商務部長は朱鎔基首相に既加盟国側の強硬姿勢を報告し、「わが方はこれ以上譲歩できない」と話したといわれている。それに対して、朱は息を荒くして「加盟することが一番大事だ。とりあえず、どんなことでも受け入れてくれ」と指示したという。おそらく朱も心の中ですべての譲歩が額面通りに実施できるとは思っていなかったはずだ。だが重要なのはWTO加盟そのものであり、加盟が見送られれば、中国国内の改革も頓挫する恐れがある。

朱の便宜的な譲歩は、後年米国トランプ大統領が仕掛けた米中貿易戦争の遠因ともいえる。要するに、中国はWTOに加盟したあとも、その貿易慣行は大きく変わっていないということである。

こうしてみれば、これまでの40年間の改革・開放は開放が先行して進められ、改革がそれに大幅に立ち遅れている。指導部は市場開放を先行させた狙いとして、その圧力で改革を推し進めようと考えていたにちがいない。

2000年以降、鉄鋼や造船などの国有企業は息を吹き返してきた。また、ファーウェイやZTE

などの新興企業も急速に台頭して、多国籍企業の優位を脅かすほど力がついてきた。その背景に何があったのだろうか。

まず、グローバルレベルでの産業転換が起きていることである。これまで習得するのに数十年を要していた産業技術は、今日、リープフロッグ（カエル跳び）といって、中間プロセスを一気に省き、最先端のＩＴやＡＩなどの技術に直接到達し吸収することで、あっという間に先行ランナーをキャッチアップできてしまう。

たとえば、中国では広大な全土にわたって固定電話回線網を整備しようとすれば、この先何十年もかかってしまうだろう。だが、固定電話の時代をすっ飛ばしていきなりスマホ使用を常態化させれば、各所に携帯電話電波基地局を設置するだけで、たちどころに全土をカバーできてしまう。こうして短期間で業界上位に躍り出る術を中国は会得したのだ。

さらに、一般消費財を生産加工する技術レベルなら、中国企業は十分に備わっている。スマホはその典型例といえるかもしれない。iPhone の高級機種はたしかにすごいかもしれないが、中国メーカーのスマホは実用性と低価格を武器に iPhone と互角に戦っている。

見える手と見えざる手

40年間も続いた改革・開放によって、中国経済の何が変わったのか、あるいは変わっていないかをみてみよう。改革・開放前の中国では、厳密にいうと、市場というものは存在しなかった。当時、工業製品も日用品も、その生産はすべて政府の経済計画に基づいて行われていた。国営企業の生産体制

図９－１ 計画経済における政府の見えざる手の市場介入

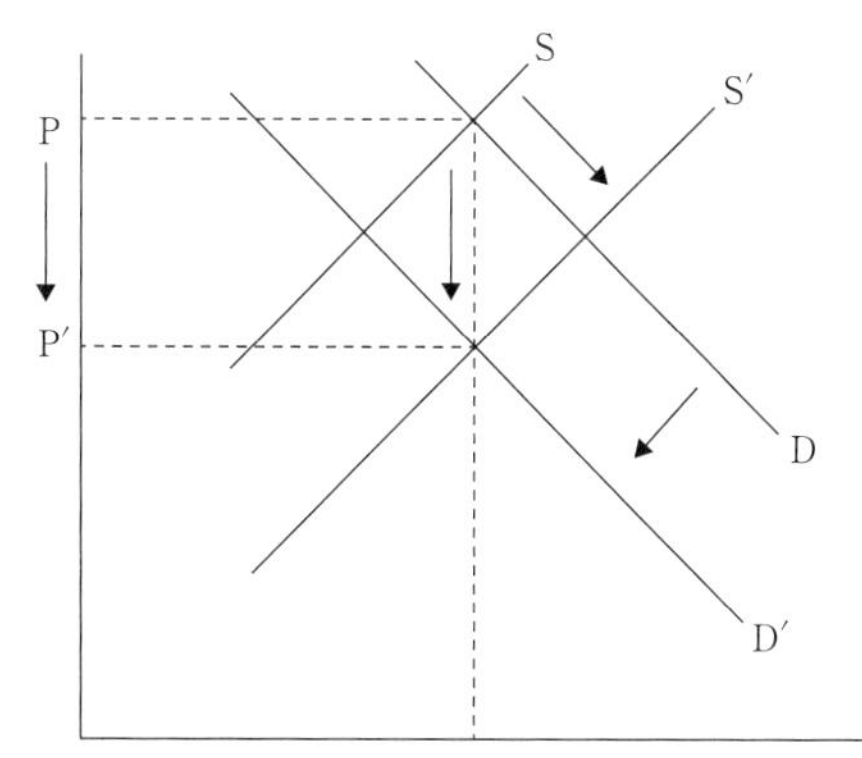

注：毛時代の中国は極端なモノ不足に陥っていた。便宜的に近代経済学の枠組みで考えれば、需要曲線（D）と供給曲線（S）の交点で示される価格水準はＰである。Ｐを下げるために、政府は配給制を導入することによって、需要曲線をＤからＤ′にシフトさせる。供給量が変わらなければ、供給曲線はＳからＳ′にシフトされる。その結果、価格水準はＰからＰ′へと大きく引き下げられる。これによって悪性インフレが回避されることになる。
資料：筆者作成

では、人民の需要を満たすことができないため、ほとんどの日用品について配給制が取られていた。経済学の用語で描写すれば、政府の見える手で需要と供給が調整されていた。

なぜ配給制が取られたのだろうか。需要が供給を遥かに上回っていたため、政府が市場に介入しなければ、すなわち、需要を抑制しなければ、間違いなく悪性インフレになっただろうからである。

図９－１に示したのは毛時代の計画経済で政府がいかにして市場に介入し、極端な供給不足にもかかわらず、悪性インフレが回避されたかのプロセスである。

具体的に、毛時代の中国では、食糧だけでなく、洋服を作る生地や砂糖、自転車など多くの日用品も配給制が取られていた。配給チケットが配布され、実需が抑制されていた。生鮮食品は配給ではなかったが、供給が極端に不足していた。政府による市場介入は需要を抑制するだけでなく、供給も同時に抑制されてしまう副次的効果もある。結果的に中国社会は慢性的なモノ不足に陥ってしまったということだった。

供給不足が解消されなければ、モノ不足はいつまで経っても解消されない。しかし、毛時代、生産の拡大よりも、権力闘争が繰り返されていたため、供給量が一向に増えなかった。それでも、人民日報などのメディアは毎日のように工業と農業の生産拡大のニュースを配信して、人民を精神面から鼓舞していた。

毛時代の配給制度は1955年に導入され、正式に廃止されたのは1993年のことだった。日用品に比べ、食糧不足が何よりも深刻だったため、「糧票」（食糧配給チケット）が特に厳格に管理されていた。糧票には、各々の地方でしか使えない「地方糧票」、全国共通の「糧票」と「軍用糧票」があった。全国共通チケットの付加価値は特に高かった。たとえば中国の北方の住民の主食は小麦粉であるのに対して、南方の住民は主に米を食べる。北方の都市で生活する南方出身の住民は正月休暇などで南方に帰省する際、全国共通のチケットがあれば、米を買って北方へ持って帰ることができる。しかし、全国共通チケットは簡単に入手することができない。食料品店従業員は客から支払われる食糧チケットの中に全国共通チケットが入っていれば、こっそりとそれを地方限定のチケットに入れ替えてしまうというぐらい、生活が困窮していた。

改革・開放以降、政府による市場への介入は徐々に撤廃された。むろん、改革・開放と同時に配給制が廃止されたわけではない。中国政府のやり方は経済の自由化を進めながら、生産の拡大を図るという二面作戦だった。それを受け、段階的に配給制が廃止されたのである。

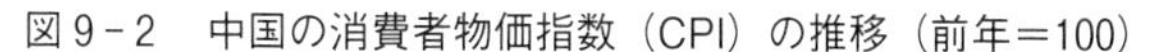
図9－2　中国の消費者物価指数（CPI）の推移（前年＝100）

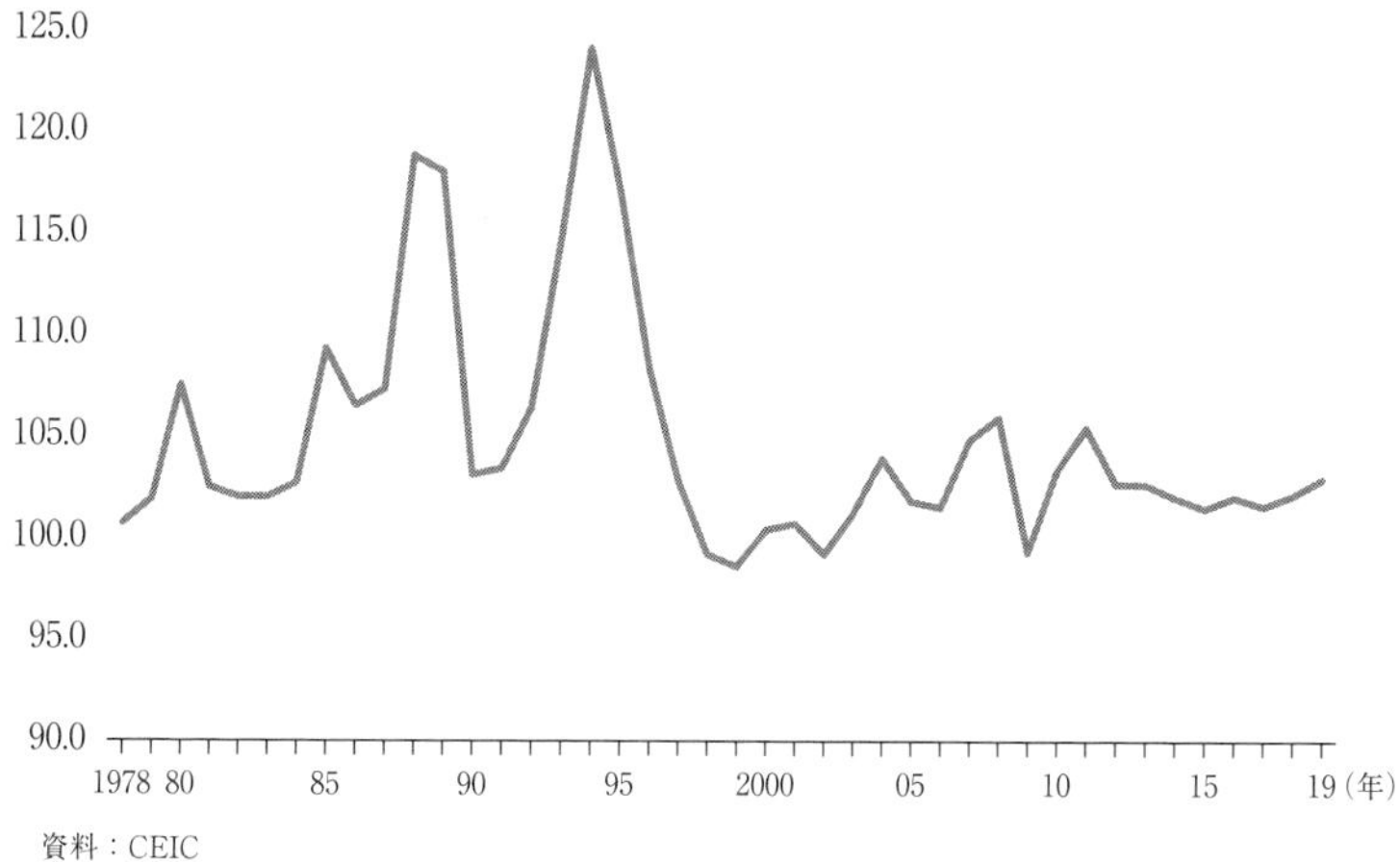

資料：CEIC

図9－2に示したのは1978年改革・開放以降の中国の消費者物価指数（CPI、前年＝100）の推移である。1988年（18・8％）と89年（18・0％）の物価の高騰が天安門事件の遠因といえる。89年の天安門事件によって、中国経済は急減速した。それを受け、物価上昇率も下落した。しかし、93年の春、改革・開放の加速を呼びかける鄧小平「南方講話」により、中国経済は再び過熱していった。CPIは1993年14・7％、94年24・1％、95年17・1％と大きく高騰した。

90年代初頭のインフレ高騰は、政府の見える手が撤回されたが、市場の見えざる手による需給調整はまだ機能していなかった、いわゆる過渡期的な現象といえる。2000年代に入ってから、消費者物価は大きく高騰することがなかった。一方で、中国は新たな課題として資産インフレ現象に直面するようになる。株価はいくども乱高下しているほか、不動産バブルも高止まりの状態になった。この点については後述することにする。

グローバル化の加速と中国経済圏の拡張

２０２０年のコロナ・パンデミックによって、習政権は内循環経済発展モデルを打ち出している。世界中でヒトとモノの流通が滞ってしまったがゆえに、中国経済を内需依存型にシフトさせて厳しい環境をしのごうという発想である。背景には、対米貿易摩擦の影響も見え隠れする。

総じていえば、中国経済の基本的な性格は、輸出依存の外向型といえる。２０１７年の中国の輸出依存度（輸出÷ＧＤＰ）は19％と高い水準にあった。

米中貿易戦争においては、中国の市場開放が不十分であると指摘されている。しかし筆者は、市場開放に関しては、中国はかなりオープンになっているのではないかと思っている。

中国に行ってみればわかるように、北京や上海などの大都市は特に顕著だが、自動車の大半は外国ブランドのものである。政府高官の公用車もルールで中国製アウディと定められている。隣の韓国に行ってみれば、外国の車はほとんど見かけない。日本でも、役所の公用車は外国の車を使うというのはまずあり得ないだろう。

なぜ、自力更生を繰り返し強調する中国共産党が、自動車市場をここまで開放するのだろうか。

答えは簡単である。自動車は自力更生だけではキャッチアップできないからだ。内燃機エンジンの自動車を製造する技術は白物家電とちがって、外国製品を真似してつくることができない。地場メーカーの車は走ることができるが、その品質について外国メーカーとのギャップは一向に縮まない。中国政府が考案した自動車産業政策は、外国の一流メーカーを誘致して、地場メーカーと提携することである。その狙いは外国メーカーのブランドの車の販売を認める代わりに、その技術を移転してもらうことである。このやり方はトランプ政権が仕かけた対米貿易戦争（＝中国は先進国が苦労して築き上げた技術を、リープフロッグを狙って盗み取ろうとしている、という主張）の一因である。むろん、外国メーカーはすんなりと中国政府の要請に従うとは限らない。

振り返れば、中国の外交型経済モデルが成功を収めたのは、外国企業の直接投資を誘致して中国の廉価な労働力とハイブリッドさせ、中国で製造された安い製品と商品を輸出して外貨を稼ぐことができたから、つまり中国は世界の工場として役割を果たすことができたからということである。しかし、その主役は中国の地場企業というよりも、むしろ中国に進出した外国企業といえるのではないか。

２００１年、朱鎔基首相（当時）の尽力で、中国は念願の世界貿易機関（ＷＴＯ）に加盟を果たした。しかしその後、中国の改革は足踏み状態が続き、スタンダードな国際化水準までには到達できていない。

中国経済の国際化とは、どのように定義するのだろうか。形式的には中国の輸出依存度は2割近い高水準だが、実はその主役は外国メーカーである。外国のスーパーなどで売られている中国製品のほとんどは外国ブランドのものである。中国の地場企業はいまだに国際ブランドを育成できていない。

中国経済の真の国際化が実現しない原因として、次の諸点を挙げることができる。まず、中国では、ビジネスの国際ルールと国際標準を十分受け入れていないことである。企業の目線からみれば、ルールよりも結果、つまり利益の実現を優先するため、スタンダードな国際化はなかなか実現できない。第二に、国有企業のほとんどが重厚長大産業であること。たとえば国有のプラントエンジニアリングメーカーは、中国政府の途上国に対する経済援助プロジェクトの受注がほとんどである。大型国有銀行でも、金融商品の開発力が弱いため、国際金融市場における存在感はほとんどないに等しい。おそらく中国企業がはじめて国際市場で存在感を誇示できそうなのは、ファーウェイ技術の5Gではないだろうか。しかし、ファーウェイ技術の国際戦略もトランプ政権の経済制裁に阻まれている。

冷静に考察すれば、世界第二の規模を誇る中国経済に、世界で存在感を誇示できる自国ブランドがほとんどないというのは、異様な感じといわざるを得ない。

2　国家資本主義の帰着点

専制政治の強みと弱み

戦後、四十数年続いた冷戦は、民主主義の勝利によって終止符が打たれた。民主主義の強みは主権在民の基本理念により、その意思決定が民意を反映すると同時に、知恵と政策提言をボトムアップで汲み上げることができるところにあるといわれている。しかし、昔からいわれたように、民主主義はベストな制度ではなく、ベターなものである。目下のコロナ禍に立ち向かう民主主義国のほとんどで、その弱い側面が露呈している。

それに対して、中国は新型コロナウイルスに立ち向かう果敢な姿勢をみせているようにみえる。2020年、わずか数カ月で、民主的というよりは政府のトップダウンの決定により、挙国一致の大義を掲げて新型コロナウイルスをほぼ完全に制圧した。中国国内の政治学者の一部は、専制政治は民主主義に比べ優位性があることが証明されたとまで主張している。

中国では、初動こそ遅れたが、その後、過剰反応と思われるほど厳密に都市封鎖や外出制限管理を徹底し、その結果、数百人程度の陽性者が判明しただけで、世界に先駆けてウイルスの拡大・蔓延を阻止した。その迅速さは朝令暮改・優柔不断の日本とは好対照だった。

なぜ専制政治の中国はここまで思い切った措置を取ることができるのだろうか。理由は簡単である。専制政治の国では、議会や野党の監督とガバナンス機能がないため、政府はコストを無視して対策を講じることができるからだ。ただし、専制政治体制は、こういった感染症問題など自国で起きたトラブルについて、その初期の段階で情報の暴露を極端に嫌う。自国の瑕疵を極力外部に知られないよう、操作隠蔽する体質がある。

それに対して、民主主義体制では、建て前上は議会と野党によってガバナンスされ、マスコミも厳しくモニタリング機能を果たすため、政府は何か政策を行おうとする際には、正式な手続きを踏まざるを得ない。それには、思ったよりも時間がかかることがある。それに関連する法律を制定しなければならないなど、超えるべきハードルが少なくないからである。

何度も言及するように、専制政治の中国では、そもそも法律よりも、共産党中央委員会の決定がより強い権限を持つため、社会の雰囲気として、正しいことをするならば、法的手続きなど必要がないということになっている。しかし、専制政治体制はコストを無視してさまざまな対策を迅速に講じることができるが、そのコストはいったい誰が負担するのだろうか。結局のところ、草の根の人民がそのコストを負わされることになるのだ。

特に、コロナ危機が起きてから、中国では、都市封鎖と大規模なPCR検査の実施とともに、スマホの専用アプリで濃厚接触者の特定に取り組んでいる。そこで大きな問題は、感染者の個人情報が恣意的にインターネット上にアップされているため、個人のプライバシーに対する配慮がまったくなされていない状況にあることだ。個人の人権より国家の利益が勝るのが社会主義国の特徴である。

チェック・アンド・バランス機能が用意されていない専制政治体制において、ある目的（たとえば、ウイルスとの闘い）を達成するためなどでは強い力を発揮することがあろうが、それに付随するコストとそのあとの影響は、想定よりも遥かに大きくなる。特に、透明性のない権力行使は予想以上の副反応と副作用をもたらすことになるという点を明らかにしておく必要がある。決して単純に「コロナの感染を封じ込めたから、専制政治に優位性がある」という評価を下すことはできない。

国家資本主義の経済開発モデルの行方

中国型の経済開発モデルをどのようにして性格づけすればよいかについて、専門家の間でも意見が分かれている。中国政府は中国経済を「中国特色のある社会主義市場経済」と定義しているが、それをわかりやすく解釈すれば、「共産党指導の下で国有企業が支配的で民営企業が補完的な市場経済」ということなのだろうか。要点として、次の三点を挙げることができる。

① いかなることがあっても、共産党指導体制を揺るがすことは許されないというのが大前提。

② 「国有企業の支配的な立場」という位置づけは社会主義体制の基本であるため、それを堅持する。

③ 民営企業はあくまでも補完的な存在になる。

この三点について、①は政府共産党が市場に介入する権限を持つことを意味する。具体的には、許認可権と国有企業の人事権の行使である。むろん、現実的には民営企業の業務に対する調査の行使も含まれているうえ、実施もされている。その際の公平性は、ほとんど担保されていない。

②の国有企業の支配的な立場とは、国有企業による市場の独占を意味する。現に石油、電力、民間（非軍事）航空、運輸など公共性の高い産業のほとんどは国有企業によって独占・寡占されている。

③の民営企業の補完性は、国有企業が担えない産業分野については民営企業の参入を認めるということである。この点について、江沢民政権のとき、小売りなど競争性の高い産業は国有企業が適応できないと考えられ、民営企業の参入を認めると公式に定められた[7]。

仮に「共産党指導体制＋国有企業の市場独占」を中国型の国家資本主義と定義するとすれば、その弊害は、市場独占による効率性の悪化に加え、指導する立場にある共産党幹部と監督される国有企業との癒着、すなわち腐敗が助長されるということである。習政権によって追放された周永康・元共産党中央政治局常務委員は中国の石油族だった。２０１９年死去した李鵬・元首相一族は中国の電力族といわれている。実は、このような傾向は中国特有のことではない。ＡＳＥＡＮ諸国でも、石油や天然ガスの利権をめぐる争いが政争の具となっていたのは周知の通りである。政府が市場監督権を持つのは当然のことだが、問題はその透明性を担保できるかどうかにある。

中国では、共産党による指導体制を否定することができないならば、せめてその透明性を担保しなければならない。国家資本主義的な経済開発政策はあるプロジェクト、あるいはある地域にフォーカスすれば、その勢いと力強さはほかに類を見ないものとなることがある。たとえば、中国が核実験を行ったのは、1964年という、経済がどん底に陥ったタイミングだった。この点は現在の北朝鮮の核実験と同じである。同様に、中国が最初に人工衛星（東方紅1号）を打ち上げたのは、1970年という、経済が極端に困難な時期だった。

国家資本主義の一つの特徴は、国のあらゆる資源をある一つのプロジェクトに集中させ、それを成功させることによって人民を鼓舞することである。それに対して、大半の人民を同時に豊かにすることはできない。40年前の鄧小平の「先富論」にしても、2020年の習政権の「貧困を完全に撲滅する目標」にしても、すべての人を豊かにすることはできないというのが暗黙の了解だったのだろう。

ノーベル経済学賞の受賞者アマルティア・セン教授は、「格差の問題は所得の問題ではない」と述べたことがある。中国でも、貧困をもたらしたのは所得の問題ではなく、富の配分について、民主主義の国の人々と同じような一票の力がないからである。

長い間、日本は農産物市場を開放できなかった。農業中心の地域から選出された政治家たちは、農家の票を失うのを恐れているからである。それに対して、中国はWTOに加盟したときやASEAN諸国と自由貿易協定（FTA）を締結したときなど、率先して農産物市場の開放を約束した。中国では、農家は政治に影響を与えることがまったくできない。それどころか、ことあるごとに農家の利益は真っ先に犠牲にされてきた。

では、このようなやり方で国家資本主義の経済開発が持続していけるのだろうか。答えはすでに明らかである。キャッチアップの段階においての短期的な国家資本主義的な荒療法は多少やむを得ないかもしれないが、安定期に入れば、正規の市場型経済体制に切り替えていかなければ、経済も社会もますます不安定化すると思われる。

習政権の「面子プロジェクト」

一般的にどの国の政治指導者も、政権への求心力を高めるために、何らかの政策目標を掲げることが多い。日本でも、池田内閣の「所得倍増計画」が有名だった。米オバマ大統領は選挙中に「チェンジ」「Yes, we can」を掲げて当選したといって過言ではない。トランプ大統領は「make America great again（米国を再び偉大な国に）」をスローガンとして叫んでいた。池田隼人内閣で日本国民の所得が大幅に増えたのは事実であり、だからこそ日本の経済史と政治史でこの政策は記憶されている。オバマ政権の8年間、米国はどのように変わったのか。トランプ大統領は本当に米国を再び偉大な国にしたのか。それらについては政治学者による考察を待たなければならない。

中国でも同じである。かつて毛沢東は工業生産（具体的には鉄鋼生産量）で米国に追いつき、英国を追い越すことを目標に「大躍進政策」を推進し、達成できれば国民には豊かな生活が待っている、と喧伝した。結果はこれまで何度も述べたように、農業は荒廃し、大飢饉となり、数千万人が餓死するという、国民への約束とは真逆の事態をもたらした。

コラム⑪　中国指導者の「面子プロジェクト」

中国政治指導者の面子プロジェクトについてみると、李鵬首相は電力族の代表として「三峡ダムの建設」に注力した。三峡ダムは中国国内の科学者と一部の指導者の大反対にもかかわらず、建設された。それによる生態系と環境への影響が一貫して懸念されている。

江沢民国家主席は「西部大開発」と「南水北調」の巨大プロジェクトを推進した。西部大開発は経済発展が遅れた西部内陸部のキャッチアップを推進するために、鉄道、高速道路、内航の港湾などたくさんのインフラプロジェクトが遂行されたが、沿海部との経済格差はいまだ縮小していない。「南水北調」は北京など北方の大都市の水不足を緩和するために、長江の上流から運河を建設して、長江の水を黄河流域に流す奇想天外な巨大プロジェクトである。隋の煬帝の大運河を意識していたのかもしれない。

胡錦濤国家主席は「東北振興」プロジェクトを実施に移した。中国の東北三省（黒竜江省、吉林省、遼寧省）は古い工業地帯であるが、前述した通り、改革・開放以降、経済成長の潮流に乗り遅れ、大型国有企業はますます荒廃していた。胡主席は東北地方の経済と産業を再び振興するために巨額の財政資金を投じたが、いまだ経済は復興していない。

これらのプロジェクトは指導者個人の威信を高めるために行われたものであるため、その建設コストや採算は度外視して工事が進められた。

中国の政治指導者は選挙の試練を受けることがないため、壮大なスローガンを掲げたり、巨大プロジェクトの建設を実施したりする目的は、米国大統領の目線（国家のため、もしくは国民のため）とちがって、「自らに対する崇拝を煽る」ためである。言い換えれば、中国で執り行われた多くのプロジェクトは指導者個人の「面子」プロジェクトなのだ（コラム⑪を参照）。

習政権の面子プロジェクトを考察してみよう。

習政権は自らの面子プロジェクトの建設について、最も意欲的といえる。すでに明らかになっているプロジェクトとしては有名な「一帯一路」イニシアティブ、「中国製造２０２５」および人材リクルートプログラムの「千人計画」が挙げられるが、これらのプロジェクトのベクトルは、すべて中国を強国にする方向に向いている。文革（１９６６－76年）のときに中学校教育を受けた習主席は、中国が列強に侵略されたのは国力が弱かったからというロジックを信じているはずである。だからこそ二度と侵略されないように、中国の国力を強化するというのである。

この論理そのものは間違っていない。問題は、どのようにして国力を強化するかにある。中国の歴代指導者は往々にして、同じことについて誤解しているようだ。すなわち、国力を強化するのは技術力であるということである。「強国復権」にはたしかに強い技術力が不可欠だが、それは優れた技術力を習得した「結果」、国が強くなるのであって、因果関係の「因」のほう、すなわち「いかにして技術力を強化するか」が問われるはずなのである。

技術力を強化するには、優れた人材が必要不可欠で、そうした人材を育成するには、優れた教育機関と教育システムが重要である。ただし、その人材の力を結集して国力を強化するには、一握りのスーパーエリートの人材だけでは不十分である。中国の教育システムはエリートを育成するのに適しているといわれているが、いくら人口が膨大すぎるからといって、中間とボトムの人材が育たないシステムのままであるのは今後の課題である。

中国社会で漂っているのは実用（実利）主義の空気である。何ごとも損得を計算して実利がなければならないとなっているため、実利を生みにくい基礎研究に取り組む人が少ない。実利的かどうかの判断基準は、リターンと利益になるかどうかが重要なポイントである。コロナ禍において、中国は政府から製薬会社まで、ワクチンの開発に積極的に取り組んでいる。なぜならば、それが成功すれば、巨額な売上げにつながるからである。また、自力でワクチンを開発する力がない途上国に積極的なワクチン援助外交をすることで、中国親派を増やせるという野望も見え隠れする。

経済的メリットを最優先する実用（実利）主義は基礎研究の妨げになっている。この事実から、なぜ中国の科学者がノーベル賞を取れないかについて、ある程度推測できると思われる。中国の古代文明の頂点に君臨していたのは文字（文章＝記録）だったのに対して、科学は発達していなかった。科学は実用にならないと考えられていたからである。近代になって、西洋との格差を認識した中国の政治指導者たちは科学技術力を強化しようとしたが、中国社会の実用主義の空気を打破できなかった。

そして、もう一つの問題は、これまでの40年間、中国経済と中国社会の変化があまりにも速すぎたため、人々はその変化の潮流に乗り遅れるのを恐れて、落ち着いて技術を磨こうとしない傾向がますます強まっていることだ。中国に進出している多くの日本企業へのインタビューでも、みな一様に「中国人の若者は入社して少し技術を覚えたら、すぐにやめてしまう。そして彼らは自分の会社を立ち上げる。しかし、外国企業で少し働いて中途半端に技術を習得したと思っても、その真髄を理解していないのがほとんどであるから、すぐうまくいかなくなる」と答えている。

日本企業の終身雇用制度は企業内に技術の蓄積と高度化をもたらすことに大きく寄与している、プラスの一面がある。他方、中国では企業の分裂（技術者の離職率が高いこと）が絶えず起きている。それゆえ、中国で使われている工作機械の国産化率をみると、ローエンドのものは8割前後、ミドルエンドのものは6割前後だが、ハイエンドのものの割合は6％と、一向に上昇しない。中国には工作機械の技術を完璧に習得したスーパーエリートの技術者がいないのではなく、中間とボトムの人材が育っていないからである。

最後に、強調しておきたいのは、前著で詳述した点でもあるが、真の強国になるには、強い技術力や経済力、あるいは軍事力だけでは不十分で、重要なのは強い文化力を持つことだ、ということである。文化力を強化するには、学問、思想、報道、言論の自由が大前提である。自由のない国では、イノベーションが活性化しない。残念ながら、前述したように、習政権になってから、言論統制と報道規制がますます強化される一方である。

3　中国のダイナミズムの行方

中国社会のダイナミズムを生み出すエネルギー

毛沢東は中国数千年の歴史の中で他に類を見ない暴君であることは議論する余地のない事実だが、なかでもここでどうしても特筆しておかなければならない点は、人民服を着た温厚な大人風の風貌とは裏腹に、残忍かつ荒淫極まる独裁者だったという事実である。

共産党の革命は農民と労働者の蜂起によって成功し、政権を樹立した。毛は建国後、いっしょに戦った戦友と同志のほとんどを追放していった。毛の暴挙を一番手助けしたのはほかでもなく、日本でも人気の高い周恩来元首相だったことは前にも触れた。周はそのきりりとした顔立ちで、豪放磊落で太っ腹な外交手腕を発揮する半面、毛に比類する残忍な一面を持つ革命家であることは、日本ではほとんど知られていない。もちろん、中国国内でも報道規制が敷かれているため、人民の多くは周が慈悲深い存在と認識している。

毛時代の27年間、最もすごかったのは、国民に対して徹底した禁欲主義体制を敷き続けたことだ。筆者もその時代に幼少期を過ごして、このころの社会の空気を実際に体感している。一方、当然、毛自身はそれに縛られることはなかった。当時、映画や舞台劇などでも、男女の接吻はもとより、体の露出も一切認められなかった。小中高の学生恋愛は100%退学処分。大学生でも恋愛が禁止されている。当時の政策は「晩婚晩育」だった。

要するに、毛時代の中国では、人民は手足だけでなく、思想と頭脳も縛られていたということだ。1970年代前半の中国の人口は8億人だった。いかなる政治体制でも8億人の体と頭脳を縛ることができるというのは、ある意味ですごいと賞賛せざるを得ない。しかし、当時の中国には法律がなく、規範（社会のルール）も実質的になかったに等しい。人民は毛沢東だけに従うという状況だった。

当時の中国人が最も恐れていたのは、反革命分子という罪・汚名を着せられることだった。たとえば日本の町内会の打ち合わせのような居民委員会の会合などでも、担当者は質問を受け応える際、必ず毛語録を一言暗唱してから質問したり答えなければならなかった。そうしなければ、密告され反革命分子といわれる恐れがあるからだ。当時の中国は極度の恐怖の社会だった。

１９７6年9月9日、毛は死去したが、その前に、1月8日、周恩来首相が死去した。中国では、一般的に故人を偲ぶのは4月5日の清明節である。唐の詩人・杜牧は「清明時節雨紛紛、路上行人欲断魂」（清明の時節　雨　紛紛、路上の行人　魂を断たんと欲す）の詩を残した。日本人は8月のお盆のときに墓参りすることが多いが、中国人は清明節のときに墓参りする。１９７6年の清明節に民衆は自発的に周恩来首相を偲ぶ集会を行った。数十万人の北京市民が天安門広場に集まり、周首相を偲ぶ詩を書いて交換した。この「五四運動」ならぬ「四五運動」は、第一次天安門事件[8]となった。当時、天安門広場に集まった市民が書いた詩をみると、その内容は周首相を偲ぶものだけでなく、「四人組」を批判するものもたくさん入っていた。

この「四五運動」はすぐに鎮圧され、反革命運動と性格づけられた。しかし、それを介して、すでに中国社会に溜まったマグマが噴出する兆しがみえてきた。

毛沢東が死去し、四人組が追放された2年後の１９７8年に、改革・開放が始まった。その基本的な性格は「自由化」だった。長年、毛の禁欲主義体制によって厳しく縛られてきた人民は、一気に自由になったので、そこから放出されるエネルギーは想像以上に大きかった。そのエネルギーこそ中国社会のダイナミズムを生み出したのだった。その火付け役は鄧小平だった。逆にいうと、自由化すれば、中国人と中国経済をわざわざ刺激などせずとも、自然に自らが頑張るようになる。これこそが人間行動の摂理ではないか。中国社会と中国経済が疲弊することがあれば、それは政府がきつくコントロールするからである。

中国経済のダイナミズムを支えるもの

毛時代は、いかなる個人経営も資本主義的性格といわれ、厳しく取り締まられた。筆者が小学生のとき、筆者の住む南京市の郊外の農民が、現金欲しさに自分の農地で栽培した野菜をこっそり市内の住宅地に持ち込んで売っていたが、それに対して、通報を受けた役所の官吏が取り締まりに乗り出し、農民の野菜はもとより、野菜を入れる籠と秤も全部没収したという事件が起きたのを記憶している。(9)

しかし、どうしても理解できないのは、国営の食品市場には野菜などの商品がほとんど置かれていないのに、なぜ農民は自家栽培の野菜を売っていけないのかということだ。当時、政府の考えは、公社など社会主義のシステムを通さず、個人で売買を行うことは「資本主義の芽」であるため、今、摘まないと、社会主義が侵されるといわれていた。当然、政府のいうことだから、疑う余地がなかった。

1980年代初頭、改革・開放初期、中国社会に一つの流行語があった。「万元戸」という言葉だった。当時、普通の国営企業の労働者の月給は数十元程度だった。それに対して、裕福な人の代表が「万元戸」だった。この人たちはどのようにカネを儲けたのだろうか。一言でいえば、それは個人経営によるものがほとんどだった（コラム⑫を参照）。

１９９0年代の半ば以降、都市再開発が始まった。それを推進するために、土地の公有制を回避する施策として、土地の所有権（公有制であるため、国が所有する）と使用権が分離された。具体的には、レストランやホテルなど商業用地について50年間の借地権が設定された。一方、宅地の場合、最長70年間の借地権が設定された。これをきっかけに、全国の都市部で不動産開発がブームとなり、国営の建設会社だけでは、間に合わないため、民営のデベロッパーと不動産仲介業者は雨後の筍のように急増した。

不動産開発ブームより少し遅れて、情報通信産業（ＩＴ）のバブルが起きた。中国政府は１９８0年代後半から私費留学を解禁した。それ以降、多くの留学生は米国、英国、日本などの先進国に留学した。その一部はインターネットの将来性に目を引かれ、検索エンジン、ＳＮＳ、Ｅコマースなどネット関連の企業が多く操業された。そのなかで大成功を収めたのが百度、テンセント、アリババなどである。

特筆しておきたいのは、これらの企業は一つも政府の支援によって成功したものではない。彼らは消費者のニーズに応えて、市場競争に勝ち残った。中国では、民営企業について、６７８９という神話のような言い伝えがある。それは、民営企業は6割の税金を納め、７割のＧＤＰに貢献し、８割の輸出を実施し、９割の雇用を創出しているというのだ。この定義は厳密なエビデンスに基づいたものではないが、民営企業の貢献度の大きさを窺うことができる。結論的にいえば、中国経済が持続的に成長していけるかどうかは、民営企業に自由を与えるかどうかにかかるといえる。

コラム⑫　変わり種の成功者たち

英国人はアフタヌーンティーのとき、スコーンなどの茶うけ菓子やサンドウィッチなどを食べる。日本人のお茶の時間には、和菓子やケーキなど多種多様のおやつが並ぶ。中国人が最も好きなのは向日葵の種やスイカの種などである。それを炒ってから食べるのが一般的なのだが、味もさまざまである。改革・開放初期、路上で自家焙煎してつくったオリジナル味の種を販売して大繁盛し、「万元戸」になった人が中国全土で話題になった。

また、北京や上海などの大都市や東北三省などの若者は香港に近い深圳に行って、香港から密輸される電子時計やジーンズなどを仕入れて、宅配便サービスがなかった時代だったため、自ら大きな荷物を背負って満員の列車に乗り込んで持ち帰った。彼らは故郷の町で遠方はるばる仕入れてきた流行の品々を売って金を儲けていた。かつての日本でもみられた「かつぎ屋」のような商法だ。これらの若者の多くは大学に進学できず、国有企業にも入れなかった人々だった。

むろん、中国社会では、これらの個人経営の若者に対してかなりの偏見があった。それでもこれらの若者は偏見にもめげず、汗水を流して、ビジネスに奔走した。彼らの中には何万元も稼ぐ者も現れた。

そして、１９８０年代から90年代初頭まで、中国社会のもう一つの花形職業はタクシー運転手だった。大多数の家庭に自家用車がなかった時代だったため、タクシー運転手は月収もよかったこともあって、羨ましがられていた。

「強国復権の夢」の実現を阻むチャイナリスク

改革・開放政策は今、歴史的な転換点に直面している。歴史的というのは、鄧小平とその同世代の長老たちが敷いたレールに則って走り続けてきたこの政策が、ここにきて限界に差しかかっていることを意味する。その限界とは、社会活動と経済活動を規定する制度設計が行われていないため、ルールが確立せず、政府が恣意的に介入することで社会も経済も不安定化していることだ。

習政権が最も心配しているのは、国有企業が弱体化していった場合、民営企業が中国経済の主役となり、それによって中国は社会主義でなくなってしまうことである。だからこそ、習主席は繰り返して国有企業をより大きくより強く建設すると強調しているのだ。この呼びかけはこれまでの改革・開放と逆行するものである。中国経済が民営企業に牽引されている事実を無視して、国有企業を無理に押し上げる考えそのものが、中国経済を弱体化させる恐れがある。したがって、習政権の国造りの理念こそ中国社会と中国経済の現実を無視する深刻なリスクといえる。

理念が正しくなければ、国は順調に発展していけない。習政権は「強国復権の夢」を実現するよう人民に呼びかけている。しかし、この「すばらしいビジョン」を実現するミッションは互いに合致しない。すなわち、経済についていえば、民営企業が弱体化すれば中国経済は強くなれない。経済が強くなれなければ、防衛力も強化できない。社会について、自国民に自由を与えなければ、政権への求心力も次第に低下する。そのうえ、前著で述べたように、文化力を強化するために、創作活動の自由が付与されなければならない。したがって、習政権が実現しようとする目標、すなわちビジョン自体は中国社会で広く支持されているはずだが、それを実現する手段は自己矛盾しており、なかなか目標達成に向かわない。

40年間続いた改革・開放路線はここで終点になる。これより先は新しい線路になる。それを再スタートすることができるかどうかは習政権の知恵が試される。40年前に、法律などの制度設計が行われずに、改革・開放は見切り発車したが、これからはそれができない。しばらくの間はこれまでの40年間の蓄えを取り崩してしのぐことができるが、中国社会の図体は大きいため、そのストックを使い尽くすのは時間の問題である。

現実的に経済発展を継続させるには、世界標準である市場経済の枠組みに適応する制度設計をきちんと行っていく必要がある。同時に国際社会の普遍的な価値観とルールを受け入れなければ、中国は孤立してしまう恐れがある。中国が目指すべき理想像は、他国に恐れられる存在ではなく、他国から敬意を払われる存在であるべきである。その目標を達成するには、政治指導者と草の根の民も、もう一度自己教育しなければならない。その内容は共産党や政治指導者への忠誠心を誓うことではなく、教養と文化と文明を身につけることである。

【第9章・注】

（1）台湾の作家。

（2）日本では日本への留学経験もある周恩来の人気が高いが、その別の一面はほとんど知られていない。周は毛に追放されるのを恐れて「献身的」に毛の悪事を手助けした。周の協力がなかったら、毛の「偉業」は達成しなかっただろう。むろん、周もまた被害者である。1976年1月8日、周は死去した。その葬式に毛は参列しなかった（一説には、このときすでに毛は半身不随で歩行すら困難だったとも言われているが)。それは四人組と関係なく、毛個人の判断によるものである。毛は生涯、周を執事扱いして軽蔑していた。

(3) 四人組を追放した実質的な責任者は華国鋒だった。華国鋒をバックアップしたのは葉剣英元帥だった。

(4) 趙は軟禁されたとき、単独でゴルフを楽しむことが許されていた。ただし、党内には趙に同情する勢力が存在し、江沢民政権はそれを警戒していたため、軟禁措置を緩和しなかった。

(5) 毛沢東を否定していないため、毛時代に追放された右派分子の名誉を回復するのは、かなりの政治リスクを伴うことである。当時、長老たちは毛沢東思想に反することを口実に、胡耀邦の追放に加担した。

(6) 1980年代以前、中国には、銀行は中国人民銀行しかなかった。人民銀行は中央銀行であったと同時に、市中金融業務も担っていた。改革・開放以降、人民銀行は専門の中央銀行となり、市中金融業務は農業銀行、工商銀行、建設銀行と中国銀行が担うことになった。これら四大銀行は互いに相互参入ができなくて、「専業銀行」と呼ばれていた。すなわち、農業銀行は農村金融、工商銀行は都市金融、建設銀行はインフラ金融、中国銀行は外為業務を、それぞれ専門的に担当していた。1994年に進められた金融改革で、国有専業銀行は国有商業銀行になり、互いに相互参入できるようになった。その法的根拠となったのは「商業銀行法」である。

(7) 1997年9月12日、江沢民総書記(当時)は「第15回党大会報告」の中で「公有制を主体とし、多種多様な所有制経済がともに発展するのはわが国初期段階の基本的な経済制度である」と述べている。この点について、中国国内の評論家は、長い間、非国有経済は社会主義公有制経済を補完する役割だったが、これからは社会主義市場経済の重要な部分になると解釈している。今の中国経済の構造をみると、これは明らかに拡大解釈といわざるを得ない。

(8) 1989年6月4日に起きた民主化要求運動(第二次天安門事件)以前は、この事件は単に「天安門事件」と称されていた。現在では「天安門事件」といえば8964天安門事件のことを指し、結果、四五運動のほうを「第一次」と区別するようになっている。

(9) 1970年代、農民は自分の家で食べる野菜を栽培するためのわずかな「自留地」の保有が認められていた。

第10章　「赤い帝国」の興亡

21世紀の国際システムは、次のような表面上の矛盾に特徴づけられるであろう。一方は分裂の動きであり、他方はグローバリゼーションの動きである。国家間の関係を考えると、新しい秩序は冷戦の硬直した形を取るというより、18世紀および19世紀のヨーロッパの国際システムに似ているものとなるであろう。それは、数多くの中規模か、より小さい国々による多様な世界であると同時に、それは少なくとも六つの主要な大国、すなわちアメリカ、ヨーロッパ、中国、日本、ロシア、そしてたぶんインドを含むであろう。同時に、国際関係ははじめて本当に世界的なものになるのである。コミュニケーションは瞬時に行われ、経済はすべての大陸で同時に動いている。

ヘンリー・キッシンジャー(1)

1　中国の「平和的台頭」の副反応

中国の台頭と東アジアのパワーバランス

本章冒頭で引用したのは、キッシンジャー米国元国務長官の代表作『外交』の一節である。彼の政治家・外交家としての生涯の中で最も重要な所業は、いうまでもなく、米中の国交正常化を成功させたことであろう。しかし、氏のこの著作には、中国に関する記述は悲しいほど少ない。一方で、冷戦終結直後の国際関係に関する認識とそれからの展望などについては、見事な見解を披瀝している。

同書における、中国に関する一節は、下記の通りである。

すべての大国、あるいは潜在的大国のなかで、中国は最も興隆しつつある国だ。アメリカはすでに最も力のある国であり、ヨーロッパはこれからより統一を強めねばならない。ロシアは足取りのおぼつかない巨人であり、日本は裕福だが今のところ臆病な国である。しかし中国は年10%の経済成長率と強い国民の団結とさらには強い軍隊を誇り、主要大国のなかでの地位を最も上げるだろう。

この本は1990年代初頭にまとめられたものであり、冷戦終結後の国際関係を念頭に、望遠鏡をもって21世紀の国際関係を展望したようなもので、著者はそのライフワークとして中国の経済発展に熱い目線を注いだように見受けられる。ただし、なぜなのかはわからないが、中国に関する記述はあまりにも少なかった。

これまでの40年間の新聞報道をもとに考察して、キッシンジャーはほぼ毎年のように中国を訪問している。中国には「飲水不忘掘井人」(井戸の水を飲むとき、井戸を掘った人を忘れない)という諺があるが、米中国交正常化を成功させた功労者はまさにキッシンジャーであり、その後、中国を訪問するキッシンジャーは公職を退いたにもかかわらず、中国でいつも特別待遇を受けている。決して極論ではないが、中国にとって彼は「外交戦略顧問」のような存在であり、米中の架け橋の役割を果たしていたのだ。このことは中国外交の特徴ともいえる。

中国が外国との外交関係を強化する手段として執る基本線は、まず相手国でキーパーソンを探し出して、その人物に架け橋の役割を果たしてもらい、本国の政治指導者などにアプローチするやり方である。米中の間でキーパーソンの役割を果たした人物として、キッシンジャー以外に、たとえば、ヘンリー・ポールソン元財務長官[2]も胡錦濤時代（2003−12年）の米中関係に大きく貢献していた。

米国のこれらのキーパーソンは例外なく、中国の経済発展を期待して、米中協力を推進した。その集大成の戦略は本書でも前述した「エンゲージメント政策」である。中国を国際社会秩序内に受け入れ、中国の経済成長に協力し、そのうえで中国の民主化を推進させるという戦略だった。しかし、米国論客のこのような期待——すなわち、チャイナドリーム——は、トランプ政権によって打ち壊されてしまった。要するに、中国は経済が発展しても、民主化する兆しが見えないということである。

中国はキッシンジャーが展望した通り、1995年から2010年までの間、年平均10％の成長を続け、2010年に日本の経済規模を上回り、世界第二の経済大国になった。その後の中国経済は10％にこそ届かないが、依然、中成長を続けていた。

中国が台頭することによってグローバル社会のパワーバランスが崩れたのは間違いない。中国が強化しているのはマンパワー、ランドパワー（陸上での力）とシーパワー（海洋での力）である。南シナ海と東シナ海の拡張政策はまさにシーパワーが強化された象徴である。

中国経済の今後の展望

コロナ禍において世界主要国のほとんどは2020年の経済成長が大きく落ち込んでしまった（表10－1参照）。そのなかで、中国だけは2・3％成長とプラス成長を実現した。IMFなどの国際機関は中国経済の長期展望を推計し、最も大胆な予測として、中国の名目GDPは2028年にも米国を追い抜くというものがある。さらに、購買力平価（PPP）で米中の名目GDPを評価した結果、中国の経済規模はすでに米国を凌駕しているとまでいわれている。ちなみに、これらの推計は香港・マカオは含まれていないもので、香港・マカオを含むGreater Chinaの経済規模を考えれば、数値はさらに大きくなるにちがいない。

しかし、ここで、一つ重要な疑問が残る。すなわち、習政権が進めている強権政治でも、中国経済はこれまでのように成長を持続できるかという点である。また、米中貿易戦争をきっかけに、部分的に米中経済のデカップリング（分断）がすでに進んでいることから、中国にとっての外部経済環境は一段と悪化するものと思われる。要は、IMFや世界銀行などの国際金融機関の予測のほとんどはこれまでの成長をもとに行われたもので、中国経済と社会に内在リスクと外部環境リスクを加味した場合、今後の経済成長については必ずしも楽観視できないのではないだろうか。

特に習政権の政治方針を考察すれば、これから大きく方針を転換し、大胆な改革（第9章を参照）と思い切った自由化へと舵を切る可能性が低い。対外的には米中貿易戦争を仕掛けたのは米国トランプ政権であり、中国に責任がまったくないと考えているため、これから態度を軟化させる可能性もほとんどない。

表10-1 IMF発表の世界経済見通し

（%）

	2020年	2021年	2022年
世界 GDP	－3.5	5.5	4.2
先進国・地域	－4.9	4.3	3.1
米国	－3.4	5.1	2.5
ユーロ圏	－7.2	4.2	3.6
日本	－5.1	3.1	2.4
英国	－10.0	4.5	5.0
カナダ	－5.5	3.6	4.1
新興市場国と発展途上国	－2.4	6.3	5.0
中国	2.3	8.1	5.6
インド	－8.0	11.5	6.8
ASEAN 原加盟国5カ国	－3.7	5.2	6.0

資料：国際通貨基金（IMF）

コロナ禍において中国経済はプラス成長に転じているが、正常化しているわけではない。幸いなことに多国籍企業が大挙して中国を離れる動きは、まだ現れていない。習政権はこれまでの外向型経済成長モデルに代わって、内循環経済成長モデルを提起している。貯蓄率の高い中国社会では、個人消費の規模の大きさは先進国を凌駕するほどである。国際協力銀行（JBIC）の海外直接投資アンケート調査（2020年）によると、中国に進出している日本企業のうち、中国ビジネスを強化・拡大・現状維持と考えている企業は全体の95%にのぼるといわれている。中期的な展望として、中国が有望な進出先と位置づけている日本企業は47・2%と1位であり、インドの45・8%を上回っている。

かつての投資先としての中国の魅力の第一番には、安い人件費を挙げる企業が多かったが、近年、賃上げに伴う人件費の上昇があり、コスト面の比較優位は失われつつある。代わりに、外国企業、とりわけモノづくり主体の企業にとっての中国の魅力は、裾野産業の発達と優れたデジタル化されている物流システムと巨大市場の存在である。

ただし、企業の投資戦略は長期的な安定成長も重要だが、国際競争が激化しているため、短期的な利益を最大化する必要がある。したがって、リスクが顕在化しなければ、企業は進出先でビジネスを続けることになる。サプライチェーンを合理化し効率化するために、工場を分散する必要性がいわれているが、それに伴うコストを考えれば、そこまで決断できる企業がそれほど多くないのが現状ではなかろうか。

結論として、中国経済は短期的にはクラッシュする可能性は大きくない。多国籍企業を中心にサプライチェーンを合理化する動きも、予想以上にゆっくり実施されてきている。どちらかといえば、新たな産業革命に向けて、多国籍企業は新たなサプライチェーンを構築する際に、アセット・リアロケーション（経営資源の再配置）を行うことになる。

中国にとって短期的に心配されるのは、ハイテク企業が米国政府に制裁されることであり、その影響を受けて、日米韓台などの企業が中国企業との取引をストップすることである。それによってマクロ経済の成長が減速するというよりも、中国の産業構造の高度化が遅れる可能性が高い。

2 「赤い帝国」の蜃気楼

国家資本主義から国家社会主義へ

自由な資本主義市場経済は「見えざる手」の市場メカニズムによる需給調整に委ねられているが、常に最適な解を得られるとは限らない。ときには、市場が失敗することもある。そのうえ、政府が介入し規制などを加えることもあり、政府の失敗がさらに上乗せされる可能性があることも事実である。

それに対して、社会主義経済は政府がすべてをコントロールするため、資本主義市場経済で論じられる市場の失敗や政府の失敗と同じ次元の話ではない。この点をまず明らかにしておく必要がある。そのうえ、中国のこれまでの「改革・開放」政策は国家資本主義と定義されることが多い。また、東南アジア諸国でみられる開発独裁と比較して論じられることも多い。

中国の「改革・開放」の最大の特徴は、共産党一党独裁が堅持されながら、経済だけ部分的に自由化された点である。要するに、政府共産党の指導体制を揺るがすことは絶対に許さないなか、国有企業の存続は最優先に担保され、国有企業が担っていない産業分野については民営企業の進出を認める。中国共産党の言葉を援用すれば、民営企業はあくまでも国有企業を補完する役割である。結果的に国有企業と民営企業が併存していることから、それは「混合所有制」と呼ばれることもある。

習政権が目指そうとしているのは「中華民族の偉大なる復興」といわれるが、その基本は共産党の一党支配体制の堅持、すなわち「赤い帝国」を構築していくことである。かつて延安を訪問し、毛沢東にインタビューを行った米国ジャーナリストのエドガー・スノーは *Red star over China*（『中国の赤い星』）を書いた。習政権が夢を見ているのは Red Empire（赤い帝国：かつてこの言葉はソビエト連邦の代名詞であったが、社会主義体制が崩壊し、ロシア連邦に変わったのちは、中国こそこれを名乗るのにふさわしい国となった）を構築することであるはずだ。それを実現できれば、共産党一党独裁の政治体制は永続的に存続できると思われている。

しかし、国家資本主義から国家社会主義へと舵が切られた場合、中国経済は成長が急速に鈍化する可能性が高い。キッシンジャーがいう国民の団結を実現し、強い軍隊を持つことは、本当にできるのだろうか。国家社会主義はレーニンが提案した、厳しく管理された社会であり、社会のすべての構成員の自由が奪われ、社会全体が活力を失うのではなかろうか。

中国社会において、これまでの40年間の経済成長の果実の一部が貯蓄として残っているため、当面は成長が少々鈍化しても、恐慌に陥ることはなかろう。しかし、「改革・開放」のレガシーが食い尽くされれば、１９７０年代の毛沢東時代末期のような状態の中国が再来する可能性は小さくない。「赤い帝国」は蜃気楼のように美しくみえるかもしれないが、それが現実的な存在になれば、それは暗黒社会の入り口を意味するのである。

文明大国への回帰

筆者が32年前、中国を離れ、日本に留学したときにはじめて実感したことだが、中国パスポートを持って外国へ出張・旅行に行こうと思うと、行先の国のビザを取得するための手続きの煩雑さはおそろしいほどである。30年前に英国に短期間留学したときのことだが、ロンドンのヒースロー空港で日本人の学生はパスポート・コントロールの入国審査でほとんど時間がかからずスムーズに通過できたのに対して、自分の番になると、まるで犯罪人のように扱われ、紛争地域などから来た難民と同じところで待機させられ、相当時間がかかったのち、ようやく通されたという経験がある。最初、これは人種差別かと思ったが、同じアジア人である日本人や韓国人はこういった処遇に遭遇していない。それよりも、日本のパスポートや韓国のパスポートなら、欧米主要国への渡航はほとんどビザが免除されている。そんなある日、ふと、中国パスポートを持っている者は外国で歓迎されない存在になっているのではないか、ということに気づいた。

そうした状況はこのところ少し変わってきており、わけても近年、インバウンドの爆買いの中国人観光客が大挙して欧米へ海外旅行に出かけていることから、ビザの手続きはいくらか簡素化されているようだ。しかし、それでもビザは完全には免除されていない[3]。

なぜ世界主要国は中国人（厳密にいえば中国パスポート保有者）に対して、ビザを免除しないのか。これらの国による中国に対する偏見と決めつけることは簡単だが、もっと深刻な問題の本質は、中国と世界主要国との信頼関係が崩れたことにあるのだろう。

長い間、中国外交の軸足は、発展途上国との関係を強化し、国連など国際機関での影響力を強めることだった。欧米などの先進国は中国の社会体制と異なるため、これらの国々は中国のレジームチェンジ（体制転換）を狙っているのではないかと思われる。おそらく先進国からみて、中国は間違いなく異質な存在だったが、経済発展が遅れているため、先進国にとって深刻な脅威とみられるほどではなかった。しかし、ここに来て、中国の経済力は急速に強化され、中国の行動様式および外交方針もますます強権的になっていると（少なくとも先進国からは）みえるのは事実だろう。

これには二つの次元のことがある。一つは中国の国家戦略であり、かつて鄧小平が国連特別総会で絶対に覇権を求めない（第1章冒頭の引用文を参照されたい）と約束したが、ここに来て、それが拡張路線に転換したように見受けられる。従来の外交方針を転換したとすれば、丁寧な説明が求められている。もう一つは草の根の人民のレベルの素質である。2019年、1億5000万人の中国人が海外旅行したといわれている。中国人観光客のマナーの悪さはたびたび外国メディアに取り上げられ、問題になっている。中国が目指す理想像は恐れられる存在ではなく、文明国家として尊敬される国でなければならない。さしあたって重要なのは、以前にも述べたように、外交報道官の態度をきちんと是正して、答えにくい質問にはノーコメントでもよいが、横柄な態度を取らないほうがよいと思われる。外交の基本はイメージメーキングである。

3　東アジアの地政学リスク再考

東アジアの地政学リスク

第二次世界大戦の終結から約半世紀が経過した1990年代初頭、それまで続いた東西冷戦が終結した。それは歴史の終焉とまでいわれるほどの出来事だった。それからさらに30年ほど経過した。世界は再び不安定な様相を呈している。世界地図を広げてみれば、東アジアにおいて中国を囲むように、発火点が随所に点在している。北朝鮮の核開発、東シナ海における日中の対立、台湾海峡を取り巻く不穏な空気、南シナ海の不安定性、中国とインドの国境紛争[4]などだ。

グローバル社会で地政学リスクが高まる一番の背景は何だろうか。それは強いリーダーシップを取れるリーダーの不在ではなかろうか。近年、各国の政治指導者は自国の利益を最優先にしている。あの、世界の警察とまで言われた米国ですら、他国への介入を縮小する傾向にある。彼らが新たな国際秩序を構築する知恵を持ち合わせていないのは残念である。

20世紀、人類は不幸にも二回も世界的に大きな戦争を経験した。二度と不幸な歴史を繰り返さないように、戦後、国連を中心とする国際秩序と国際機関が構築された。戦後の国際秩序の中心は戦争防止に加え、地域間格差、すなわち南北問題を解決することだった。工業国は途上国への経済援助を積極的に進めた。それによって国際社会の不安定性が取り除かれると期待されていた。

しかし、中国をはじめとする一部の途上国の経済が予想以上に発展して、国際社会におけるプレゼンスが高まるにつれ、既存の国際秩序と国際機関はそれに対応できなくなった。新興国からみると、既存の国際秩序は先進国がつくったもので、その多くは先進国に利するものであるため、それに従う義務がないと思われている。

とはいえ、新たな国際秩序を再構築することは簡単なことではない。まずそれに向けたリーダーシップが必要である。ソ連が崩壊し、ロシアが誕生したが、ロシアの民主主義には透明性がなく、G7からみると、大きな脅威となっている。もう一つの大国は中国である。中国は経済を自由化しているが、政治はいわゆる強権政治である。すなわち、国際政治は自由な民主主義と強権的な独裁政治という単純な分け方ではなく、さまざまな変形した政治体制が同時に併存している。

こうしたなかで、グローバル社会の権威が事実上不在であるため、地政学リスクは日増しに高まったのだ。既存の国際機関はそれをコントロールできず、リスクはクライシスに発展しやすくなっている。コロナ禍はその典型といえよう。新型コロナウイルスの感染を抑制する各国の対応はバラバラに行われているだけでなく、ワクチンと治療薬の開発についても国際的な連携ができていない。なによりも、ウイルスのゲノム情報や発生源情報についてグローバル社会で共有されていない。この事例を通じて見えてきたのはグローバル社会の脆弱性である。

国際社会は今日、経済活動を通じて密接に入り混じってグローバル化されている。それに対して、地政学リスクを管理するメカニズムが用意されていないのではないか。本来なら、グローバル社会のメンバーのすべては同じ舟に乗っているはずだが、それぞれ同床異夢、すなわち、自国の利益だけを最大化しようとしている。短期的にゼロサムゲームにおいて、分け前を少しでも多く獲得しようとしても、全体のパイが増えることがない。否、むしろ、パイが縮小する可能性が高い。コロナ禍はその典型といえる。東アジアに限っていえば、新たな国際秩序を再構築するための強いリーダーシップの構築と域内の対話の強化が求められている。

中国の夢と中国の覇権

日本語で使われる「覇権」という言葉と中国語で使われる「覇権」を比較すると、中国語の覇権はかなり強烈である。たとえば日本では、スポーツの試合で連続して優勝した場合、「連覇」という。日本人はこの言葉を聞くと、せいぜい「実力が十分で、強いね」という程度の話だろう。それに対して中国では、この言葉のニュアンスは予想以上に重く響く。

１９８０年代、中国はオリンピックに参加するようになった。かつて「東洋の魔女」と呼ばれた日本の女子バレーチームと直接対決して、連続して優勝した中国の女子バレーは、中国国内で「連覇」と一瞬いわれたことがあった。しかし、すぐさまその語は禁句となり、代わって「連勝」を使うこととなった。

もう一つの事例は、トヨタ自動車の名車ランドクルーザーＰＲＡＤＯの広告が中国で騒動を起こしたことである。今、ＰＲＡＤＯの中国語名は「普拉多」であるが、最初に訳されたのは「覇道」だった。それは発音に由来するものではなく、意味から来たものと思われる。要するに、道（road）の覇者ということである。中国で「覇道」が発売された当初、二本のＣＭが制作され、テレビやネットで放送された。一つのＣＭは、石造の獅子が並ぶ道路の真ん中を威風堂堂と走りぬく「覇道」の風景である。しかし、よくみると、石造の獅子には「覇道」にお辞儀する姿のものもあるようにみえるといわれた。獅子は中国伝統文化の象徴であり、日中戦争の発火点だった盧溝橋事件[5]の盧溝橋の欄干にも何台もの獅子が飾られているため、それと連想させられている可能性もあった。

もう一つのＣＭはイタリアのシチリア島で取られた映像といわれている。このＣＭは「覇道」のうしろに古いトラックが走っている。そのトラックはどうも中国第二汽車が作った古いトラックのようにみえる。日本の方にはわかりにくいかもしれないが、要するに、中国では、このＣＭは中国と中国人が蔑視されているように捉えられてしまったのだ。中国人の愛国心が刺激され、ネットで多くのボイコット呼びかけが叫ばれた。のちに「覇道」は「普拉多」に改名された。むろん、中国人の車の愛好家の間で、「普拉多」の人気は減退していない。

この二つの事例から透けてみえるのは、中国人は口では「覇権を求める」とは主張しない。しかし、歴史教科書などには中華民族の復興が書かれている（いつの時代の中華民族に復興するかについては、誰も明確にいわないが）。おそらくチンギスハンのモンゴル族が統治した元王朝時代には戻りたくないし、満州族が設立した清王朝にも戻る気はない。一番わかりやすいのは、漢と唐が理想的であろう。すなわち、中国が目指すのは漢と唐のような帝国ということである。共産党が指導する帝国だから、「赤い帝国」ということになる。

それが覇権かどうかの判断の一つは、関係国の利益を害するかどうかである。たとえば、南シナ海の領有権をめぐってフィリピンやベトナムなどの東南アジアの国々と対立しているが、それを解決するには外交ルールを通じた対話が必要不可欠である。実は、東アジアにおいてこのような国家主権にかかわる対話はほとんど行われていない。本来、大ごとにならなくて済む話が大ごとになりがちになっている。

中国にとって留意したほうがよい点の一つは、当事国との対話を十分に行わなければ、現在の覇権国・米国に介入の可能性と隙を与えることである。たとえば、フィリピン、ベトナムとそれぞれ対話をきちんと行っていれば、米国は乗り込んでくる口実がない。このようにみれば、中国はたしかに大国で経済力も強化されているが、その外交政策は不連続で一体感を欠いたものになっているようにみえる。周辺国に手あたり次第八つ当たりし、暴走することこそ本書で述べているネオ・チャイナリスクの原因ではなかろうか。

いつになったら、このような不安定な情勢が落ち着くのだろうか。それについて明確に展望することができないが、中国国内情勢が安定し、門戸をさらに開放して、自由と民主主義の普遍的価値観を受け入れることが前提であろう。向こう20年ないし30年は不安定な状況が続くものと予想される。

【第10章・注】

(1) キッシンジャー・H・A(1996)『外交』(岡嵜久彦監訳、日本経済新聞社)。

(2) ゴールドマン・サックスの会長兼CEOでウォール街の代表人物だった。ジョージ・W・ブッシュ政権のときに、財務長官を務めた。『ポールソン回顧録』有賀裕子訳、日本経済新聞出版社、2010年を参照。

(3) 中国外交部の通知によると、2021年1月現在、中国パスポート保有者に対して、ビザを免除しているのはインドネシア、フィジーやカタールなどの33カ国・地域。その多くは中国人がそれらの国にいつ行くのかわからないような国・地域である。

(4) 最近、2021年2月になって、中国政府はようやくインドとの国境紛争で人民解放軍に4人の死者が出たとの発表を行った。ただし、発表された人数が実際より少ないのではないかと疑問を呈した中国国内のブロガーが警察に拘束されているといわれている。おそらく真相はもっと深刻であるはずだ。さもなければ、中国政府はここまで神経質になる必要はなかった。

(5) 1937年7月7日、北京南西部の盧溝橋で起きた日本軍と中国軍の衝突事件。この事件は本格的な日中戦争の発端といわれている。中国では、「七七事件」と呼ばれている。

終章　中国民主化への道程とネオ・チャイナリスクの行方

◆民主化への道程

今日の世界では、「民主主義」が多くの国で受け入れられている、最も普遍的な価値観といえるのではなかろうか。この考えを受け入れ難いと拒否する国があるかもしれないが、あの独裁の北朝鮮でさえ、皮肉にも国名を「朝鮮民主主義人民共和国」と掲げている。形式的ではあるが、金正恩が労働党総書記に「選出」されたと北朝鮮のメディアは報じる。すなわち「選挙で選ばれている」というのである。中国も1919年の「五四運動」において知識人と学生たちは「科学」と「民主」を求めた。その前に、孫文は1906年に「三民主義（民族主義、民権主義、民生主義）」を掲げ、1911年、辛亥革命を引き起こした。毛沢東も1945年、黄炎培が提起した「歴史的周期律」に、「われわれは歴史的周期律を脱出する新しい道を見つけた。その新しい道とは、民主である」と反論した（第1章コラム②を参照されたい）。

問題は建国後、毛に対する個人崇拝が強化され、中央集権的な専制政治になってしまったことである。毛は死去する前に、その側近たちに「私は一生のうちで、二つ大きなことを成し遂げた。一つは中華人民共和国を成立させたこと。もう一つは文化大革命。文革はこれで終わりではなく、これから永遠に続けないといけない」と指示したといわれている。

その後、改革・開放以降の中国の教育と公式メディアでは、一貫して自由と民主主義の議論を避けてきた。代わりに、共産党は人民を幸せにすることでその正当性を誇示しようとしている。中国人にとって幸せとは何か。「民以食為天」（民は食を以て天と為す）を信奉する中国人は、豊かな食事ができることを幸せと考えているようだ。要するに、今の中国では、豊かな食事と自由・民主主義は二者択一の関係にあるとされてしまっているといえる。

この点はまさに米国の左派の論客が中国情勢を誤解しているところである。米国の左派の論客たちは、中国人が豊かな食事ができるようになれば、おのずと自由と民主主義を求めるようになるだろうと考えていた。しかし中国共産党は、現在ほとんどすべての人民が豊かな食事を享受できているのだから、わが国に「自由と民主主義」は不要である。そんなものを求めるな、と主張している。

だが、世界の大多数の人々が自由と民主主義を享受しているのに、中国人だけがそれを享受できないというのは理屈に合わない。

10年ほど前のことだが、北京大学の賀衛方教授を日本に招いて、セミナーを開いた。賀教授は中国の法制度の現状と問題点について講演した。質疑応答のとき、ある聴講者から「中国はいつになったら民主化しますか。賀教授は一人の学者として自由、民主化、法治を推進する原動力はどこから来ているとお考えですか」と質問された。賀教授は「父親は文革のときに迫害され亡くなりました。個人的にはこのことが自分の言論活動の原動力になっている。中国がいつになったら民主化できるかについては、正直わかりません。ただし、中国に『山海経』[1]という古典の書があり、その中に次のような物語が書かれている。ある日、海辺の山で火事が起きた。ほとんどの動物は逃げたが、一羽のインコは海岸に飛んでいって、口に水を含んで火を消しに山に戻る。インコは独りで山火事を消そうと努力をしているのだ。このことは山の神様を感動させ、神様は地震を起こして山火事を消した――。私は一人の力として微々たるものだが、いずれ神様は感動してくれると信じている」と答えた。女性の通訳は賀教授の答えを涙ながらに訳した。賀教授のいう通り、中国は巨大な国家であり、それを変えるには、時間がかかる。でもいずれ変わるだろう。

数千年の歴史の中で、中国人はダーウィン主義のいう進化の過程において、権力と権力者に服従する自己防衛の遺伝子を身につけた。それは「奴才」（権力者に反抗しない奴僕）の精神である。半面、自分より立場の弱い者に対して、極端に冷たくする。それを如実に描写したのが魯迅の『阿Q正伝』[2]の中の阿Qという人物である。結果的に個々の中国人は極端に利己主義者になっている。にもかかわらず、個を捨てて国に尽くせという愛国主義を煽られている。おそらく中国の愛国主義とは、自分に都合のよい愛国主義であり、本当に国を愛しているのではない。だからこそ、権力者をはじめとする勝ち組ほど、子供を米国やカナダなどの先進国に移住させ、巨額の金融資産を移民先に置いているのである。

中国が民主化する道程は、気が遠くなるほど長い道のりになるのだろう。少なくとも、毛の政治的遺伝子を受け継いだ元紅衛兵たちの引退を待たないといけない。その次の世代、あるいはさらに次の世代になって、専制政治の岩盤が少し緩む可能性が出てくるまでは、社会も政治も不安定な状況が続くだろう。

◆ネオ・チャイナリスクのこれから

中国経済の長期展望をめぐって、国際機関を中心に中国のGDP、あるいは一人あたりGDPの予測を発表している。特に、2020年コロナ禍により主要国の経済は軒並みマイナス成長だったが、中国だけはプラス成長（2・3％）を実現した。それをもとに計算すれば、中国のドル建て名目GDPは最速で2028年にも米国を追い抜く可能性があるといわれていることは何度も触れた。この展望には何の意外感もない。13億6000万人の中国が3億2800万人の米国の経済規模を早晩追い抜くであろうことは、かなり確度が高い。重要なのは、序章でも述べたように、中国経済が世界一になるかどうかではなく、経済力が強くなっている中国が既存の国際ルールに従うかどうかである。仮に、中国が既存の国際ルールを変更させようとするのであれば、どのような手続きを踏まえるかに注目しなければならない。

まず、中国経済はすでにグローバル経済に組み入れられている。中国自身もグローバル社会とのデカップリングを避けたいと考えているはずである。これまでの40年間、中国経済はいわゆる「外向型」経済モデル、すなわち外資と輸出に依存する経済モデルを構築してきた。したがって、中国はいまさら門戸を完全に閉じる方向に転換することは、現実的に考えて不可能である。

長い間、中国は発展途上国として、先進国と同じルールの適用から免れてきた。しかし、今の中国はすでに中進国のレベルであり、これからは今までのハンディを返上しなければならない。国際ルールを順守していくには、その商習慣の透明性を確保しなければならない。長い間、世界主要国のほとんどは中国の商習慣について不満があっても、中国経済に依存していることから、見て見ぬふりをしてきた。その典型がドイツである。米中貿易摩擦をきっかけに、既存の国際ルールに従わない中国の商習慣が問題として一気に浮上し問題視されている。

そして、中国の司法制度は民主主義国のそれと異なるものである。中国とのビジネスにおいてトラブルになった場合。そのトラブルを解決する術がないということが大きな問題になり得る。中国政府の基本的な姿勢は「郷に入れば郷に従え」というもので、基本的に外国企業に対して「あなた方は中国に進出してきたのだから、中国の商習慣に従っていただきたい」と求めてきた。だが、問題は、中国社会はトップダウン等である日突然ルールが変更されることがしばしばあり、外国企業はこの突然の変更に右往左往するばかりで、うまく対応が取れない。すると中国側が「ルール違反だ！」として容赦なく罰則を与えるなどの措置をとってくる。このような理不尽な処置が、まさに米中対立の中で問題視されていることである。しかし短期的には、それが大きく改善される見込みはないといわざるを得ない。

さらに、地政学リスクの観点から、中国はグローバル社会にとっての脅威になる可能性があるという点である。鄧小平は、中国は今後決して世界の覇権を求めないと述べたが、国力の増強とともに拡張路線に転じているのは明白である。歴史的にみると、この点は中国に限らず、ほぼすべての大国が同じように拡張路線を歩んだ。要するに、それがよい悪いという議論よりも、中国が拡張路線を続けていくなか、世界地図がどのように変更されるかである。

◆新たなグローバル社会の勢力図

毛時代の独創的な発想の一つは、世界を第一世界、第二世界と第三世界に分けたことであると、すでに紹介した。第三世界、すなわち発展途上国に属していた中国は、第二世界を跳び越えて、いまや第一世界にコミットしようとしている。その結果、国際経済のみならず、国際政治のバランスが大きく崩れる可能性が出てきた。これこそネオ・チャイナリスクをマネージするうえで最も重要な課題となる。これからの10年間、グローバル社会の勢力図が大きく入れ替わる可能性が高い。

トランプ前大統領はmake America great again（米国を再び偉大な国家にする）を自国民に提唱していたが、これから先、米国の国力は弱まりこそすれ、どんどん強くなっていくという見込みは少ない。バイデン大統領はこの現実に直面して、EUと日本などの同盟国との関係を強化する姿勢を明らかにしている。

それに対して、中国は「一帯一路」イニシアティブを通じて、アフリカ、中東、南米などの途上国と新興国との関係を強化しようとしている。特に、コロナ禍に立ち向かうために、中国政府はこれらの国々に対してワクチンを輸出する「健康シルクロード構想」を打ち出している。中国は第一世界に属しながら、第三世界の代表としてその結束を強めようとしているのだ。もちろん、グローバル社会はかつての「南北問題」のような「G7を中心とする先進国同盟（民主主義同盟）」対「中国を代表とする途上国・新興国」の対抗勢力図とはならないだろうが、これまでの均衡状態が崩れる可能性は大きい。

ここで、民主主義同盟は、経済利益のために共産党一党独裁の専制政治とどう妥協していくかが問われる。中国の経済力が弱かった時代、先進国にとって、中国の人権問題は所詮中国の内政であり、対岸の火事にすぎなかった。それに対して批判するにしても、単なる姿勢をみせるだけだった。しかし、国力が急速に強くなった中国は、これまで先進国の〝領分〟だったところに近年大きく入り込んできている。たとえば、中国国内で「ニューヨーク・タイムズ」や「ワシントンポスト」はいっさい閲覧できず、西側諸国の言論には一切触れさせないようにしていながら、たとえば米国では「人民日報」などが自由に閲覧でき、中国側の主張を知識人に伝えることができる。このバランスを欠いた現実を放置したままでよいのかどうかについて、トランプ政権下で多くの米国市民は考えさせられたのだ。

グローバル社会にとって、中国経済の持続的な発展は互いに大きな利益になる。同時に、拡張路線を続ける中国は今後、深刻な地政学リスクにつながることもたしかであろう。バイデン政権は中国に対して再びエンゲージメント政策を実施しても、まったく意味がない。おそらくバイデン政権は同盟国との関係を強化するうえで、中国と対話をしながら、変革を求めていく、硬軟両面の対中政策を講じることになると思われる。

◆「赤い帝国」か、超大規模な「極権国家」か

振り返れば、中国の強国復権の夢の出発点は、清王朝末期、列強に侵略されたことに対する反動だった。中国は二度と侵略されないように、明治のときの日本の富国強兵と同じ道を歩む夢をみてき

た。しかしながら、抗日戦争に勝利したあとも、中国は平和な道を歩むことができなかった。5年近くの内戦を経て、1949年、中華人民共和国が成立したが、それは幸せな道への始まりではなく、さらなる苦難への道の始まりだった。毛時代の27年間、熾烈な権力闘争が繰り返され、富国強兵どころではなかった。

「改革・開放」以降の40年間、権力闘争は依然続いているが、人民を巻き込む度合いは大幅に減退し、その分、中国経済は奇跡的な成長を成し遂げた。逆説的にいえば、中華人民共和国成立のときから権力闘争をほどほどにして、経済建設に重点的に取り組んでいれば、今の中国の経済規模はとっくに米国を大きく超えていたかもしれない。中国が目指すべき目標は世界から恐れられる赤い帝国ではなく、世界から尊敬される文明国になることである。

清華大学元教授の許章潤（法学者）はその近著『戊戌六章』[3]で、「総じていえば、目下の中国は赤い帝国というよりも、超大規模な極権国家というべきである。なぜならば、中国は政治改革を拒み、良い政治体制を以て現代中国のさらなる進歩とレベルアップを拒否しているからである。（略）このままいくと、自己実現の期待に陥り、国内の諸問題を解決する糸口として、内戦ないし外国との戦争を引き起こしかねない。この可能性は日増しに高まっている」と述べている。この冷静な考察は本書で述べたネオ・チャイナリスクのすべてをいい当てている。

最後に、元紅衛兵たちの国家統治は、中央集権型なものになりがちである。本人たちはそれを意識していないかもしれないが、それによって中国社会に内在する活力は抑制されている。社会と経済が不安定化すればするほど、権力者は統治、すなわちコントロールをよりいっそう強化しようとする。

この負のスパイラルから抜け出すのはそれほど簡単ではない。繰り返しになるが、元紅衛兵の退場を待つしかないかもしれない。

◆新たな日中関係のあり方

同文同種といわれる日本人と中国人は近代、不幸な歴史を経験している。国交正常化以降の日中関係を振り返っても、平坦な道のりではなかった。歴史認識のちがいは両国が引き継いだ負の遺産といえる。両者は史実そのものの検証を十分に行わず、それぞれの立場から歴史を総括しているため、そのちがいを乗り越えることができないでいる。

そのうえ、尖閣諸島（中国名：釣魚島）の海域を中心に、領土領海の領有権をめぐり、両国は激しく対立している。両者はそれぞれ自分にとって有利な論法で論理展開をしている。その議論はまったくかみ合わない。結果的に両者は実効支配の道へと突き進んでいる。

ここで心配されるのは、両国の船が暴走した場合のリスクである。なぜ両国の指導者はリスクを回避するための対話を重ねようとしないのだろうか。かつて、鄧小平は問題を棚上げする決断をした。今、両者が納得のいく解決法が見つからなければ、棚上げ状態をさらに続けることも現実味のある知恵といえる。

加えて、日中が潜在的に対立し得るもう一つの事柄は、東アジア域内のリーダーシップをめぐる争いである。この点について中国に立ち向かおうと考える日本人はそれほど多くないはずである。経済規模を比較しても、現在日本のＧＤＰは中国の３分の１程度になっている。人口と国土を比較しても、両者は対比にならない。だからこそ多くの日本人は、中国と対立していこうとは考えていないと思われる。それよりも、東アジア域内の交通整理、すなわち、明確なルールづくりをしていかなければならない。だが残念ながら、その作業はほとんど行われていない。

両者の思考がなぜかみ合わないかについて、両者の国民性のちがいを明らかにしておきたい。

日本人はなにかトラブルに直面するときに、まず考えるのは論点整理である。しかも非常に細かい論点整理を行おうとする。コロナ禍において国会で特別措置法の制定に向けて審議がなされているが、その答弁を聞いていても、気が遠くなるような細かさである。すなわち、日本人はことあるごとに理屈の「理」に訴える。それだからかもしれないが、筆者には、日本人には理屈っぽい人が多いという印象がある。

それに対して、中国人はトラブルに直面するときに、理屈をいう前に、友情などの「情」に訴える。一般に、中国人は理屈をこねるのは得意ではないと考えられている。日中国交回復のときに、周恩来首相（当時）は北京を訪れた田中角栄首相に「同文同種、一衣帯水、子々孫々に向けて日中友好」と情を表す言葉を連発した。

「理」対「情」の日中関係だから、両者の議論はかみ合わない。この溝を埋め合わせることができなければ、両国の間に横たわっている邪魔を取り除くことができない。少なくとも、両国の指導者はこの点を意識して会話する必要があると思われる。

【終章・注】

（1）古代中国の神話を記した書。

（2）魯迅の小説で、阿Qはその主人公である。これは当時の中国社会で蔓延する卑怯、自己尊大、投機主義、「精神勝利法」を集約して表した象徴である。この小説は中国の学校国語教科書にも選ばれ、現実性のある風刺作品である。

（3）許教授がこれまで執筆した論考を収録し、２０２０年６月に米国で出版された。

あとがき

筆者は24歳のときに、故郷南京を離れ、名古屋へ留学した。それ以降ずっと日本で研究生活を送っており、人生の半分以上を日本で暮らしている。

２０１８年に、前著『中国「強国復権」の条件――「一帯一路」の大望とリスク』を上梓したが、それから早くも3年が経過した。この間の世界情勢と中国情勢の変わりようは、以前にも増してスピードアップしたという実感がある。一つはトランプ政権が仕掛けた米中貿易戦争が米中全面対立に発展する様相を増したこと、もう一つは新型コロナウイルスの世界的な感染拡大という要因による。その結果、「一帯一路」プロジェクトがトーンダウンし、「強国復権」の道もさらに険しくなってきた。前著で書き留めたことの一部は、たった3年ですでに過去形になってしまっているものもある。そこで、前著以降の最近の研究成果を改めて新著としてまとめることを決心した。

本書の執筆が佳境に入った２０２1年1月末、ある週末に、ＮＨＫのＢＳ放送で「中国『改革・開放』を支えた日本人」というドキュメンタリーが再放送されていた。以前、この番組（初放映は改革・開放40周年だった２０１８年の翌年・19年春）はみていたが、今回もう一度、みることにした。

この番組は１９７８年春の鄧小平の訪日から始まり、中国の経済建設に協力した日本の財界人に対するインタビューを綴ったものである。いくつかの点で大変参考になる部分があった半面、やや「もう少し突っ込んでほしかった」と感じた部分もあった。

　日本の近代化を目のあたりにして鄧小平は改革・開放路線へ舵を切る決断をし、「敗戦以後、どうやって復興がかくもうまく、かつ迅速に進んだ」のか、その発展の秘訣を学ぶために中国政府の視察団を日本へ派遣した。そして、他の外国の例も並行して検討しながら、最終的に日本モデルを取り入れると決めたようだ。しかし、改革・開放がメインテーマなのだから致し方ないことかもしれないが、番組では、経済改革の側面にばかり焦点が当てられ、両者の政治システムのちがいに触れる話はほとんど描かれなかった。

　たしかに、日本は格差が小さい（小さかった）ことで「地上の他のどの国よりも社会主義的」と冗談交じりによくいわれてきたが、れっきとした民主主義国家・日本の議会制民主主義は、国家の根幹として何より重要である。要するに、日本に議会制民主主義の制度基盤がなかったら、日本の経済発展と戦後復興も進まなかったのだろう。鄧小平は日本に来たとき、新幹線に乗車して「速い」と感動したが、議会や裁判所を視察しなかったのは残念だった。

　社会主義国家に市場原理を導入しようという試みにおいてまず注目されたのが、国有企業改革だったという。ここで中国人が学んだことは、労働者の働き方は一定程度「管理」されなければ生産性は上がらないという、資本主義のシステムからすれば自明のことであった。ここで重要なのは、日本のような資本主義国では、まさにまず「自由」が存在し、その自由な環境の下において「規律」が保たれる。この「自由の下での管理」こそが質の向上や労働者自身の問題意識の芽生えをもたらし、飛躍的発展の礎となるマジックワードだった。

計画経済では、ただ求められた生産量拡大の目標を達成しさえすれば、お咎めはない。極論すれば、不良品でもお構いなしということだ。小松製作所（現・コマツ）からさまざまなアドバイスを受けた北京内燃機総廠の工場長（当時）の沙葉は「われわれの製造したエンジンは一応国家基準にはかって合格ラインに達してはいたが、厳密には不良品率が高かった。しかし、どこの自動車工場もエンジンがなければ車を生産できない。そのためたとえ不完全なエンジンであっても、飛ぶように売れた」と述懐している。そして「日本人は、中国市場進出という見返りを目論んでのことというわけではなく、もっと高い次元の動機で中国の近代化のために惜しみなく力を貸してくれた」と感謝の言葉を惜しまない。

日本が戦争中、中国大陸で行った行為に対する償いの気持ちを当時の政財界・実業界のお歴々は多々、お持ちだったのだろう。しかし、そのような意識を越えて、同じアジアの隣人に手を差し伸べるという意志を強く持ってくれた日本人の友情には、当時の中国政府の担当者たちは言葉で表せないほど謙虚に敬意を払った。一方で、「韜光養晦」の時期は過ぎた、もう中国は日本に対してへりくだる必要はない、と現代の中国人たちはかなり、日本を含む他の諸外国を上から目線で見下す傾向がある。毛沢東や鄧小平がつねづね口にした「自力更生」も、独断と古来からの他国を下に見る習慣によって世界の中で孤立化を深める要素であった。これに直言したのが大来佐武郎で、国際社会において第一に重要なことは互いの「信用」「信頼」、つまり相互理解と敬意だと諭した。ひるがえって、いまの中国は、日本に対して敬意をもって接することができれば、中国も日本から尊敬されるだろう。

本書のメインテーマは「新しいチャイナリスク」の解明であるが、新たなリスクの原因は、中国にはいまだ自由な市場経済に適応する議会制民主主義の社会基盤が構築されていないことにあるといわざるを得ない。本来、中国の正式な国名「中華人民共和国」は英語にするとPeople's Republic of China、つまり「人民の（ための）」国家であるべきなのだ。国家が「党のために存在する」のではなく「そこに暮らす人々のために存在する」方向へと移行することを心より望んでいる。

振り返れば、前著の刊行は、筆者がちょうど公益財団法人東京財団政策研究所に移籍したのとほぼ同じタイミングであった。それから3年経過した。同研究所では中国研究を任され、2019年に「チャイナリスクの制度分析」と題するフォーラムを開催した。その成果も本書の執筆に役立てることができた。ここで東京財団政策研究所に対して、謝意を表したい。

最後に特筆したいのは、前著に続いて本書の刊行にあたっても、慶應義塾大学出版会の増山修氏から企画段階より多大なご助力を賜ったことである。前述のフォーラムの内容などをもとに新たな一冊を著したらどうかというアイデアを同氏から頂戴し、本書に結実した。衷心より感謝を申し上げる。

2021年春　中国共産党創立百周年の年に

柯　隆

参考文献

【和文文献】

アーレント、H.（1973）『人間の条件』志水速雄訳、中央公論社（のち、ちくま学芸文庫所収、1994年）
アクセルロッド、R.（1998）『つきあい方の科学　バクテリアから国際関係まで』松田裕之訳、ミネルヴァ書房
アセモグル、D.、J・A・ロビンソン（2013）『国家はなぜ衰退するのか　権力・繁栄・貧困の起源』（上下）鬼澤忍訳、早川書房
伊藤憲一・田中明彦（2005）『東アジア共同体と日本の針路』NHK出版
犬養健（1984）『揚子江は今も流れている』中公文庫
猪俣哲史（2019）『グローバル・バリューチェーン　新・南北問題へのまなざし』日本経済新聞出版社
ウィトケ、R.（1977）『江青（上下）』中嶋嶺雄・宇佐美滋訳、パシフィカ
ヴォーゲル、E・F（2013）『現代中国の父　鄧小平』（上下）増尾知佐子・杉本孝訳、日本経済新聞出版社
馬田啓一・木村福成（編著）（2008）『検証・東アジアの地域主義と日本』文眞堂
浦田秀次郎・深川由紀子（編）（2007）『東アジア共同体の構築2：経済共同体への展望』岩波書店
岡嵜久実子（2020）『中国の金融・財政構造の変化と将来展望』ITI調査研究シリーズ No.111、第5章
岡野寿彦（2020）『中国デジタル・イノベーション　ネット飽和時代の競争地図』日本経済新聞出版社
尾崎春生（2007）『中国の強国戦略　2050年への発展シナリオを読む』日本経済新聞出版社
片山智行（1996）『魯迅、阿Q中国の革命』中公新書
柯隆（2018）『中国「強国復権」の条件――「一帯一路」の大望とリスク』慶應義塾大学出版会

――（2015）『爆買いと反日』時事通信社
――（2010）『チャイナ・クライシスへの警鐘―2012年中国経済は減速する』日本実業出版社
――（2007）『中国の不良債権問題』日本経済新聞出版社
――（2006）『中国の統治能力』共著、慶應義塾大学出版会
――（2017a）「明日の中国を占う国有企業改革の行方―企業統治の観点からのアプローチ」『金融財政ビジネス』12月10日
――（2017b）「中国の電子商取引（e-commerce）の発展と課題」『富士通総研 China Focus』No.9（9月25日）
――（2017c）「中国―金融緩和と経済の行方、不動産バブル再来、高まる信用リスク」『金融財政ビジネス』8月10日
――（2017d）「習近平思想の浸透に向け、金融改革の新局面を迎えた中国経済」『金融財政事情』8月5日
――（2017e）「なぜ中国は世界一の FinTech 大国になっているのか」『富士通総研 China Focus』No.8（6月16日）
――（2017f）「中国経済の構造問題―習近平政権二期目の政策課題」『JETRO中国経済』5月号
――（2017g）「人民元の為替レートと2017年の中国経済の行方」『富士通総研 China Focus』No.7（3月23日）
――（2017h）「『改革開放』の限界が見えてきた、中国に『明治維新』は無理だ」『文芸春秋』3月号、渡辺利夫との対談
――（2017i）「チャイナリスク顕在化か、トランプ政権誕生が追い打ち」『金融財政ビジネス』2月9日
――（2017j）「有効政策が見つからないレベルに達した中国の大気汚染問題（中国の環境統計）」『金融財政事情』（1月16日）
――（2017k）「グローバリズム後退の危機と保護主義の台頭―中国が進める一帯一路構想の検証」『JBIC中国レポート「中国智庫」』（第2号）
――（2016a）「つじつまが合わない中国のエネルギー・電力の消費弾性値（中国のエネルギー統計）」『金融財政事情』12月5日
――（2016b）「中国不動産バブルの謎（中国の不動産統計）」『金融財政事情』11月21日

――（２０１６ｃ）「国際貿易の落ち込みと景気減速で正念場を迎える中国経済（中国海関の国際貿易統計）」『金融財政事情』11月７日

――（２０１６ｄ）「不可解な中国の失業率（中国の雇用統計）」『金融財政事情』10月24日

――（２０１６ｅ）「過小評価されている中国のインフレ率（中国の消費者物価統計）」『金融財政事情』10月10日

――（２０１６ｆ）「統計の改ざんが横行する中国経済のワナ」『金融財政事情』10月３日

――（２０１６ｇ）「つかみにくい中国経済の全体像、マクロとミクロのかい離、中央と地方のギャップ」『金融財政ビジネス』9月29日

――（２０１６ｈ）「岐路に立つ中国経済の行方」『富士通総研 China Focus』No.6（9月26日）

――（２０１６ｉ）「中国経済はなぜ減速したか」『富士通総研 China Focus』No.5（6月16日）

――（２０１６ｊ）「中国経済、さらなる減速へ、閉鎖のゾンビ企業は死んだふり」『金融財政ビジネス』５月９日

――（２０１６ｋ）「中国経済まだまだ悪くなる」『文芸春秋』３月号

――（２０１６ｌ）「不確実性、２０１６年の中国経済」『富士通総研 China Focus』No.4（３月２日）

――（２０１６ｍ）「注目される中国経営企業改革の成否」『世界経済評論』１―２月号

――（２０１６ｎ）「中国の構造転換、ゾンビ企業の閉鎖と『債転股』」『ＪＢＩＣ中国レポート「中国智庫」』（第３号）

――（２０１６ｏ）「２０１６年の中国経済の行方」『ＪＢＩＣ中国レポート「中国智庫」』（第２号）

――（２０１６ｐ）「中国経済の真実―成長のサステナビリティとリスクの検証」『ＪＢＩＣ中国レポート「中国智庫」』（第１号）

――（２０１５ａ）「迷走する中国経済―新5か年計画の行方」『ＪＥＴＲＯ中国経済』12月号

――（２０１５ｂ）「中国の経済統計は信用できるのか」『富士通総研 China Focus』No.3（11月25日）

――（２０１５ｃ）「中国環境問題」『日本経済新聞』「ゼミナール」欄、11月４日―８日（10回連載）

――（２０１５ｄ）「中国経済のファンダメンタルズの検証」『富士通総研 China Focus』No.2（９月24日）

――（2015e）「中国経済の行方（中）国有企業の非効率性弊害」『日本経済新聞』経済教室、8月20日
――（2015f）「中国の国際戦略　AIIB設立の狙い、課題と行方」『富士通総研 China Focus』No.1（8月8日）
――（2015g）「新常態における日系企業の対中投資戦略の行方」『JBIC中国レポート「中国智庫」』（8／9月号）
――（2015h）「深読み、中国の都市化政策」『JBIC中国レポート「中国智庫」』（6／7月号）
――（2015i）「2015年の中国経済の行方―習近平時代の始動」『JBIC中国レポート「中国智庫」』（4／5月号）
――（2014a）「中国進出の日本企業への提言」『JBIC中国レポート「中国智庫」』（7／8月号）
――（2014b）「転向を余儀なくされるリコノミクス、歪む価格メカニズム、急減速する成長率」『金融財政ビジネス』7月3日
――（2014c）「中国企業の過剰設備問題」『JBIC中国レポート「中国智庫」』（5／6月号）
――（2014d）「視界不良の中国経済（中）不動産バブル崩壊の恐れ」『日本経済新聞』経済教室、5月15日
――（2014e）「全人代の開会とリコノミクスの行方」『JBIC中国レポート「中国智庫」』（3／4月号）
――（2014f）「2014年の中国経済の行方と長期展望」『JBIC中国レポート「中国智庫」』（1／2月号）
――（2014g）「今年の中国経済の動向、懸念される消費動向」『金融財政ビジネス』1月20日
――（2013a）「習近平国家主席の挑戦―三中全会の『決定』を読む」『JBIC中国レポート「中国智庫」』（11／12月号）
――（2013b）「中国の待ったなしの環境汚染問題」『JBIC中国レポート「中国智庫」』（9／10月号）
――（2013c）「中国の影の銀行と銀行の影の問題」『JBIC中国レポート「中国智庫」』（7／8月号）
――（2013d）「難しい成長と改革の両立、『中国発金融危機』の懸念も」『金融財政ビジネス』8月5日
――（2013e）「インフレ懸念高まるなか、構造転換遅れる―日本企業の対中投資戦略の行方」『JBIC中国レポート「中国智庫」』（5／6月号）
――（2013f）「習近平政権の誕生で中国経済は低成長に入るのか」『JBIC中国レポート「中国智庫」』（3／4月号）
――（2013g）「深刻化する大気汚染の行方と課題」『JBIC中国レポート「中国智庫」』（1／2月号）

――（2012a）「チャイナリスクの再認識―日本企業の対中投資戦略への提言―」『富士通総研研究レポート』No.398（12月）
――（2012b）「中国の構造転換と中国における日本企業と中国企業のブランド戦略」『JBIC中国レポート「中国智庫」』（11／12月号）
――（2012c）「中国の景気動向と日本企業の対中投資戦略」『JBIC中国レポート「中国智庫」』（9／10月号）
――（2012d）「日中関係の新たな動きと円本企業の対中投資戦略」『JBIC中国レポート「中国智庫」』（7／8月号）
――（2012e）「中国のエネルギー需給とその戦略」『JBIC中国レポート「中国智庫」』（5／6月号）
――（2012f）「政権交代期のチャイナリスクの再認識」『JBIC中国レポート「中国智庫」』（3／4月号）
――（2012g）「住宅制度改革の変遷と住宅バブルの行方」『JBIC中国レポート「中国智庫」』（1／2月号）
――（2011a）「2012年中国経済を占う―五輪と万博後遺症の影響と展望」『JBIC中国レポート「中国智庫」』（11／12月号）
――（2011b）「中国経済の行方とそのソブリンリスク」『富士通総研研究レポート』No.378（10月）
――（2011c）「苦境に立たされる中小企業経営の行方」『JBIC中国レポート「中国智庫」』（9／10月号）
――（2010a）「中国経済のディレンマ―成長か構造改革か―第12次5か年計画の骨格」『JBIC中国レポート「中国智庫」』（11月号）
――（2010b）「中国人民元為替問題の中間的総括」『富士通総研研究レポート』No.355（6月）
――（2009）「中国経済分析の視座―インフレと雇用の政策的意味―」『富士通総研研究レポート』No.342（5月）
――（2008）「中国経済のサステナビリティと環境公害問題」『富士通総研研究レポート』No.321（5月）
――（2006a）「中国における国家と市場の関係に関する考察」『富士通総研研究レポート』No.276（10月）
――（2006b）「日本企業対中投資の新たな選択―集中か分散か」『富士通総研研究レポート』No.250（1月）
――（2005a）「中国企業の対外直接投資に関する考察」『富士通総研研究レポート』No.235（7月）

――（2005b）「中国経済成長に内在するリスク要因」『Economic Review（富士通総研）』Vol.9, No.3（7月）
――（2005c）「中国経済成長に内在するリスク要因」『富士通総研研究レポート』No.217（2月）
――（2004a）「中国における国有企業民営化に関する考察」『Economic Review（富士通総研）』Vol.8, No.4（10月）
――（2004b）「中国経済はインフレに向かうのか―問われる金融政策の有効性」『Economic Review（富士通総研）』Vol.8, No.3（7月）
――（2004c）「中国における国有企業民営化に関する考察」『富士通総研研究レポート』No.201（7月）
――（2004d）「中国における食料価格上昇の背景に関する一考察」『Economic Review（富士通総研）』Vol.8, No.2（4月）
――（2004e）「中国人民元の為替政策に関する分析」『Economic Review（富士通総研）』Vol.8, No.2（4月）
――（2004f）「中国における電力供給の効率化と安定供給のディレンマ」『Economic Review（富士通総研）』Vol.8, No.1（1月）
――（2003a）「中国人民元の為替政策に関する分析」『富士通総研研究レポート』No.181（12月）
――（2003b）「中国の家計所得と消費構造に関する分析」『Economic Review（富士通総研）』Vol.7, No.3（7月）
――（2003c）「最近の中国の国際貿易の特徴」『Economic Review（富士通総研）』Vol.7, No.3（7月）
――（2003d）「中国の家計所得と消費構造に関する分析」『富士通総研研究レポート』No.162（4月）
――（2003e）「ODA理念の再考と外交戦略の明確化」『富士通総研研究レポート』No.160（4月）
――（2003f）「中国市場におけるマーケティングと人材獲得の重要性」『Economic Review（富士通総研）』Vol.7, No.2（4月）
――（2003g）「中国資本市場開放の第一歩―QFIIの導入」『Economic Review（富士通総研）』Vol.7, No.1（1月）
――（2002a）「制度移行期の中国農業制度改革の方向性―『農民問題』と『農業問題』の考察を中心に」『富士通総研研究レポート』No.139（8月）
――（2002b）「対中投資における留意点―現地化とガバナンスの徹底による経営の必要性」『Economic Review（富士通

総研)』Vol.6, No.3(7月)
——(2002c)「中国における金融国際化へのロードマップ」『Economic Review(富士通総研)』Vol.6, No.2(4月)
川勝平太(2006)『文化力、日本の底力』ウェッジ
岸田五郎(1995)『張学良はなぜ西安事変に走ったか——東アジアを揺るがした二週間』中公新書
キッシンジャー、H・A(1996)『外交』(上下)岡崎久彦監訳、日本経済新聞社
クローバー、A・R(2018)『チャイナ・エコノミー 複雑で不透明な超大国 その見取り図と地政学へのインパクト』東方正美訳、白桃書房
国分良成(2017)『中国政治からみた日中関係』岩波書店
——(編著)(2006)『中国の統治能力——政治・経済・外交の相互連関分析』慶應義塾大学出版会
舒乙(1995)『文豪老舎の生涯』林芳訳、中公新書
進藤榮一(2007)『東アジア共同体をどうつくるか』筑摩書房
鈴木美勝(2017)『日本の戦略外交』ちくま新書
スノー、E.(1975)『中国の赤い星』松岡洋子訳、筑摩叢書
関根栄一(2020)「ウィズコロナ時代の中国・全人代の開催と資本市場改革」(野村資本市場クオータリー2020 Summer)
セン、A.(2000)『自由と経済開発』石塚雅彦訳、日本経済新聞社
宋強、張蔵蔵ほか(1996)『「ノー」といえる中国』莫邦富ほか訳、日本経済新聞社
添谷芳秀・田所昌幸(編)(2004)『日本の東アジア構想』慶應義塾大学出版会
趙瑋琳(2021)『チャイナテック 中国デジタル革命の衝撃』東洋経済新報社
チョムスキー、N.(1981)『知識人と国家』河村望訳、TBSブリタニカ
津上俊哉(2017)『米中経済戦争の内実を読み解く』PHP新書
ディケンズ、C.(1948)『二都物語』佐々木直次郎訳、岩波文庫

寺島実郎（２０１２）『大中華圏　ネットワーク型世界観から中国の本質に迫る』ＮＨＫ出版
トインビー、Ａ・Ｊ（１９５７）『歴史の教訓』松本重治編訳、岩波書店
トクヴィル、Ａ・Ｄ（１９９８）『旧体制と大革命』小山勉訳、ちくま学芸文庫
西村豪太（２０１５）『米中経済戦争　ＡＩＩＢ対ＴＰＰ』東洋経済新報社
ハイエク、Ｆ・Ａ（１９９２）『隷属への道』西山千明訳、春秋社
ピケティ、Ｔ.（２０１４年）『21世紀の資本』山形浩生、守岡桜、森本正史訳、みすず書房
福本勝清（１９９４）『中国共産党外伝　歴史に涙する時』蒼蒼社
藤村久雄（１９９４）『革命家　孫文　革命いまだ成らず』中公新書
藤本隆宏・新宅純二郎（２００５）『中国製造業のアーキテクチャ分析』東洋経済新報社
ピルズベリー、マイケル（２０１５）『China2049』野中香方子訳、日経ＢＰ社
プー、パオ、ルネー・チアン、アディ・イグナシアス（２０１０）『趙紫陽極秘回想録』河野純治訳、光文社
ブラウン、アーチェ（２０１２）『共産主義の興亡』下斗米伸夫訳、中央公論新社
プレマー、Ｉ.（１９９４）『戦争の記憶、日本人とドイツ人』石井信平訳、ＴＢＳブリタニカ
――（２０１２）『「Ｇゼロ」後の世界』北沢格訳、日本経済新聞出版社
ポールソン、ヘンリー（２０１０）『ポールソン回顧録』有賀裕子訳、日本経済新聞出版社
ボールドウィン、Ｒ.（２０１８）『世界経済　大いなる収斂　ＩＴがもたらす新次元のグローバリゼーション』遠藤真美訳、日本経済新聞出版社
松本重治（１９７４）『上海時代』（上中下）中央文庫
マディソン、Ａ.（２０００）『世界経済の成長史１８２０～１９９２年』金森久雄監訳、東洋経済新報社
毛毛（２００２）『わが父・鄧小平』（上・下）藤野彰、鐙屋一ほか訳、中央公論新社
楊中美（１９８９）『胡耀邦―ある中国指導者の生と死』蒼蒼社

吉冨勝（２００３）『東アジアの真実』東洋経済新報社
吉野文雄（２００６）『東アジア共同体はほんとに必要なのか』北星社
劉傑（１９９９）『中国人の歴史観』文春新書
李智慧（２０２１）『チャイナイノベーション２　中国デジタル強国戦略』日経ＢＰ社
老舎（１９８０）『駱駝祥子』立間祥介訳、岩波文庫
――（１９８２）『茶館』沢山晴一郎訳、大学書林
渡辺利夫（編）（２００５）『日本の東アジア戦略―共同体への期待と不安』東洋経済新報社

【欧文文献】

Arrighi, Giovanni (2009) *Adam Smith in Beijing*, Verso（邦訳：『北京のアダム・スミス―21世紀の諸系譜』中山智香子ほか訳、作品社、２０１１年）
Asemoglu, Daron and James A. Robinson (2013) *Why Nations Fail, The Origins of Power, Prosperity, and Poverty*, Profile Books（邦訳：『国家はなぜ衰退するのか――権力・繁栄・貧困の起源』（上下）、鬼澤忍訳、早川書房）
Brown, Archie (2009) *The Rise and Fall of Communism*, Vintage（邦訳：『共産主義の興亡』下斗米伸夫訳、中央公論新社、２０１２年）
Chang, Jung and Jon Haliday (2005) *Mao: The Unknown Story*, Globalfair（中国語訳：『毛沢東：鮮為人知的故事』張戎訳、開放出版社、２００５年）
Chomsky, N. (1977) "*Intellectual and the state*," Freedom (Britain)
Dikotter, F. (2010) *Mao's Great Famine The History of China's most Devastating Catastrophe, 1958-1962*, Wylie Agency (UK) Ltd.（邦訳：『毛沢東の大飢饉　史上最も悲惨で破壊的な人災　１９５８－１９６２』中川治子訳、草思社文庫、２０１９年）
Economy, Elizabeth C. (2018) *The Third Revolution Xi Jinping and The New Chinese Stat*, Oxford University Press

Ke, Long (2017) "Economic Risk under Xi Jinping Administration," *Japan Spotlight*, March/April

——— (2016) "The Risks to China's Economy," *Japan Spotlight*, May/June

——— (2013) "Chinese Industrial Policy and Economic Development," *Japan Spotlight*, May/June.

——— (2012) *Global Linkages and Economic Rebalancing in East Asia*, World Scientific Publishing Company (Singapore)

Kempe, Frederick (2021) *The longer telegram–Toward a new American China strategy*, Atlantic Council.

Lampton, David M. (2001) *Same Bed Different Dreams*, The Regents of the University of California

Maddison, A. (2004) *The World Economy: Historical Statistics* (Development Studies), OECD

Nixon, R. (1982) *Leaders*, Warner Books（邦訳：『指導者とは』徳岡孝夫訳、文芸春秋、１９８２年）

Pantsov, A.V. and Steven I. Levine (2012) *Mao, The Real Story*, Andrew Nurnberg Associates（中国語訳：『毛沢東、真実的故事』林添貴訳、聯経、２０１５年）

Pomeranz, K. (2001) *The Great Divergence*, Princeton University Press（邦訳：『大分岐　中国、ヨーロッパ、そして近代世界経済の形成』川北稔訳、名古屋大学出版会、２０１５年）

Rawski, T. G. (2001) "What is happening to China's GDP statistics?" *China Economic Review* Vol. 12. No. 4

Segal, Stephanie, and Dylan Gerstel (2021) "Degrees of Separation–A Targeted Approach to U.S.–China Decoupling," CSIS.

Steinberg, J. and Michael E. O'Hanlon (2014) *Strategic Reassurance and Resolve, US–China Relations in the Twenty–First Century*, Princeton University Press（邦訳『米中衝突を避けるために　戦略的再保証と決意』）村井浩紀・平野登志雄訳、日本経済新聞出版社、２０１５年）

Stigliz, J. (1996) *Whither Socialism?* MIT Press

【中文文献】

呉敬璉（１９９９）『当代中国経済改革：戦略と実施』上海遠東出版社（邦訳：『現代中国の経済改革』青木昌彦監訳、ＮＴＴ出

版、2007年）
陳希同（2012）『陳希同親述：衆口鑠金難鑠真—保外就医的陳希同2011—12年談話記録』香港新世紀出版社
費孝通（1985）「費孝通社会学論文集」中国社会科学出版社
趙紫陽（2009）『改革歴程』香港新世紀出版社
賀衛方（1998）『司法的理念与制度』中国政法大学出版社
満妹（2005）『思念依然無尽—回憶父親胡耀邦』北京出版社
李鋭（2013）『李鋭口述往事』山大文化出版社
李鵬（2014）『李鵬回憶録1928—1983』中央文献出版社
許章潤（2020）『戊戌六章』博登書屋
楊継縄（2012）『墓碑（上下）』天地図書（香港）
張維迎（2015）『市場与政府：中国改革的核心博弈』西北大学出版社

【著者略歴】

柯 隆（か・りゅう：Ke, Long）

1963年、中国・南京市生まれ。88年来日、愛知大学法経学部入学。92年、同大学卒業。92～94年、ロータリークラブ米山記念奨学生。94年、名古屋大学大学院修士課程修了（経済学修士号取得）、長銀総研入所。98年、富士通総研経済研究所へ移籍。2006年より同研究所主席研究員。2018年、東京財団政策研究所へ移籍、現在、同研究所主席研究員。静岡県立大学グローバル地域センター特任教授、多摩大学大学院客員教授、国際経済交流財団（JEF）Japan SpotLight編集委員を兼務。

この間、財務省関税外国為替等審議会委員、財務政策総合研究所中国研究会委員、JETROアジア経済研究所業績評価委員、慶應義塾大学グローバルセキュリティ研究所客員研究員、広島経済大学特別客員教授等を歴任。

主著

『中国の統治能力』（共著）慶應義塾大学出版会、2006年

『中国の不良債権問題』日本経済新聞社、2007年

『チャイナクライシスへの警鐘』日本実業出版社、2010年

『中国「強国復権」の条件』慶應義塾大学出版会、2018年（第13回樫山純三賞受賞）　など。

「ネオ・チャイナリスク」研究

——ヘゲモニーなき世界の支配構造

2021年5月15日　初版第1刷発行

2021年9月1日　初版第2刷発行

著　者————柯 隆

発行者————依田俊之

発行所————慶應義塾大学出版会株式会社

〒108-8346　東京都港区三田2-19-30

TEL〔編集部〕03-3451-0931

〔営業部〕03-3451-3584〈ご注文〉

〔　〃　〕03-3451-6926

FAX〔営業部〕03-3451-3122

振替00190-8-155497

https://www.keio-up.co.jp/

装　丁————岡部正裕（voids）

印刷・製本——藤原印刷株式会社

カバー印刷——株式会社太平印刷社

Printed in Japan　ISBN978-4-7664-2747-9

慶應義塾大学出版会

中国「強国復権」の条件

「一帯一路」の大望とリスク

柯隆 著

新しいシルクロード・ネットワークの構築や国際金融機関の中核を担うなど、覇権回復への旺盛な意欲を世界に発信している中国。しかし、その足元は十分に安定的なのか？　気鋭の中国人エコノミストが自国の状況を余すところなく解き明かす！　第13回樫山純三賞受賞。

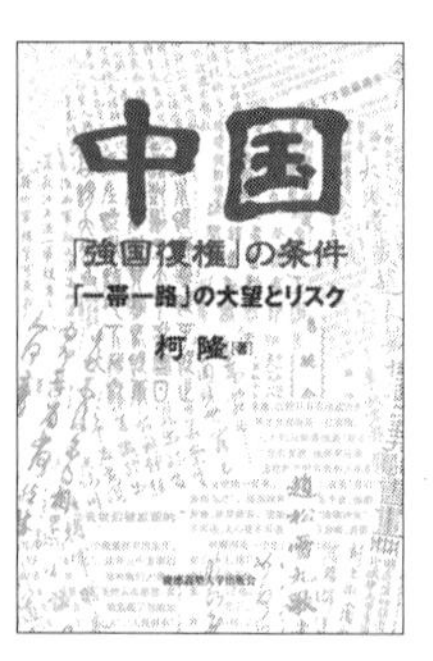

四六判／並製／408頁
ISBN 978-4-7664-2509-3
定価2,200円（本体価格2,000円）
2018年4月刊行

◆目次◆